La vida...
¿cómo se presentó aquí?
¿Por evolución, o por creación?

Hoy día, millones de personas creen en la evolución.
Otros millones creen que ha habido creación. Otras
personas se hallan indecisas en cuanto a qué creer.
Este libro es para todas estas personas. Presenta un
examen —producto de cuidadosa investigación— de
cómo llegó a existir la vida aquí... y lo que esto
significa para el futuro.

La vida... ¿cómo se presentó aquí? ¿Por evolución, o por creación?

Editores
WATCHTOWER BIBLE AND TRACT SOCIETY OF NEW YORK, INC.
INTERNATIONAL BIBLE STUDENTS ASSOCIATION
Brooklyn, New York, U.S.A.

Este libro se publica en 36 idiomas
Impresión total de todas las ediciones:
39.458.000 ejemplares

A menos que se indique lo contrario, las citas bíblicas
de este libro se toman de la versión en lenguaje moderno
Traducción del Nuevo Mundo de las Santas Escrituras,
edición de 1974.

Life—How Did It Get Here? By Evolution or by Creation? Spanish (*Sce-S*)
Made in the United States of America   Hecho en Estados Unidos de América

Contenido

Capítulo 1

La vida... ¿cómo empezó?

LA VIDA se encuentra todo en derredor de nosotros. Se evidencia en el zumbido de los insectos, el canto de las aves, el crujido —en la maleza— de los animalillos que se mueven. Existe en las heladas regiones polares y en los desiertos secos. Se halla en el mar, desde su superficie bañada por la luz solar hasta sus más tenebrosas profundidades. A gran altura en la atmósfera flotan criaturas minúsculas. Bajo nuestros pies, incontables billones de microorganismos cumplen sus funciones en el suelo, fertilizándolo para el crecimiento de las plantas verdes, que sustentan a otras formas de vida.

¿Evolucionó la vida, o fue creada?

² La Tierra está colmada de vida tan abundante y variada que no podemos imaginarnos el cuadro entero. ¿Cómo comenzó todo esto? Este planeta nuestro, y todos sus habitantes... ¿cómo llegaron a la existencia? Más particularmente, ¿qué principio tuvo la humanidad? ¿Evolucionamos de bestias semejantes a monos, o fuimos creados? ¿Cómo, *efectivamente,* llegamos a la existencia? ¿Y qué implica para el futuro la respuesta a tales preguntas? Preguntas como estas se han oído por muchísimo tiempo, y todavía están sin respuesta en la mente de muchas personas.

1. ¿Qué cuadro de abundancia de vida vemos en el planeta Tierra?
2. ¿Qué preguntas han ocupado por mucho tiempo el pensamiento de muchas personas?

7

³ Usted quizás piense que estas preguntas y cuestiones realmente no le afectan. Puede que razone así: 'No importa cómo llegué a la existencia... aquí estoy. Puede que viva 60, 70 o quizás 80 años... ¿quién sabe? Pero el que hayamos sido creados o hayamos evolucionado no cambia nada para mí ahora'. Por el contrario, pudiera cambiar muchísimo... el tiempo que usted viva, la manera como viva, las condiciones en medio de las cuales viva. ¿Por qué? Porque nuestro punto de vista sobre el origen de la vida influye en toda nuestra actitud hacia la vida y el futuro. Y el modo como vino a la existencia la vida ha de afectar definitivamente el curso de la historia en el futuro, y nuestro lugar en él.

Puntos de vista que difieren

⁴ Según la opinión de muchos que aceptan la teoría de la evolución, la vida siempre se compondrá de intensa competencia, y habrá lucha, odio, guerras y muerte. Algunos hasta creen que el hombre quizás se destruya a sí mismo dentro de poco. Un científico prominente declaró: "Puede que solo tengamos unas cuantas décadas más antes del Día Final. [...] tarde o temprano el desarrollo de las armas nucleares y de los sistemas para dar uso a estas llevará al desastre mundial"[1]. Aunque esto no sucediera pronto, muchos creen que cuando la vida de alguien termina esa persona deja de existir para siempre. Otros creen que, en el futuro, toda forma de vida en la Tierra terminará. Estos se guían por la teoría de que el Sol se convertirá por expansión en una estrella gigante roja, y que, al hacerlo, "los océanos hervirán, la atmósfera se evaporará y desaparecerá, y una catástrofe de la más inmensa proporción imaginable envolverá a nuestro planeta"[2].

⁵ Rechazan estas conclusiones los partidarios del "creacionismo científico". Pero su interpretación del relato de la creación que se da en Génesis ha llevado a estas personas a afirmar que la Tierra solo tiene 6.000 años de existencia, y que los seis "días" que Géne-

Nuestro punto de vista sobre el origen de la vida influye en toda nuestra actitud hacia la vida y el futuro

---

3. ¿Qué piensan algunos acerca de estas preguntas, pero qué hace que estas preguntas sean importantes para todos?
4. ¿Qué piensan muchos que se puede esperar en cuanto a la vida en la Tierra?
5. a) ¿Qué opinan de la Tierra los partidarios del "creacionismo científico"? b) ¿Qué preguntas hace surgir este punto de vista?

sis da para la creación fueron de solo 24 horas de duración cada uno. Pero ¿representa con exactitud tal idea lo que la Biblia dice? ¿Fue creada la Tierra, con todas sus formas de vida, en solo seis días literales, o hay una alternativa razonable?

¿Solo 6.000 años de existencia?

6 Cuando se consideran cuestiones relacionadas con el origen de la vida, la opinión popular o la emoción ejercen influencia en muchas personas. Para evitar esto, y para llegar a conclusiones exactas, tenemos que considerar objetivamente la prueba. Es interesante notar, también, que hasta el más conocido proponente y defensor de la evolución, Carlos Darwin, indicó que estaba al tanto de las limitaciones de su teoría. En su conclusión a *The Origin of Species (El origen de las especies)*, escribió acerca de lo grandioso de la "vista de la vida, con sus varios poderes, originalmente inspirada por el Creador en unas pocas formas, o en una sola"[3], lo cual hacía patente que el tema de los orígenes quedaba expuesto a examen adicional.

No se cuestionan los logros de la ciencia

7 Antes de proseguir, pudiera ser útil una aclaración:

6. ¿En qué debemos basar nuestras conclusiones acerca del origen de la vida en la Tierra, y cómo dejó Darwin expuesto a examen este tema?
7. ¿Qué aclaración se hace acerca de la ciencia y del respeto que le debemos?

Aquí no se está cuestionando el logro científico. Toda persona informada está al tanto de los asombrosos logros de los científicos en muchos campos. El estudio científico ha ampliado dramáticamente nuestro conocimiento del universo y de la Tierra y de los organismos vivientes. Estudios del cuerpo humano han llevado a mejores modos de tratar las enfermedades y lesiones. Rápidos adelantos en la electrónica nos han introducido en la era de la computadora u ordenador, que está alterando nuestra vida. Los científicos han ejecutado hazañas asombrosas, pues hasta han logrado enviar hombres a la Luna y traerlos de regreso. Es solo correcto respetar la pericia que tanto ha incrementado nuestro conocimiento del mundo que nos rodea, desde lo diminutamente pequeño hasta lo infinitamente grande.

[8] Puede ser útil también aclarar ahora ciertas definiciones: *Evolución,* como se usa en este libro, se refiere a la evolución orgánica... la teoría de que el primer organismo vivo se desarrolló de materia inanimada. Se dice entonces que, después, a medida que este se fue reproduciendo, se transformó en diferentes clases de organismos vivientes, hasta que, al fin, produjo todas las formas de vida que hasta ahora han existido en la Tierra, incluso a los humanos. Y se cree que todo esto se ha logrado sin dirección inteligente ni intervención sobrenatural. *Creación,* por otra parte, es la conclusión de que el aparecimiento de los organismos vivientes solo puede explicarse por la existencia de un Dios Todopoderoso que diseñó e hizo el universo y todos los tipos o géneros básicos de vida que hay sobre la Tierra.

Preguntas vitales

[9] Obviamente hay profundas diferencias entre la teoría de la evolución y el relato de la creación que se encuentra en Génesis. Los que aceptan la evolución afirman que la enseñanza de la creación no es científica. Pero con imparcialidad también se pudiera preguntar: ¿Es verdaderamente científica la evolución misma? Por otra

Los que aceptan la enseñanza de la evolución afirman que no es científica la enseñanza de la creación; pero ¿puede decirse imparcialmente que la teoría evolucionista misma sea en verdad científica?

---

8. ¿Cómo se usa el término *evolución* en este libro, y a qué se refiere *creación?*
9. ¿Qué afirman acerca de la creación los que aceptan la evolución, pero qué preguntas pueden presentársenos tanto en cuanto a la evolución como en cuanto a la creación?

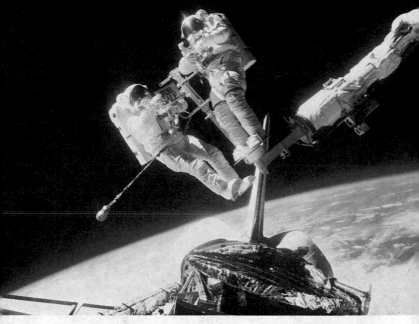

parte, ¿es Génesis simplemente otro mito antiguo sobre la creación, como muchos afirman, o está en armonía con los descubrimientos de la ciencia moderna? ¿Y qué hay de otras preguntas que perturban a tantas personas?, como: Si hay un Creador todopoderoso, ¿por qué hay tanta guerra, hambre y enfermedades que causan la muerte prematura de millones de personas? ¿Por qué habría de permitir él tanto sufrimiento? Además, si hay un Creador, ¿revela él lo que el futuro encierra?

[10] El propósito de este libro es examinar esas preguntas y otras cuestiones relacionadas. Los publicadores esperan que usted considere con mente imparcial el contenido de este libro. ¿Por qué es tan importante esto? Porque esta información pudiera serle de mayor valor de lo que usted ahora quizás comprenda.

Es correcto respetar la pericia científica que tanto ha incrementado nuestro conocimiento

---

10. a) ¿Qué propósito tiene este libro, y cuál es la esperanza de los publicadores? b) ¿Por qué es tan importante considerar estos asuntos?

11

Cosas sobre las cuales reflexionar

Nuestro mundo está lleno de muchísimas cosas maravillosas:

Cosas grandes: Un Sol poniente que enciende de vivísimos colores el cielo occidental. Un cielo nocturno, tachonado de estrellas. Un bosque de árboles de majestuosa altura, lanceado por haces de luz. Sierras cuyos picos coronados de nieve relucen bajo el sol. Océanos cuyas olas se encrespan bajo el azote del viento. Estas cosas nos comunican sentimientos eufóricos y nos llenan de reverencia.

Cosas pequeñas: Una diminuta ave cantora vuela a gran altura sobre el Atlántico, en dirección a África, pero con destino a la América del Sur. A unos 6.100 metros (20.000 pies) de altura establece contacto con un viento predominante que le da vuelta y la dirige hacia la América del Sur. Guiada por sus instintos migratorios, sigue su derrotero durante varios días, y por 3.900 kilómetros (2.400 millas)... unos 20 gramos (tres cuartas partes de una onza) de valor envuelto en plumas. Tal hazaña nos llena de admiración y asombro.

Cosas ingeniosas: Murciélagos que utilizan sonar. Anguilas que producen electricidad. Gaviotas que desalan el agua de mar. Avispas que elaboran papel. Termes que instalan acondicionadores de aire. Pulpos que viajan por propulsión a chorro. Aves que tejen, o que construyen casas de apartamientos. Hormigas que hacen trabajo de huerto, o de costura, o mantienen "ganado". Luciérnagas que tienen linternas incorporadas en sí. Tal ingeniosidad nos maravilla.

Cosas sencillas: A medida que nuestra existencia se acerca a su fin, solemos enfocar la atención en las cosas pequeñas, cosas que con frecuencia habíamos dado por sentadas. Una sonrisa. El toque de una mano. Una palabra bondadosa. Una florecilla. El canto de un ave. El calor agradable de la luz solar.

Cuando pensamos en esas cosas grandes que nos anonadan, en las pequeñas que despiertan nuestra admiración, en las ingeniosas que cautivan nuestro interés, en las sencillas que a hora tardía llegamos a apreciar... ¿a qué se las atribuimos? ¿Precisamente cómo pueden explicarse tales cosas? ¿De dónde vinieron?

Cuando estaba por publicarse una edición especial de
centenario de *El origen de las especies*, de Darwin, se invitó
a W. R. Thompson, entonces director del Instituto de Control
Biológico de la Comunidad Británica de Naciones en Ottawa,
Canadá, a escribirle la introducción. En esta, él dijo: "Como
sabemos, hay gran divergencia de opinión entre los
biólogos, no solo en cuanto a las causas de la evolución, sino
hasta en cuanto al proceso mismo. Esta divergencia existe
debido a que la prueba es insatisfactoria y no permite llegar
a ninguna conclusión segura. Por tanto, es correcto y
apropiado llamar la atención del público no científico a los
desacuerdos que existen respecto a la evolución"[a]

Capítulo 2

Desacuerdos sobre la evolución... ¿por qué?

LOS apoyadores de la teoría de la evolución creen que
esta es ahora un hecho establecido. Creen que la evolución es un "suceso real", una "realidad", una "verdad", según un diccionario define la palabra "hecho".
Pero ¿es eso?

[2] Por ejemplo: Hubo un tiempo en que se creía que la
Tierra era plana. Ahora ha quedado establecido con
certeza que tiene forma esférica. Eso es un hecho.
Hubo un tiempo en que se creía que la Tierra era el
centro del universo, y que los cielos giraban alrededor
de la Tierra. Ahora sabemos de fijo que la Tierra gira
en una órbita alrededor del Sol. Esto, también, es un
hecho. Muchas cosas que en un tiempo eran solo teorías debatidas han sido establecidas por la prueba como
hecho sólido, realidad, verdad.

"Después de centuria y
cuarto, el darvinismo
[...] afronta una
sorprendente multitud
de dificultades"

1, 2. a) ¿Cómo se ha definido la palabra "hecho"? b) ¿Cuáles son
algunos ejemplos de hechos?

14

[3] ¿Quedaría uno sobre el mismo terreno sólido al investigar la prueba que se presenta para la evolución? Es interesante el hecho de que, desde la publicación del libro de Charles Darwin *El origen de las especies,* en 1859, varios aspectos de la teoría han sido asunto de considerable desacuerdo hasta entre prominentes científicos evolucionistas. Hoy esa disputa es más intensa que nunca. Y es iluminador considerar lo que defensores mismos de la evolución dicen acerca de ese asunto.

La evolución bajo ataque

[4] La revista científica *Discover* planteó la situación de este modo: "La evolución [...] no se halla solo bajo ataque por cristianos fundamentalistas, sino que también está siendo cuestionada por científicos de reputación. Entre los paleontólogos, científicos que estudian el registro fósil, aumenta el disentimiento respecto al punto de vista general del darvinismo"[1]. Francis Hitching, evolucionista y autor del libro *The Neck of the Giraffe* (El cuello de la jirafa), declaró: "Después de centuria y cuarto, el darvinismo, a pesar de la aceptación de que es objeto en el mundo científico como el gran principio unificador de la biología, afronta una sorprendente multitud de dificultades"[2].

[5] Después de una importante conferencia de unos 150 especialistas en la evolución, celebrada en Chicago, Illinois, E.U.A., un informe llegó a esta conclusión: "[La evolución] está experimentando su más amplia y más profunda revolución en casi 50 años. [...] Ahora hay gran controversia entre los biólogos respecto a cómo, exactamente, tuvo lugar la evolución. [...] No estaba a la vista ninguna resolución clara de las controversias"[3].

[6] El paleontólogo Niles Eldredge, prominente evolucionista, dijo: "La duda que ha penetrado en la previa certidumbre cómoda y satisfecha que en los últimos veinte años exhibió la biología evolucionista ha encendido las pasiones". Habló de la "falta de acuerdo completo hasta en el mismo seno de los bandos en contien-

"Ahora hay gran controversia entre los biólogos respecto a cómo, exactamente, tuvo lugar la evolución"

---

3. a) ¿Qué indica que todavía está en tela de juicio el que la evolución sea un "hecho" establecido? b) ¿Qué modo de abordar el asunto será útil al examinar la condición actual de la enseñanza evolutiva?
4-6. ¿Qué ha estado sucediendo entre los que promueven la evolución?

Del libro *El origen de las especies*, de Darwin, un escritor del *Times* de Londres que acepta la evolución escribió: "Tenemos aquí la suprema ironía de que un libro que se ha hecho famoso por explicar el origen de las especies no hace en realidad nada de eso"

da", y añadió que "en estos días la situación ciertamente es turbulenta [...] A veces parece que hay tantas variaciones sobre cada tema [evolucionista] como biólogos hay individualmente"[4].

[7] Un escritor del periódico *Times* de Londres, Christopher Booker (quien acepta la evolución), dijo esto acerca de esta: "Era una teoría hermosamente simple y atractiva. Lo único que pasaba era que, como por lo menos en parte Darwin mismo sabía, estaba llena de huecos de tamaño colosal". En cuanto a *El origen de las especies* de Darwin, comentó: "Tenemos aquí la suprema ironía de que un libro que se ha hecho famoso por explicar el origen de las especies *no hace en realidad nada de eso*". (Cursivas añadidas.)

[8] Booker también declaró: "Un siglo después de la muerte de Darwin, todavía no tenemos ni la más ligera idea demostrable, o siquiera plausible, de cómo en realidad tuvo lugar la evolución... y en los últimos años esto ha llevado a una serie extraordinaria de batallas en cuanto a toda la cuestión. [...] entre los evolucionistas mismos existe un estado de casi guerra abierta, en la que toda clase de secta [evolucionista] insta a que se efectúe alguna nueva modificación". Llegó a esta conclusión: "En cuanto a cómo o por qué realmente sucedió, no tenemos la más leve idea, y probablemente jamás la tendremos"[5].

[9] El evolucionista Hitching concordó con esa declaración, al decir: "Estallaron contiendas acerca de la teoría de la evolución [...] En lugares encumbrados se establecieron posturas firmes en pro y en contra, y los insultos volaron como bombas de mortero desde ambos lados". Dijo que es una disputa académica de proporciones trascendentales, "potencialmente, uno de esos pe-

7, 8. ¿Qué comentario hizo un escritor respetado acerca del libro de Darwin *El origen de las especies*?
9. ¿Cómo se describe la situación que ha existido en tiempos recientes entre los evolucionistas?

16

Un evolucionista declaró: "Se establecieron posturas firmes en pro y en contra, y los insultos volaron como bombas de mortero desde ambos lados"

ríodos de la ciencia en que, muy de súbito, una idea que ha sido sostenida por mucho tiempo es derribada por el peso de la prueba contraria, y otra, una nueva, toma el lugar de ella"[6]. Y la revista británica *New Scientist* declaró que "una cantidad creciente de científicos, y más particularmente un número aumentante de evolucionistas [...] presentan el argumento de que la teoría evolucionista darviniana no es de modo alguno una teoría genuinamente científica. [...] Muchos de los críticos tienen las más elevadas credenciales intelectuales"[7].

Problemas en cuanto a los orígenes

[10] Respecto a la cuestión del origen de la vida, el astrónomo Robert Jastrow dijo: "Para mortificación suya, [los científicos] no tienen respuesta clara, porque los químicos nunca han logrado reproducir los experimentos de la naturaleza sobre la creación de la vida desde materia inanimada. Los científicos no saben cómo sucedió eso". Añadió: "Los científicos no tienen prueba de que la vida no fuera el resultado de un acto de creación"[8].

[11] Pero la dificultad no se acaba en el punto del

10. ¿Ha sido establecido como hecho un origen evolutivo de la vida en la Tierra?
11. ¿Qué dificultad presentan para la evolución los órganos complejos del cuerpo?

17

origen de la vida. Considere órganos corporales como el ojo, el oído, el cerebro. Todos son tremendamente complejos, mucho más que las más intrincadas invenciones del hombre. Un problema para la evolución ha sido el hecho de que todas las partes de tales órganos tienen que trabajar juntas para que haya vista, oído y pensamiento. Tales órganos habrían sido inútiles hasta que todas las partes individuales estuvieran completas. De modo que surge la pregunta: ¿Es posible que el elemento no guiado del azar, del cual se piensa que es una fuerza impulsora de la evolución, pudiera haber juntado todas estas partes al tiempo apropiado para producir mecanismos tan elaborados?

[12] Darwin reconoció que esto era un problema. Por ejemplo, escribió: "Suponer que el ojo [...] pudiera haberse formado por [evolución], confieso tranquilamente que parece totalmente absurdo"[9]. Desde entonces ha pasado más de un siglo. ¿Ha sido resuelto ese problema? No. Al contrario, desde el tiempo de Darwin lo que se ha aprendido acerca del ojo muestra que es hasta más complejo de lo que él entendía que era. Así, pues, Jastrow dijo: "El ojo parece haber sido diseñado; ningún diseñador de telescopios pudiera haber efectuado mejor labor"[10].

"El ojo parece haber sido diseñado; ningún diseñador de telescopios pudiera haber efectuado mejor labor"

[13] Si esto es así respecto al ojo, entonces, ¿qué hay del cerebro humano? Puesto que ni siquiera una máqui-

12. a) ¿Qué comentario hizo Darwin en cuanto al origen del ojo?
b) ¿Está más cerca de solución ese problema hoy día?
13. ¿Qué concluyó cierto científico acerca del cerebro?

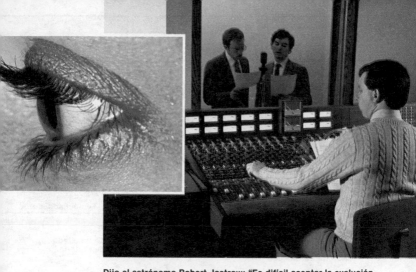

Dijo el astrónomo Robert Jastrow: "Es difícil aceptar la evolución del ojo humano como producto del azar; más difícil aún es aceptar la evolución de la inteligencia humana como producto de trastornos aleatorios en las células cerebrales de nuestros antepasados"

na sencilla evoluciona aleatoriamente, al azar, ¿cómo puede ser un hecho el que el cerebro, que es infinitamente más complejo, haya hecho eso? Jastrow llegó a esta conclusión: "Es difícil aceptar la evolución del ojo humano como producto del azar; más difícil aún es aceptar la evolución de la inteligencia humana como producto de trastornos aleatorios en las células cerebrales de nuestros antepasados"[11].

Problemas en cuanto a los fósiles

[14] Los científicos han desenterrado millones de huesos y otras indicaciones de vida pasada, y a estos se llama "fósiles". Si la evolución fuera realidad, de seguro en todo esto debería haber prueba amplia de que una clase de organismo viviente evolucionó en otra clase o género de vida. Pero la publicación *Bulletin* del Museo Field de Historia Natural, de Chicago, comentó: "La teoría de [evolución] de Darwin siempre ha estado

14. ¿Es cierto que la prueba fósil dé apoyo a la evolución?

19

Eohípo

Arqueópteris

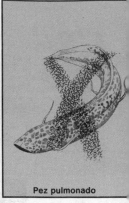

Pez pulmonado

"Algunos de los casos clásicos de cambio darviniano en el registro fósil [...] han tenido que ser rechazados o modificados como resultado de información más detallada"ᶜ. (David Raup, Museo Field de Historia Natural de Chicago.)

estrechamente relacionada con prueba procedente de los fósiles, y probablemente la mayoría de la gente supone que los fósiles suministran una parte muy importante del argumento general que se presenta a favor de las interpretaciones darvinianas de la historia de la vida. Por desgracia, esto no es rigurosamente verdadero".

[15] ¿Por qué no? El *Bulletin* pasó a decir que Darwin "quedó desconcertado por el registro fósil porque no presentaba la apariencia que él había predicho que presentaría [...] en aquel tiempo, tal como ahora, el registro geológico no presentó una cadena delicadamente graduada de una evolución lenta y progresiva". De hecho, ahora, después de más de un siglo de recogimiento de fósiles, "tenemos hasta menos ejemplos de transición evolutiva de los que teníamos en el tiempo de Darwin", explicó el *Bulletin*[12]. ¿Por qué se dice esto? Porque la prueba fósil que hay disponible hoy, que es más abundante, muestra que algunos de los ejemplos que solían emplearse como apoyo para la evolución no le dan tal apoyo de manera alguna.

15. a) ¿Cómo consideró Darwin la prueba fósil en su día? b) Después de más de un siglo de recogimiento de fósiles, ¿qué revela la prueba?

[16] El que la prueba fósil no apoye una evolución gradual ha perturbado a muchos evolucionistas. En *The New Evolutionary Timetable* (El nuevo horario evolucionista), Steven Stanley habló sobre "el fracaso general del registro en cuanto a desplegar transiciones graduales entre los grupos principales, de uno a otro". Dijo: "El registro fósil conocido no concuerda, ni ha concordado jamás, con [una evolución lenta]"[13]. Niles Eldredge también confesó: "El patrón que se nos dijo que halláramos durante los últimos 120 años no existe"[14].

"El patrón que se nos dijo que halláramos durante los últimos 120 años no existe"

Las teorías más recientes

[17] Todo esto ha conducido a muchos científicos a adoptar y defender nuevas teorías para la evolución. La revista *Science Digest* lo expresó de este modo: "Algunos científicos están proponiendo cambios evolutivos más rápidos aún, y ahora consideran muy en serio ideas que en el pasado solo se popularizaban en la ficción"[15].

[18] Por ejemplo, algunos científicos han llegado a la conclusión de que la vida no pudo haber surgido espontáneamente en la Tierra. En vez de creer eso, teorizan que tiene que haberse originado en el espacio sideral y entonces haber bajado flotando a la Tierra. Pero eso solo empuja más hacia atrás, y hasta un escenario más prohibitivo, el problema del origen de la vida. Los peligros con que se enfrenta la vida en el ambiente hostil del espacio sideral son bien conocidos. Entonces, ¿es probable que la vida haya empezado *espontáneamente* en algún otro lugar en el universo y sobrevivido en medio de tales duras condiciones para llegar a la Tierra, y después haberse desarrollado en la vida como la conocemos?

"Algunos científicos están proponiendo [...] ideas [evolucionistas] que en el pasado solo se popularizaban en la ficción"

[19] Puesto que el registro fósil no muestra un desarrollo gradual de la vida desde un tipo de vida a otro, algunos evolucionistas teorizan que eso tiene que haber sucedido a saltos y trompicones, y no a un paso lento

16. ¿Qué reconocen ahora muchos científicos evolucionistas?
17. ¿Qué comentario hizo la revista *Science Digest* en cuanto a las teorías más recientes?
18. ¿Qué dificultad se levanta contra una teoría más reciente, según la cual la vida empezó en el espacio sideral?
19, 20. ¿Qué nueva teoría están promoviendo algunos evolucionistas?

Aunque los más aptos *sobrevivan*, esto no explica cómo *llegan*

y constante. Como explica la obra enciclopédica *The World Book Encyclopedia:* "Muchos biólogos piensan que el surgimiento de nuevas especies puede ser el producto de cambios súbitos y drásticos en los genes"[16].

[20] Algunos adherentes de esta teoría han llamado al procedimiento "equilibrio puntuado". Es decir, las especies mantienen su "equilibrio" (permanecen más o menos como son), pero de vez en cuando hay una "puntuación" (un salto grande para evolucionar en otra clase de organismo). Esto es precisamente lo opuesto de la teoría que ha sido aceptada por casi todos los evolucionistas por muchas décadas. La laguna o vacío entre las dos teorías fue ilustrada por un titular en el periódico *The New York Times:* "Atacada la teoría de evolución rápida". El artículo señaló que la idea más reciente, la del "equilibrio puntuado", ha "despertado nueva oposición" entre los que se apegan al punto de vista tradicional[17].

Nuevas teorías contradicen lo que ha sido aceptado durante muchas décadas

[21] Prescindiendo de cuál de estas teorías sostenga alguien, es razonable que debería haber por lo menos alguna prueba que muestre que un tipo o género de vida se convierte en otro tipo. Pero las lagunas que existen entre los diferentes tipos de vida que se hallan en el registro fósil, así como las lagunas que hay entre

21. a) Prescindiendo de cuál de las teorías evolucionistas se acepte, ¿qué prueba debería existir? b) Sin embargo, ¿qué muestran los hechos?

los diferentes tipos de organismos vivientes que hay en la Tierra hoy, todavía persisten.

[22] Además, es revelador ver lo que le ha sucedido a la idea de Darwin, por tanto tiempo aceptada, acerca de la "supervivencia del más apto". A esto él llamó "selección natural". Es decir, él creía que la naturaleza "seleccionaba" a los más aptos de los organismos vivientes para que sobrevivieran. A medida que, supuestamente, estos "aptos" adquirían nuevos rasgos ventajosos, evolucionaban lentamente. Pero la evidencia de los pasados 125 años muestra que, aunque bien puede ser que los más aptos *sobrevivan,* esto no explica cómo *llegaron.* Un león puede ser más apto que otro león, pero eso no explica cómo llegó a ser león. Y toda su prole todavía se compondrá de leones, no de otra clase de animal.

[23] Por eso, en la revista *Harper's* el escritor Tom Bethell comentó: "Darwin cometió un error lo suficientemente serio como para socavar su teoría. Y solo recientemente se ha reconocido como tal ese error. [...] Un organismo ciertamente puede ser 'más apto' que otro [...] Por supuesto, esto no es algo que ayude a *crear* al organismo, [...] Queda claro —me parece— que había algo muy, muy equivocado en tal idea". Bethell añadió: "Según lo veo yo, la conclusión es bastante asombrosa: la teoría de Darwin —creo yo— está a punto de desplomarse"[18].

"La teoría de Darwin —creo yo— está a punto de desplomarse"

¿Hecho, o teoría?

[24] Resumiendo algunos de los problemas no resueltos a que se encara la evolución, Francis Hitching declaró: "En tres áreas cruciales en las cuales [la teoría moderna de la evolución] puede ser sometida a prueba, ha fracasado: El *registro fósil* revela un patrón de saltos evolutivos más bien que de cambio gradual. Los *genes* son un poderoso mecanismo estabilizador cuya función principal es impedir la evolución de nuevas formas. Las *mutaciones* aleatorias graduales en el nivel molecular

22, 23. En los últimos tiempos, ¿qué desafío se ha presentado a la idea de Darwin de la "supervivencia del más apto"?

24, 25. a) ¿Cuáles son algunas de las áreas en que la evolución no ha satisfecho la norma de ser un hecho establecido? b) En armonía con lo que un evolucionista dijo acerca de la teoría moderna, ¿cómo pudiera ser considerada esta?

no pueden explicar la complejidad organizada y creciente de la vida". (Cursivas añadidas.)

[25] Entonces Hitching concluyó con esta expresión: "Para decirlo del modo menos vigoroso, una teoría evolucionista tan asaltada por las dudas hasta entre los que la enseñan puede ser cuestionada. Si el darwinismo es en realidad el gran principio unificador de la biología, abarca áreas de ignorancia extraordinariamente grandes. No llega a explicar algunas de las cuestiones más fundamentales de todas: cómo adquirieron vida unas sustancias químicas inanimadas, qué reglas de gramática hay tras el código genético, cómo dan forma los genes a los organismos vivientes". En realidad, Hitching declaró que consideraba la teoría moderna de la evolución "tan inadecuada que merece ser tratada como asunto de fe"[19].

[26] Sin embargo, muchos defensores de la evolución piensan que sí tienen suficiente razón para insistir en que la evolución es un hecho. Explican que solo están debatiendo en cuanto a detalles. Pero si a cualquier otra teoría le quedaran dificultades tan enormes por explicar, y contradicciones tan grandes entre los que abogan por ella, ¿sería pronunciada con tanta presteza un hecho? El simplemente repetir que algo es un hecho no convierte a tal cosa en una realidad. Como escribió en el periódico *The Guardian,* de Londres, el biólogo John R. Durant: "Muchos científicos sucumben a la tentación de ser dogmáticos, [...] vez tras vez se ha presentado la cuestión del origen de las especies como si finalmente se hubiera resuelto. Nada pudiera estar más lejos de la verdad. [...] Pero la tendencia a ser dogmáticos persiste, y no rinde ningún servicio a la causa de la ciencia"[20].

[27] Por otra parte, ¿qué hay de la creación como explicación de cómo se presentó la vida aquí? ¿Ofrece para la prueba existente una estructura o armazón de más solidez que las afirmaciones que suelen darse como apoyo para la evolución? Y, como el mejor conocido relato de la creación, ¿arroja Génesis alguna luz creíble sobre cómo la Tierra y los organismos vivientes llegaron a existir?

"Vez tras vez se ha presentado la cuestión del origen de las especies como si finalmente se hubiera resuelto. Nada pudiera estar más lejos de la verdad"

---

26. ¿Por qué no es razonable continuar insistiendo en que la evolución sea un hecho?

27. ¿Qué otra armazón —una que ofrece base para entender cómo se presentó aquí la vida— hay para la prueba existente?

Capítulo 3

¿Qué dice Génesis?

COMO sucede en el caso de otras cosas que son mal representadas o mal entendidas, el primer capítulo de la Biblia merece por lo menos una audiencia imparcial. Lo que es necesario hacer es investigar con el fin de determinar si la narración armoniza con los hechos conocidos, no amoldarla de modo que encaje en alguna armazón teórica. También debe recordarse que el relato de Génesis no fue escrito para mostrar el "cómo" de la creación. Más bien, informa progresivamente sobre acontecimientos abarcadores e importantes; describe las cosas que fueron formadas, el orden en que se dio forma a estas, y el espacio de tiempo, o "día", en que cada una apareció originalmente.

2 Al examinar el relato de Génesis, es útil tener presente que este aborda los asuntos desde el punto de vista de personas que estuvieran en la Tierra. Por eso describe los acontecimientos como los habrían visto observadores humanos si estos hubieran estado presentes. Esto se puede notar por la manera como trata los acontecimientos del cuarto "día" de Génesis. Allí se da una descripción del Sol y la Luna como grandes lumbreras en comparación con las estrellas. Sin embargo, una gran cantidad de estrellas son mucho mayores que nuestro Sol, y la Luna es insignificante en comparación con ellas. Pero no para un observador terrestre. Por eso, como se ve desde la Tierra, el Sol parece ser una

El relato de Génesis se da desde el punto de vista de un observador en la Tierra

---

1. a) ¿Qué propósito tiene esta consideración de Génesis, y qué debe recordarse? b) ¿Cómo se informa sobre los acontecimientos en el primer capítulo de Génesis?
2. a) ¿Desde el punto de vista de quiénes se describen los acontecimientos de Génesis? b) ¿Cómo indica esto la descripción de las lumbreras?

25

'luz mayor que rige el día', y la Luna una 'luz menor que domina la noche'. (Génesis 1:14-18.)

³ La primera parte de Génesis indica que la Tierra pudo haber existido por miles de millones de años antes del primer "día" de Génesis, aunque no dice por cuánto tiempo. Sin embargo, sí describe lo que era la condición de la Tierra precisamente antes que comenzara aquel primer "día": "Ahora bien, la tierra resultó sin forma y desierta y había oscuridad sobre la superficie de la profundidad acuosa; y la fuerza activa de Dios estaba moviéndose de un lado a otro sobre la superficie de las aguas". (Génesis 1:2.)

¿Cuánto dura un "día" de Génesis?

⁴ Para muchos, la palabra "día" usada en el capítulo 1 de Génesis significa 24 horas. Sin embargo, en Génesis 1:5 se dice que Dios mismo divide el día en un período más corto, y sólo llama día a la porción que tiene luz. En Génesis 2:4 a *todos* los períodos de creación juntos se llama *un "día":* "Ésta es una historia de los cielos y la tierra en el tiempo de ser creados, en el *día* [los seis períodos de creación] que hizo Jehová Dios tierra y cielo".

⁵ La palabra hebrea *yohm,* traducida "día", puede significar espacios de tiempo de diferente duración. Entre los significados posibles, el libro *Old Testament Word Studies* (Estudios sobre palabras del Antiguo Testamento), de William Wilson, incluye los siguientes: "Un día; frecuentemente se pone por tiempo en general, o por un tiempo largo; todo un período que se esté considerando [...] También se pone día para una sazón o tiempo particular en que sucede cualquier acontecimiento extraordinario"[1]. Esta última oración parece aplicar bien a los "días" de la creación, porque ciertamente estos fueron períodos en que, según se describe, sucedieron acontecimientos extraordinarios. Esto también permite concebir períodos mucho más extensos que espacios de 24 horas.

3. ¿Qué descripción se da de la Tierra antes del primer "día"?
4. ¿Qué indicación hay en el relato de la creación mismo de que la palabra "día" no significa simplemente un período de 24 horas?
5. ¿Cuál es un significado de la palabra hebrea para "día" que indica que se pueden entender períodos más largos?

26

⁶ El capítulo 1 de Génesis usa las expresiones "tarde" y "mañana" con relación a los períodos de creación. ¿No indica esto que estos períodos duraron 24 horas cada uno? No necesariamente. En algunos lugares la gente suele hacer referencia a la duración de la vida de un hombre como su "día". Se habla del "día de mi padre" o de lo que pasó "en el día de Shakespeare". Quizás hasta dividan ese "día" de la duración de la vida y digan: "en la alborada [o mañana] de su vida" o "en el ocaso [o tarde] de su vida". Por eso, 'la tarde y la mañana', en el capítulo 1 de Génesis, no limita el significado a un período literal de 24 horas.

⁷ "Día", como se usa en la Biblia, puede incluir verano e invierno, el paso de las estaciones (Zacarías 14:8). "El día de la siega" envuelve muchos días. (Compárese Proverbios 25:13 con Génesis 30:14.) Mil años son comparados con un día (Salmo 90:4; 2 Pedro 3:8, 10). El "Día de Juicio" abarca muchos años (Mateo 10:15; 11:22-24). Parecería razonable que los "días" de Génesis también pudieran haber abarcado extensos espacios de tiempo... milenios. Entonces, ¿qué aconteció durante aquellas eras de creación? ¿Es científico el relato de ellas que se suministra en la Biblia? A continuación se da un repaso de aquellos "días" como se expresa en Génesis.

Día 1: "Llegue a haber luz"

Primer "día"

⁸ "'Llegue a haber luz.' Entonces llegó a haber luz. Y empezó Dios a llamar la luz Día, pero a la oscuridad llamó Noche. Y llegó a haber tarde y llegó a haber mañana, un día primero." (Génesis 1:3, 5.)

⁹ Por supuesto, el Sol y la Luna estaban en el espacio sideral mucho antes de este primer "día", pero la luz de estos no llegaba a la superficie de la Tierra de modo que un observador terrestre pudiera verla. Ahora, evidentemente la luz llegó a la condición de hacerse visible sobre la Tierra en este primer "día", y la Tierra, al girar, empezó a tener días y noches en alternación.

---

6. ¿Por qué no necesariamente limita un "día" a 24 horas el que se usen los términos "tarde" y "mañana"?
7. ¿Qué otros usos muestran que "día" pudiera referirse a más de 24 horas?
8, 9. ¿Qué llegó a haber en el primer "día"?, y ¿está diciendo Génesis que el Sol y la Luna fueron creados en aquel tiempo?

27

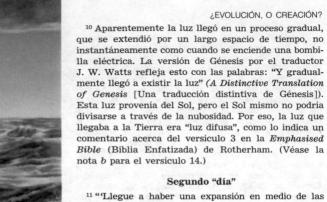

[10] Aparentemente la luz llegó en un proceso gradual, que se extendió por un largo espacio de tiempo, no instantáneamente como cuando se enciende una bombilla eléctrica. La versión de Génesis por el traductor J. W. Watts refleja esto con las palabras: "Y gradualmente llegó a existir la luz" (*A Distinctive Translation of Genesis* [Una traducción distintiva de Génesis]). Esta luz provenía del Sol, pero el Sol mismo no podría divisarse a través de la nubosidad. Por eso, la luz que llegaba a la Tierra era "luz difusa", como lo indica un comentario acerca del versículo 3 en la *Emphasised Bible* (Biblia Enfatizada) de Rotherham. (Véase la nota *b* para el versículo 14.)

Segundo "día"

[11] "'Llegue a haber una expansión en medio de las aguas y ocurra una división entre las aguas y las aguas.' Entonces procedió Dios a hacer la expansión y hacer una división entre las aguas que deberían estar debajo de la expansión y las aguas que deberían estar sobre la expansión. Y llegó a ser así. Y empezó Dios a llamar la expansión Cielo." (Génesis 1:6-8.)

Día 2: "Llegue a haber una expansión"

[12] Algunas traducciones usan la palabra "firmamento" en lugar de "expansión". Con esto como base se presenta el argumento de que el relato de Génesis copió ideas de los mitos de la creación que representan a este "firmamento" como una bóveda o cúpula metálica. Pero la *Versión Moderna* y la *Versión Valera* usan "expansión". Esto se debe a que la palabra hebrea *raqía'*, traducida "expansión", significa estirar o extender o expandir.

[13] El relato de Génesis dice que Dios hizo aquello, pero no dice cómo. Sea como sea que haya ocurrido la separación que se describe, parecería que las 'aguas de arriba' hubieran sido empujadas desde la Tierra hacia

10. ¿De qué manera pudo haber venido esta luz, y qué clase de luz se indica?
11, 12. a) ¿Qué se describe para el segundo "día"? b) ¿Qué traducción equivocada se ha dado a veces para la palabra hebrea que describe lo que se produjo, y qué significa ésta realmente?
13. La expansión pudiera haber dado la apariencia de que había ocurrido ¿qué?

lo alto. Y después se podría decir que las aves volaban en "la expansión de los cielos", como se declaró en Génesis 1:20.

Tercer "día"

¹⁴ "'Que las aguas debajo de los cielos se reúnan en un mismo lugar y aparezca lo seco.' Y llegó a ser así. Y empezó Dios a llamar lo seco Tierra, pero a la reunión de aguas llamó Mares." (Génesis 1:9, 10.) Como siempre, el relato no describe cómo se hizo esto. Indudablemente tremendos movimientos de la corteza terrestre tendrían que haber estado implicados en la formación de las tierras emergidas. Los geólogos explicarían tales grandes levantamientos como catastrofismo. Pero Génesis indica dirección y control por un Creador.

¹⁵ En el relato bíblico en que se describe a Dios interrogando a Job en cuanto a lo que Job conocía de la Tierra, se da una descripción de una variedad de hechos relacionados con la historia de la Tierra: sus medidas, sus masas de nubes, sus mares y cómo las olas de estos fueron limitadas por el terreno seco... muchas cosas, en general, acerca de la creación, abarcando largos períodos. Entre estas cosas, al comparar la

Día 3: "Aparezca lo seco"

14. ¿Cómo se describe el tercer "día"?
15, 16. a) ¿Qué puntos se pusieron ante Job acerca de la Tierra? b) ¿Hasta dónde penetran las raíces de los continentes y de las montañas, y qué se asemeja a una "piedra angular" para la Tierra?

Día 3: "Haga brotar la tierra hierba"

Tierra con un edificio, la Biblia dice que Dios hizo esta pregunta a Job: "¿En qué han sido hundidos sus pedestales con encajaduras, o quién colocó su piedra angular?". (Job 38:6.)

¹⁶ Es interesante que la corteza de la Tierra, como "pedestales con encajaduras", es mucho más densa bajo los continentes, y más aún bajo las cordilleras, y penetra profundamente en el manto que yace debajo, como las raíces de un árbol en el terreno. "La idea de que las montañas y los continentes tenían raíces ha sido sometida a prueba vez tras vez, y probada válida", dice *Putnam's Geology* (Geología, de Putnam)². La corteza oceánica solo tiene 8 kilómetros (unas 5 millas) de densidad, pero las raíces continentales bajan por unos 32 kilómetros (20 millas), y las raíces de las montañas hasta aproximadamente dos veces eso. Y todas las capas de la Tierra presionan hacia dentro, hacia el centro de la Tierra, desde toda dirección, de modo que este llega a ser como una gran "piedra angular" de apoyo.

¹⁷ Prescindiendo de los medios que se hayan empleado para lograr el levantamiento de la tierra seca, el punto importante es este: Tanto la Biblia como la ciencia reconocen esto como una de las etapas en la formación de la Tierra.

---

17. ¿Qué es importante con relación al aparecimiento de la tierra seca?

Plantas de la tierra en el tercer "día"

[18] El relato bíblico añade: "'Haga brotar la tierra hierba, vegetación que dé semilla, árboles frutales que lleven fruto según sus géneros, cuya semilla esté en él, sobre la tierra.' Y llegó a ser así". (Génesis 1:11.)

[19] Así, para el fin de este tercer período de creación se habían creado tres amplias categorías de plantas terrestres. La luz difusa habría adquirido notable potencia para entonces, suficiente para el proceso de fotosíntesis que tan vital es para las plantas verdes. De paso, el relato aquí no menciona toda clase o "género" de planta que se presentó en el escenario. Los organismos microscópicos, y las plantas acuáticas y otras no se mencionan específicamente, pero probablemente fueron creadas en este "día".

Cuarto "día"

[20] "'Llegue a haber lumbreras en la expansión de los cielos para hacer una división entre el día y la noche; y tienen que servir de señales y para estaciones y para días y años. Y tienen que servir de lumbreras en la expansión de los cielos para brillar sobre la tierra.' Y llegó a ser así. Y procedió Dios a hacer las dos grandes lumbreras, la lumbrera mayor para dominar el día y la lumbrera menor para dominar la noche, y también las estrellas." (Génesis 1:14-16; Salmo 136:7-9.)

Día 4: 'Llegue a haber lumbreras en la expansión, la mayor para dominar el día y la menor para dominar la noche'

[21] Anteriormente, en el primer "día", se usó la expresión: "Llegue a haber luz". La palabra hebrea que se usó allí para "luz" es *'ohr,* que significa luz en sentido general. Pero en el cuarto "día", la palabra hebrea cambia a *ma·'ohr',* que significa la fuente de la luz. Rotherham, en una nota al pie de la página sobre *"Luminaries"* (lumbreras) en la *Emphasised Bible* (Biblia Enfatizada), dice: "En el vers. 3, *'ór* [*'ohr*], luz difusa". Entonces pasa a mostrar que la palabra hebrea *ma·'ohr',* en el versículo 14, significa algo "que suministra luz". En el primer "día", evidentemente la luz difusa penetró a través de las bandas o envolturas de

18, 19. a) Además de la tierra seca, ¿qué otra cosa se presentó en el tercer "día"? b) ¿Qué no hace el relato de Génesis?
20. ¿Qué divisiones de tiempo se hicieron posibles por el aparecimiento de las lumbreras en la expansión?
21. ¿Cómo difirió la luz del cuarto "día" de la del primero?

31

nubosidad, pero un observador terrestre no podría haber visto las fuentes de aquella luz debido a las capas de nubes que todavía envolvían la Tierra. Ahora, en este cuarto "día", parece que la situación cambió.

[22] Puede ser que una atmósfera inicialmente rica en dióxido (o bióxido) de carbono haya causado un clima caluroso por toda la Tierra. Pero el lujuriante crecimiento de la vegetación durante los períodos de creación tercero y cuarto absorbería parte de esta envoltura de dióxido de carbono que retendría el calor. A su vez, la vegetación despediría oxígeno... un requisito para la vida animal.

[23] Ahora bien, si hubiera habido un observador terrestre, este pudiera haber discernido el Sol, la Luna y las estrellas, que 'servirían de señales y para estaciones y para días y años' (Génesis 1:14). La Luna indicaría el paso de los meses lunares, y el Sol el paso de los años solares. Las estaciones que ahora 'llegaron a ser' en este cuarto "día" indudablemente habrían sido mucho más benignas o templadas de lo que más tarde llegaron a ser. (Génesis 1:15; 8:20-22.)

Quinto "día"

[24] "'Enjambren las aguas un enjambre de almas vivientes y vuelen criaturas volátiles por encima de la tierra sobre la faz de la expansión de los cielos.' Y procedió Dios a crear los grandes monstruos marinos y toda alma viviente que se mueve, los cuales las aguas enjambraron según sus géneros, y toda criatura volátil alada según su género." (Génesis 1:20, 21.)

[25] Es interesante notar que se llama "almas vivientes" a las criaturas no humanas con las cuales las aguas habían de enjambrar. Este término también aplicaría a las "criaturas volátiles [que vuelan] por encima de la tierra sobre la faz de la expansión". Y también abarcaría las formas de vida marina y aérea, tales como los monstruos marinos, cuyos fósiles los científicos han hallado en tiempos recientes.

Día 5: 'Enjambren las aguas almas vivientes y vuelen criaturas volátiles sobre la tierra'

---

22. ¿Qué cosa sucedió en el cuarto "día" pudiera haber contribuido a la llegada de la vida animal?

23. ¿Qué grandes cambios se describen para este tiempo?

24. ¿De qué tipos o géneros de criaturas se dice que aparecieron en el quinto "día", y dentro de qué límites se reproducirían?

25. ¿Cómo se llamó a las criaturas que aparecieron en el quinto "día"?

32

Sexto "día"

²⁶ "'Produzca la tierra almas vivientes según sus géneros, animal doméstico y animal moviente y bestia salvaje de la tierra según su género.' Y llegó a ser así." (Génesis 1:24.)

²⁷ Así, en el sexto "día" aparecieron animales terrestres caracterizados como salvajes y domésticos. Pero este "día" final no había terminado. Habría de venir un último, y notable, tipo o "género" de vida:

²⁸ "Y pasó Dios a decir: 'Hagamos un hombre a nuestra imagen, según nuestra semejanza, y tengan ellos en sujeción los peces del mar y las criaturas volátiles de los cielos y los animales domésticos y toda la tierra y todo animal moviente que se mueve sobre la tierra.' Y procedió Dios a crear al hombre a su imagen, a la imagen de Dios lo creó; macho y hembra los creó". (Génesis 1:26, 27.)

Día 6: 'Animal doméstico y bestia salvaje según su género'

26-28. ¿Qué sucedió en el sexto "día", y qué hubo de notable en cuanto al último acto de creación?

Día 6: "Macho y hembra los creó"

²⁹ Parece que el capítulo 2 de Génesis añade algunos detalles. Sin embargo, este no es, como han pensado algunos, otro relato de la creación que se halle en conflicto con el del capítulo 1. Sencillamente empieza en cierto punto durante el tercer "día", después de la aparición de la tierra seca, pero antes de la creación de las plantas terrestres, y añade detalles relacionados con la llegada de los humanos... Adán el alma viviente, el jardín que le servía de hogar, Edén, y la mujer Eva, su esposa. (Génesis 2:5-9, 15-18, 21, 22.)

³⁰ Lo anterior se ha presentado para ayudarnos a entender lo que dice Génesis. Y este relato tan realista indica que el proceso de creación continuó durante un espacio de tiempo de, no simplemente 144 horas (6 × 24), sino durante muchos milenios de tiempo.

¿Cómo lo supo Génesis?

³¹ A muchas personas se les hace difícil aceptar este relato de la creación. Presentan el argumento de que este se deriva de mitos de la creación procedentes de pueblos antiguos, principalmente los de la antigua Ba-

---

29, 30. ¿Cómo puede entenderse la variación entre el capítulo 2 y el capítulo 1 de Génesis?
31. a) ¿Cómo representan mal el relato de Génesis algunas personas? b) ¿Qué muestra que lo que esas personas afirman no es exacto?

34

bilonia. Sin embargo, como señaló un diccionario bíblico reciente: "Todavía no se ha encontrado ningún mito que se refiera explícitamente a la creación del universo" y los mitos "están marcados por politeísmo y las luchas de deidades por la supremacía, en señalado contraste con el monoteísmo heb[raico] de [Génesis] 1-2"[3]. Con relación a las leyendas babilónicas de la creación, los encargados del Museo Británico declararon: "Los conceptos fundamentales de los relatos babilónico y hebreo son esencialmente diferentes"[4].

[32] Por lo que hemos considerado, resulta que el relato de Génesis sobre la creación es un documento de solidez científica. Revela a las categorías mayores de las plantas y los animales, con sus muchas variedades, reproduciéndose solo "según sus géneros". El registro fósil suministra confirmación de esto. De hecho, indica que cada tipo o "género" de vida apareció de súbito, sin

32. ¿Cómo se ha mostrado que el relato de la creación que se da en Génesis tiene solidez científica?

El mito babilónico de la creación que algunos alegan que es base para el relato de Génesis sobre la creación:

El dios Apsu y la diosa Tiamat hicieron a otros dioses.

Más tarde, Apsu se sintió molesto con estos dioses y trató de matarlos, pero en vez de eso fue muerto por el dios Ea.

Tiamat procuró vengarse y trató de matar a Ea, pero en vez de eso fue muerta por Marduk, el hijo de Ea.

Marduk partió por la mitad el cuerpo de ella, y de una mitad hizo el cielo y de la otra mitad hizo la Tierra.

Entonces Marduk, con la ayuda de Ea, hizo a la humanidad de la sangre de otro dios, Kingu[a].

¿Le parece que este tipo de cuento tenga similitud alguna con la narración de Génesis acerca de la creación?

verdaderas formas de transición que conectaran a cada tipo de vida con otro "género" anterior, como lo que requeriría la teoría de la evolución.

El registro fósil confirma que hay reproducción solamente "según sus géneros"

[33] Todo el conocimiento de los sabios de Egipto no pudiera haber suministrado a Moisés, el escritor de Génesis, clave alguna respecto al proceso de la creación. Los mitos de la creación procedentes de los pueblos antiguos no tenían ningún parecido con lo que Moisés escribió en Génesis. Entonces, ¿de qué fuente aprendió Moisés todas estas cosas? Aparentemente, de alguien que estuvo allí.

[34] La ciencia de las probabilidades matemáticas ofrece prueba notable de que el relato de la creación que se halla en Génesis tiene que haber venido de una fuente que tuviera conocimiento de los sucesos. El relato enu-

33. ¿De dónde, únicamente, pudo haber venido la información que hay en el relato de la creación de Génesis?
34. ¿Qué otra línea de prueba sostiene lo sólido del resumen o bosquejo de acontecimientos que da Génesis?

Un conocido geólogo dijo esto acerca del relato de Génesis sobre la creación:

"Si se me pidiera que, como geólogo, explicara brevemente nuestras ideas modernas del origen de la Tierra y del desarrollo de la vida en ella a un pueblo sencillo y pastoral como las tribus a las cuales se dirigió el Libro de Génesis, difícilmente podría hacer algo que superara el seguir con bastante cuidado gran parte del lenguaje del primer capítulo de Génesis"[b]. Este geólogo, Wallace Pratt, también señaló que el orden de los acontecimientos —desde el origen de los océanos en adelante y pasando a la subida de la tierra y al aparecimiento de la vida marina, y entonces a las aves y los mamíferos— es esencialmente la secuencia de las divisiones principales del tiempo geológico.

mera 10 grandes etapas en este orden: 1) un principio; 2) una Tierra primitiva en oscuridad y envuelta en gases pesados y agua; 3) luz; 4) una expansión o atmósfera; 5) grandes áreas de tierra seca; 6) plantas terrestres; 7) el Sol, la Luna y las estrellas discernibles en la expansión, y el comienzo de las estaciones; 8) monstruos marinos y criaturas volátiles; 9) bestias salvajes y domésticas, mamíferos; 10) el hombre. La ciencia concuerda en que estas etapas se presentaron en este orden general. ¿Qué probabilidades hay de que el escritor de Génesis simplemente adivinara este orden? Las mismas que habría si usted escogiera al azar los números 1 a 10 de una caja, y los sacara en orden consecutivo. ¡La probabilidad de hacer esto *en la primera tentativa* es de 1 sobre 3.628.800! Por eso, no es realista decir que el escritor sencillamente enumeró por casualidad en el orden correcto los acontecimientos ya mencionados sin conseguir los datos de alguna fuente.

La probabilidad de hacer esto en la primera tentativa es de 1 sobre 3.628.800

[35] Sin embargo, la teoría evolucionista no deja lugar para el concepto de un Creador que estuviera allí, conociera los hechos y pudiera revelarlos a humanos. En vez de eso, atribuye el aparecimiento de la vida en la Tierra a la generación espontánea de organismos vivos desde sustancias químicas inanimadas. Pero ¿pudieran crear la vida unas reacciones químicas sin dirección, basadas simplemente en el azar, la casualidad? ¿Están convencidos los científicos mismos de que esto pudiera suceder? Sírvase ver el capítulo siguiente.

35. ¿Qué preguntas se presentan ahora, y dónde se han de considerar las respuestas?

Capítulo 4

¿Pudiera originarse al azar la vida?

CUANDO Charles Darwin presentó su teoría de la evolución confesó que pudiera ser que 'originalmente la vida hubiera sido inspirada por el Creador en unas cuantas formas, o en una sola'[1]. Pero la teoría evolucionista de la actualidad por lo general elimina toda mención de un Creador. En vez de eso se ha revivificado, en forma hasta cierto punto alterada, la teoría de la generación espontánea de la vida, una teoría que anteriormente había sido repudiada.

[2] La creencia de que ocurrió una forma de generación espontánea se puede rastrear hasta siglos atrás. En el siglo XVII E.C., hasta respetados hombres de ciencia, entre ellos Francis Bacon y William Harvey, aceptaban esa teoría. Sin embargo, para el siglo XIX Luis Pasteur y otros científicos aparentemente le habían dado golpe de muerte, pues habían probado, mediante experimentos, que la vida solo viene de vida anterior. Por necesidad, sin embargo, la teoría evolucionista supone que mucho tiempo atrás la vida microscópica tuvo que haber surgido espontáneamente, de alguna manera, de la materia inanimada.

Nueva forma de generación espontánea

[3] Richard Dawkins resume en su libro *The Selfish Gene* (El gen egoísta) una postura evolucionista actual sobre el punto de comienzo de la vida. Según su teori-

---

1. a) ¿Qué confesó Charles Darwin acerca del origen de la vida?
b) ¿Qué idea ha sido revivificada por la teoría evolucionista actual?
2. a) ¿Qué creencia anterior que envolvía generación espontánea fue probada falsa? b) Aunque se admite que la vida no surge espontáneamente ahora, ¿qué suponen los evolucionistas?
3, 4. a) ¿Qué bosquejo se ha dado de los pasos hacia el origen de la vida? b) A pesar de lo improbable de que la vida se originara al azar, ¿qué sostienen los evolucionistas?

zar, en el principio la Tierra tenía una atmósfera compuesta de dióxido de carbono, metano, amoníaco y agua. Mediante energía suministrada por la luz solar, y quizás por rayos y por volcanes en erupción, estos compuestos simples fueron disgregados y entonces se reagruparon en aminoácidos. Gradualmente, una variedad de estos ácidos amínicos se acumuló en el mar y se combinó en compuestos parecidos a proteínas. Al fin, dice él, el océano llegó a ser un "caldo orgánico" o "sopa orgánica", pero todavía sin vida.

4 Entonces, según la descripción de Dawkins, "por accidente se formó una molécula particularmente notable"... una molécula que se podía reproducirse. Aunque él confiesa que tal accidente sería extremadamente improbable, sostiene que de todos modos tiene que haber sucedido. Moléculas similares se agruparon, y entonces, de nuevo por un accidente extremadamente improbable, envolvieron alrededor de sí una barrera protectora compuesta de otras moléculas proteínicas que funcionaron como una membrana. Así —se alega—, se generó a sí misma la primera célula viva[2].

5 Para ahora el lector quizás empiece a entender este comentario que presenta Dawkins en el prólogo de su libro: "Este libro debe leerse casi como si fuera ciencia ficción"[3]. Pero los que acostumbran leer sobre este tema descubren que la manera como Dawkins aborda este asunto no es singular. La mayoría de los demás libros sobre evolución también tratan de modo superficial el desconcertante problema de explicar cómo surgió la vida desde la materia inanimada. Por eso el profesor William Thorpe, del departamento de zoología de la Universidad de Cambridge, dijo a compañeros científicos: "Se ha mostrado que todos los razonamientos y discusiones superficiales que se han publicado durante los últimos diez a quince años para explicar el modo como se originó la vida manifiestan demasiado simplismo y tienen muy poco peso. De hecho, parece que el problema está tan lejos de solución como siempre lo ha estado"[4].

6 El incremento explosivo que recientemente ha habi-

5. ¿Cómo se trata por lo general el asunto del origen de la vida en material publicado? Sin embargo, ¿qué dice un científico?
6. ¿Qué queda manifiesto por el conocimiento incrementado?

do en el conocimiento ha servido únicamente para magnificar la laguna o vacío que existe entre lo inanimado y lo animado. Se ha hallado que hasta los organismos unicelulares de mayor antigüedad conocidos son incomprensiblemente complejos. "El problema de la biología es remontarse hasta un principio sencillo", dicen los astrónomos Fred Hoyle y Chandra Wickramasinghe. "Los residuos fósiles de antiguas formas de vida hallados en las rocas no revelan un principio sencillo. [...] de modo que la teoría evolucionista carece de un fundamento apropiado"[5]. Y a medida que la información aumenta, más difícil se hace explicar cómo pudieran haber surgido aleatoriamente, o al azar, formas microscópicas de vida que son tan increíblemente complejas.

[7] Los pasos principales en dirección al origen de la vida, vistos según la teoría evolucionista, son 1) la existencia de la atmósfera primitiva apropiada y 2) una concentración, en los océanos, de una sopa orgánica de moléculas "sencillas" necesarias para la vida. 3) De estas vienen proteínas y nucleótidos (compuestos químicos complejos) que 4) se combinan y adquieren una membrana, y después de eso 5) desarrollan un código genético y empiezan a hacer copias de sí mismas. ¿Están estos pasos de acuerdo con los hechos disponibles?

La atmósfera primitiva

[8] En 1953 Stanley Miller pasó una chispa eléctrica a través de una "atmósfera" de hidrógeno, metano, amoníaco y vapor de agua. Esto produjo algunos de los muchos aminoácidos que existen y que son los bloques de construcción de las proteínas. Sin embargo, él consiguió sólo 4 de los 20 aminoácidos que se necesitan para que la vida exista. Más de 30 años después, a los científicos todavía se les hacía imposible producir experimentalmente los 20 aminoácidos necesarios en medio de condiciones que pudieran considerarse plausibles.

[9] Miller supuso que la atmósfera primitiva de la Tierra era similar a la que había en su vasija de vidrio

Ningún edificio grande pudiera sostenerse sin un fundamento. "La teoría evolucionista carece de un fundamento apropiado", dicen dos científicos

7. Según se afirma, ¿cuáles son los pasos principales en dirección al origen de la vida?
8. ¿Cómo quedaron sin lograr lo esperado un famoso experimento por Stanley Miller, y otros que se efectuaron posteriormente?
9, 10. a) ¿Qué se cree en cuanto a la posible composición de la atmósfera primitiva de la Tierra? b) ¿A qué problema se enfrenta la evolución, y qué se sabe acerca de la atmósfera primitiva de la Tierra?

para experimentos. ¿Por qué? Porque, como él y un colaborador suyo dijeron después: "La síntesis de los compuestos de interés biológico tiene lugar solo en medio de condiciones de reducción [sin oxígeno libre en la atmósfera]"[6]. Pero otros evolucionistas teorizan que el oxígeno estaba presente. El problema que esto crea para la evolución lo expresa Hitching: "Si hubiera habido oxígeno en el aire, el primer aminoácido nunca habría empezado; si no hubiera habido oxígeno, habría sido eliminado por los rayos cósmicos"[7].

[10] La realidad es que todo intento por determinar la naturaleza de la atmósfera primitiva de la Tierra solo puede basarse en adivinación o suposición. Nadie sabe de seguro cómo era.

¿Se formaría una "sopa orgánica"?

[11] ¿Sería probable que los aminoácidos que supuestamente se hubieran formado en la atmósfera bajaran y formaran un "caldo orgánico" o "sopa orgánica" en los océanos? Tal cosa no sería probable. La misma energía que disgregaría o descompondría en la atmósfera los compuestos sencillos descompondría con mayor rapidez cualesquiera aminoácidos complejos que se formaran. Es interesante el hecho de que Miller, en su experimento de pasar una chispa eléctrica a través de una "atmósfera", solo pudo salvar los cuatro aminoácidos que consiguió porque los removió del área de la chispa. Si los hubiera dejado allí, la chispa los habría descompuesto.

[12] Sin embargo, si se supone que los aminoácidos de alguna manera llegaron a los océanos y fueron protegidos de la destructiva radiación ultravioleta que había en la atmósfera; entonces, ¿qué? Hitching explicó: "Bajo la superficie del agua no habría suficiente energía para activar reacciones químicas adicionales; de todos modos, el agua inhibe el crecimiento de las moléculas de gran complejidad"[8].

[13] Por eso, una vez que los aminoácidos están en el

---

11. a) ¿Por qué no es probable que una "sopa orgánica" se acumulara en el océano? b) ¿Cómo pudo Miller salvar los pocos aminoácidos que sí consiguió?
12. ¿Qué les sucedería a los aminoácidos aunque algunos llegaran a los océanos?
13. Para que puedan formar proteínas, ¿qué tienen que hacer los aminoácidos en el agua? Pero entonces, ¿a qué otro peligro se enfrentan?

Todas rojas, todas de la variedad precisa, cada una en su lugar asignado de antemano... ¿por azar?

agua tienen que salir de ella si es que han de formar moléculas mayores y evolucionar hacia transformarse en proteínas que sean útiles para la formación de la vida. ¡Pero una vez que salen del agua están de nuevo bajo la destructiva luz ultravioleta! "En otras palabras —dice Hitching—, las probabilidades teóricas de lograr hasta esta primera y relativamente fácil etapa [de conseguir aminoácidos] en la evolución de la vida son prohibitivas"[9].

[14] Aunque comúnmente se asevera que la vida surgió espontáneamente en los océanos, la verdad sencilla es que las masas de agua no son conducentes a la química necesaria. El químico Richard Dickerson explica: "Por tanto, es difícil ver cómo pudiera haberse efectuado la polimerización [ensamblar moléculas pequeñas para formar otras mayores] en el entorno acuoso del océano primitivo, puesto que la presencia de agua favorece la despolimerización [el quebrar las moléculas grandes y producir otras más sencillas] más bien que la polimerización"[10]. El bioquímico George Wald concuerda con este punto de vista, y declara: "La disolución espontánea es mucho más probable, y por lo tanto se efectúa con mucha más rapidez, que la síntesis espontánea". ¡Esto significa que no habría acumulación de sopa orgánica! Wald cree que este es el "problema más persistente que tenemos ante nosotros [los evolucionistas]"[11].

[15] No obstante, todavía hay otro problema persistente ante la teoría evolucionista. Recuerde que hay más de

14. Por eso, ¿cuál es uno de los problemas más persistentes ante los evolucionistas?
15, 16. ¿Qué problema de gran magnitud hay en conseguir las proteínas de la vida mediante los aminoácidos en una supuesta sopa orgánica?

100 aminoácidos, pero solo se necesitan 20 para las proteínas de la vida. Además, vienen en dos formas: Algunas de las moléculas son de configuración D ("derechas") y otras son de configuración L ("izquierdas"). Si se formaran al azar, como en una sopa orgánica teórica, lo más probable sería que la mitad de ellas serían D y la otra mitad L. Y no hay razón conocida por la cual una o la otra de estas partes debería ser preferida en los organismos vivos. Sin embargo, de los 20 aminoácidos que se usan en la producción de las proteínas de la vida, ¡*todos* son "izquierdos"!

[16] ¿Cómo habría de suceder que, al azar, solo las clases específicamente requeridas hubieran de ser unidas en la sopa? El físico J. D. Bernal reconoce lo siguiente: "Hay que confesar que la explicación [...] todavía sigue siendo una de las partes más difíciles de aclarar en cuanto a los aspectos estructurales de la vida". Concluyó: "Quizás nunca podamos explicar esto"[12].

Del hecho de que la vida utilice solo aminoácidos "izquierdos" se dice: "Quizás nunca podamos explicarlo"

La probabilidad y las proteínas espontáneas

[17] ¿Qué probabilidad hay de que se juntaran precisamente los aminoácidos necesarios para formar una molécula de proteína? Esto se pudiera asemejar a tener una pila grande y bien mezclada de habichuelas o judías que contuviera cantidades iguales de las rojas y las blancas. Hay, además, más de 100 diferentes variedades de estas habichuelas. Pues bien, si usted metiera una cuchara en esta pila, ¿qué cree que sacaría? Para conseguir las habichuelas que representaran los componentes básicos de una proteína, tendría que sacar solamente habichuelas rojas... ¡no sacar ninguna blanca! Además, su cucharada tendría que contener solamente 20 variedades de las rojas, y cada una tendría que estar en un lugar específico, asignado de antemano, en la cucharada. En el mundo de la proteína, un solo error en cualquiera de estos requisitos haría que la proteína que se produjera no funcionara de la manera debida. ¿Podría conseguirse la combinación correcta por más que se agitara la hipotética pila de habichuelas y se sacaran cucharadas de ella? No. Entonces, ¿cómo habría sido posible eso en la sopa orgánica hipotética?

17. ¿Qué ilustración muestra lo problemático de este asunto?

[18] Las proteínas que se necesitan para la vida tienen moléculas muy complejas. ¿Qué probabilidad hay de que siquiera una proteína sencilla se forme al azar en una sopa orgánica? Los evolucionistas reconocen que la probabilidad es de solo uno sobre 10^{113} (1 seguido por 113 ceros). Pero cualquier suceso que tiene sólo la probabilidad de uno sobre 10^{50} es rechazado por los matemáticos como algo que nunca sucede. Una idea de la probabilidad envuelta en esto se ve en el hecho de que ¡el número 10^{113} es mayor que la cantidad que se ha calculado para el total de los átomos del universo!

[19] Algunas proteínas sirven de materiales estructurales, y otras sirven de enzimas. Las últimas aceleran las reacciones químicas que se necesitan en la célula. Sin tal ayuda, la célula moriría. Para la actividad de la célula no se necesitan solo unas cuantas proteínas que sirvan de enzimas, sino 2.000 de ellas. ¿Qué probabilidades hay de obtener todas estas al azar? ¡Solo la probabilidad de uno sobre $10^{40.000}$! "Una probabilidad pequeña hasta lo absurdamente extremo —asegura Hoyle— que no se puede contemplar aunque todo el universo consistiera en sopa orgánica." Añade: "A no ser que uno se deje dominar por el prejuicio, sea debido a creencias sociales o debido a educación científica, de modo que acepte la convicción de que la vida se originó [espontáneamente] en la Tierra, este simple cálculo desestima tal idea completamente"[13].

"Las proteínas dependen del ADN para su formación. Pero el ADN no puede formarse sin proteína ya existente"

[20] Sin embargo, en realidad hay mucho menos probabilidad de lo que indica esta cifra "pequeña hasta lo absurdamente extremo". Tiene que haber una membrana que envuelva a la célula. Pero esta membrana es extremadamente compleja, compuesta de moléculas de proteína, azúcar y grasa. Como escribe el evolucionista Leslie Orgel: "Las membranas celulares modernas incluyen canales y bombas que controlan específicamente la entrada y la salida de nutrimentos, productos de desecho, iones metálicos, y así por el estilo. Estos canales especializados comprenden proteínas altamente es-

18. ¿Cuán realistas son las probabilidades de que hasta una simple molécula proteínica se formara al azar?
19. ¿Qué probabilidades hay de conseguir las enzimas necesarias para una célula viva?
20. ¿Cómo complica el problema la membrana que la célula necesita?

¿Cuál vino primero?

pecíficas, moléculas que no pudieran haber estado presentes al mismísimo principio de la evolución de la vida"[14].

El notable código genético

[21] Más difíciles de obtener que estas son los nucleótidos, las unidades estructurales del ADN (ácido desoxirribonucleico), que lleva el código genético. En el ADN están implicadas cinco histonas (se cree que las histonas tienen que ver con gobernar la actividad de los genes). La probabilidad de formar siquiera la más sencilla de estas histonas se dice que es de uno sobre 20^{100}... y esta cifra de 20^{100} es otro número enorme, "mayor que el total de todos los átomos de todas las estrellas y galaxias que se pueden ver mediante los mayores telescopios astronómicos"[15].

[22] No obstante, mayores dificultades para la teoría evolucionista tienen que ver con el origen del código genético completo... un requisito para la reproducción celular. El viejo rompecabezas de qué fue lo primero, 'la gallina o el huevo', asoma con relación a las proteínas y el ADN. Hitching dice: "Las proteínas dependen del ADN para su formación. Pero el ADN no puede formarse sin proteína ya existente"[16]. Esto deja la paradoja que presenta Dickerson: "Cuál vino primero"; ¿la proteína, o el ADN? Él afirma: "Debe contestarse que [...] se desarrollaron en paralelo"[17]. Él está diciendo, en efecto,

> "El origen del código genético presenta un enorme problema como el del huevo y la gallina que, en la actualidad, permanece completamente revuelto"

21. ¿Cuánta dificultad habría en conseguir las histonas que requiere el ADN?
22. a) ¿Qué relación vemos entre el antiguo rompecabezas sobre 'la gallina o el huevo' y el asunto de las proteínas y el ADN? b) ¿Qué solución ofrece un evolucionista? ¿Es razonable esa solución?

45

que 'la gallina' y 'el huevo' tienen que haber evoluciona-do simultáneamente, de modo que ninguno de los dos ha venido del otro. ¿Cree usted que eso es razonable? Un escritor de asuntos científicos lo resume así: "El origen del código genético presenta un enorme problema como el del huevo y la gallina que, en la actualidad, perma-nece completamente revuelto"[18].

[23] Del químico Dickerson viene también este intere-sante comentario: "La evolución de la maquinaria gené-tica es la etapa para la cual no existen modelos de laboratorio; por tanto, se podría especular interminable-mente sin restricciones ni pruebas contradictorias"[19]. Pero ¿acaso es buen procedimiento científico el echar a un lado tan fácilmente los aludes de "pruebas contradic-torias"? Leslie Orgel llama la existencia del código genético "el aspecto más desconcertante del problema de los orígenes de la vida"[20]. Y Francis Crick llegó a esta conclusión: "A pesar de que el código genético es casi universal, el mecanismo necesario para estructu-rarlo es demasiado complejo para haber surgido de un solo golpe"[21].

El código genético: "el aspecto más desconcertante del problema de los orígenes de la vida"

[24] La teoría evolucionista intenta eliminar la necesi-dad de lograr lo imposible "de un solo golpe" mediante favorecer un proceso de paso a paso, mediante el cual la selección natural pudiera efectuar su obra gradual-mente. Sin embargo, sin el código genético para dar comienzo a la reproducción, no puede haber material para que la selección natural seleccione.

La asombrosa fotosíntesis

[25] Ahora se levanta otro estorbo ante la teoría evolu-cionista. En algún tiempo la célula primitiva tuvo que haber inventado algo que tendría efecto revolucionario en la vida en la Tierra... la fotosíntesis. Este proceso, mediante el cual las plantas toman el dióxido de carbo-no y liberan oxígeno, todavía no se entiende completa-mente entre los científicos. Como declara el biólogo F. W. Went, es "un proceso que nadie ha podido repro-

23. ¿Qué dicen otros científicos acerca de la maquinaria genética?
24. ¿Qué se puede decir acerca de la selección natural y la primera célula capaz de reproducirse?
25. La evolución atribuye a una simple célula la sorprendente hazaña de originar ¿qué proceso?

46

Luz

Los humanos y los animales toman el oxígeno del aire y liberan dióxido de carbono. Las plantas toman el dióxido de carbono y liberan oxígeno

ducir todavía en un tubo de ensayos"[22]. Sin embargo, se cree que una diminuta célula sencilla le dio origen al azar.

Oxígeno   Vapor de agua   Dióxido de carbono

[26] Este proceso de la fotosíntesis transformó una atmósfera que no contenía oxígeno libre en una en la cual, de cada cinco moléculas, una es de oxígeno. Como resultado de esto, los animales podrían respirar oxígeno y vivir, y se podría formar una capa de ozono que protegiera a toda la vida de los efectos dañinos de la radiación ultravioleta. ¿Pudiera explicarse este notable arreglo de circunstancias por sencillamente la casualidad, el azar?

¿Hay inteligencia implicada?

[27] Al hallarse ante las probabilidades astronómicas contra el que una célula viviente se forme al azar, algunos evolucionistas se ven obligados a retroceder. Por ejemplo, los autores de *Evolution From Space* (Evolución desde el espacio), Hoyle y Wickramasinghe, se dan por vencidos, y dicen: "Estas cuestiones son demasiado complejas para fijarles números". Añaden: "No hay modo [...] cómo podamos sencillamente arreglárnoslas con una sopa orgánica más abundante y mejor, como nosotros mismos esperábamos que fuera posible un año o dos atrás. Los números que ya hemos calculado y señalado son esencialmente tan imposibles de afrontar para una sopa universal como para una terrestre"[23].

En la fotosíntesis, las plantas utilizan luz solar, dióxido de carbono, agua y minerales para producir oxígeno y productos alimenticios. ¿Pudiera haber inventado todo esto una simple célula?

26. ¿Qué cambio revolucionario fue causado por este proceso?
27. ¿En qué posición ha dejado a algunos evolucionistas la prueba disponible?

La increíble célula

Una célula viva es enormemente compleja. El biólogo Francis Crick se esfuerza por describir sus operaciones sencillamente, pero al fin se da cuenta de que sólo puede llegar hasta cierto punto al describir sus complejidades "debido a que es tan complicada que el lector no debe tratar de luchar con todos los detalles"[a].

Las instrucciones dentro del ADN de la célula, "si se escribieran, llenarían mil libros de 600 páginas cada uno", explica la revista *National Geographic*. "Cada célula es un mundo atestado de hasta doscientos billones de grupitos de átomos llamados moléculas. [...] Nuestros 46 'hilos' de cromosomas, conectados, medirían más de seis pies [dos metros]. Sin embargo, el diámetro del núcleo que los contiene mide menos de cuatro diezmilésimas de pulgada [una milésima de centímetro]"[b].

La revista de noticias *Newsweek* usa una ilustración para dar una idea de las actividades de la célula: "Cada una de esas células —y son cien billones— funciona como una ciudad amurallada. Plantas de energía generan la energía de la célula. Fábricas producen proteínas, unidades vitales del comercio químico. Complejos sistemas de transportación sirven para guiar a sustancias químicas específicas de un punto a otro dentro de la célula, y más allá. Centinelas en las barricadas controlan los mercados de exportación e importación, y examinan el mundo externo en busca de señales de peligro. Ejércitos biológicos disciplinados se mantienen listos para luchar contra invasores. Un gobierno genético centralizado mantiene el orden"[c].

Cuando la teoría moderna de la evolución fue propuesta originalmente, los científicos tenían poca idea de la fantástica complejidad de la célula viva. En la página que sigue se señalan algunas de las partes de una célula típica... todas apiñadas en un recipiente que solo mide 0,0025 de centímetro (1/1000 de pulgada) de lado a lado.

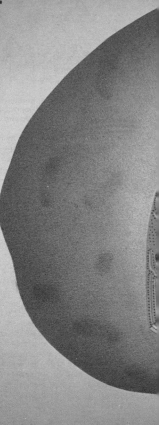

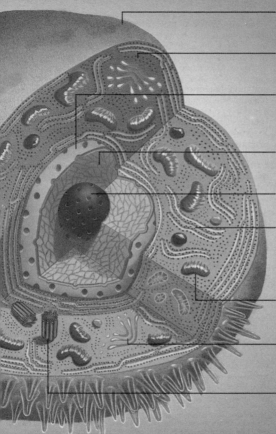

MEMBRANA CELULAR
La cubierta que controla lo que entra en la célula, y lo que sale

RIBOSOMAS
Estructuras en las cuales se ensamblan en proteínas los aminoácidos

NÚCLEO
Encerrado en una envoltura membranosa doble, es el centro de control que dirige las actividades celulares

CROMOSOMAS
Contienen el ADN de la célula, su plan maestro genético

NUCLÉOLO
El sitio donde se ensamblan los ribosomas

RETÍCULO ENDOPLASMÁTICO
Láminas membranosas que almacenan o transportan las proteínas que son hechas por los ribosomas adheridos a ellas (algunos ribosomas flotan libremente en la célula)

MITOCONDRIAS
Centros de producción para ATP, las moléculas que suministran energía para la célula

APARATO DE GOLGI
Un grupo de sacos membranosos aplastados que empaquetan y distribuyen las proteínas hechas por la célula

CENTRÍOLOS
Se hallan cerca del núcleo y son importantes en la reproducción celular

— ¿Fueron producto del azar sus 100.000.000.000.000 de célu

Algunos científicos
dicen, en efecto:
'Obligatoriamente tiene
que haber inteligencia,
pero la idea de un
Creador es inaceptable'

[28] Por eso, después de reconocer que de algún modo tiene que haber habido inteligencia implicada en dar existencia a la vida, estos autores dicen: "En realidad, una teoría de esta índole es tan obvia que uno se pregunta por qué no tiene amplia aceptación como evidente. Las razones son sicológicas más bien que científicas"[24]. Así, pues, un observador podría concluir que una barrera "sicológica" es la única explicación plausible de por qué la mayoría de los evolucionistas se apegan a un origen aleatorio o fortuito de la vida y rechazan todo "diseño o propósito o dirección"[25], como lo expresó Dawkins. La realidad es que hasta Hoyle y Wickramasinghe, después de reconocer que se necesita inteligencia, dicen que no creen que un Creador personal sea responsable del origen de la vida[26]. Según su manera de pensar, obligatoriamente tiene que haber inteligencia, pero un Creador es inaceptable. ¿Se le hace contradictorio eso a usted?

¿Es científico?

[29] Para que se acepte como hecho científico, el comienzo espontáneo de la vida debe ser establecido por el método científico. Este se ha descrito de la siguiente manera: Observe lo que sucede; fundándose en esas observaciones, formule una teoría en cuanto a lo que pueda ser la realidad; someta a prueba la teoría mediante observaciones adicionales y por experimentos; y vigile para ver si las predicciones fundadas en la teoría se cumplen.

[30] En un intento por aplicar el método científico, no ha sido posible observar la generación espontánea de la vida. No hay prueba de que esté sucediendo ahora, y, por supuesto, no había presente ningún observador humano cuando los evolucionistas dicen que estaba sucediendo. Ninguna teoría relacionada con ella ha sido verificada por la observación. Los experimentos hechos

---

28. a) Con toda probabilidad, ¿qué hay tras el negarse a reconocer el funcionamiento necesario de una inteligencia? b) Aunque hay evolucionistas que creen que se ha necesitado una inteligencia superior, ¿qué dicen ellos que no es la fuente de tal inteligencia?
29. ¿En qué consiste el método científico?
30. ¿De qué maneras no satisface la generación espontánea los requisitos de la aplicación del método científico?

en los laboratorios no han podido repetirla. Las predicciones fundadas en la teoría no se han cumplido. Ante tal incapacidad respecto a aplicar el método científico, ¿es ciencia honrada el elevar tal teoría al nivel del hecho, de la realidad?

[31] Por otra parte, hay amplia prueba en apoyo de la conclusión de que la generación espontánea de la vida desde materia inanimada no es posible. "Basta con contemplar la magnitud de esta tarea —reconoce el profesor Wald, de la Universidad de Harvard— para admitir que la generación espontánea de un organismo vivo es imposible." Pero ¿qué cree en realidad este proponente de la evolución? Él responde: "Sin embargo, aquí estamos... como resultado —creo— de la generación espontánea"[27]. ¿Suena eso como ciencia objetiva?

[32] El biólogo británico Joseph Henry Woodger caracterizó tal razonamiento como "simple dogmatismo... asegurar que lo que uno quiere creer en realidad sucedió"[28]. ¿Cómo sucede que científicos hayan aceptado en su propia mente esta manifiesta violación del método científico? El bien conocido evolucionista Loren Eiseley confesó: "Después de haber regañado al teólogo por confiar en mito y milagro, la ciencia se halló en la posición no envidiable de tener que crear una mitología propia: a saber, la suposición de que lo que tras de mucho esfuerzo no pudo ser probado que estuviera aconteciendo hoy, había, en realidad, tenido lugar en el pasado primitivo"[29].

[33] Si se considera la prueba, la teoría de una generación espontánea de la vida parece encajar mejor en el terreno de la ciencia ficción que en el terreno del hecho científico. Aparentemente muchos apoyadores de esta teoría han abandonado el método científico en estos asuntos para creer lo que desean creer. A pesar de las arrolladoras probabilidades contra el que la vida se originara al azar, predomina un dogmatismo terco en

31. ¿Qué puntos de vista contradictorios en cuanto a la generación espontánea tiene cierto científico?
32. ¿Cómo se ve que hasta evolucionistas admiten que tal razonamiento no es científico?
33. Fundándonos en toda la prueba precedente, ¿a qué conclusión tenemos que llegar respecto a la generación espontánea y a la aplicación del método científico?

Evolucionistas del pasado y del presente comentan sobre el origen de la vida

"La hipótesis de que la vida se ha desarrollado de materia inorgánica es, en la actualidad, todavía un artículo de fe."
(J. W. N. Sullivan[d], matemático.)

"La probabilidad de que la vida se originara de modo accidental es comparable a la probabilidad de que el diccionario no abreviado fuera el resultado de una explosión en una imprenta."
(Edwin Conklin[e], biólogo.)

"Basta con contemplar la magnitud de esta tarea para admitir que la generación espontánea de un organismo vivo es imposible."
(George Wald[f], bioquímico.)

"El hombre honrado, armado con todo el conocimiento que nos está disponible ahora, solo podría declarar que, en algún sentido, por el momento parece que el origen de la vida es casi un milagro."
(Francis Crick[g], biólogo.)

"A no ser que uno se deje dominar por el prejuicio, sea debido a creencias sociales o debido a educación científica, de modo que acepte la convicción de que la vida se originó [espontáneamente] en la Tierra, este simple cálculo [las probabilidades matemáticas contra ello] desestima tal idea completamente."
(Fred Hoyle y N. C. Wickramasinghe[h], astrónomos.)

vez de la cautela que normalmente caracteriza al método científico.

No la aceptan todos los científicos

34 Sin embargo, no todos los científicos han cerrado la puerta a la alternativa. Por ejemplo, el físico H. S. Lipson, dándose cuenta de las probabilidades contra un origen espontáneo de la vida, dijo: "La única explicación aceptable es *creación*. Sé que esto es anatema para los físicos, como de hecho lo es para mí, pero no debemos

---

34. a) ¿Cómo demuestra cierto físico amplitud de miras científica? b) ¿Cómo describe él la evolución, y qué comentario hace acerca de muchos científicos?

rechazar una teoría que no nos gusta si la prueba experimental la apoya". Además señaló que después del libro de Darwin *El origen de las especies,* "en cierto sentido la evolución llegó a ser una religión científica; casi todos los científicos la han aceptado, y muchos están dispuestos a 'torcer' sus observaciones para que encajen con ella"[30]. Un comentario lamentable, pero verídico.

[35] Chandra Wickramasinghe, profesor en el Colegio Universitario de Cardiff, dijo: "Desde mi más temprana educación como científico se me lavó vigorosamente el cerebro para que creyera que la ciencia no puede ser consecuente con ninguna clase de creación deliberada. Tuve que irme librando muy dolorosamente de esa noción. Me hallo muy incómodo en la situación, el estado mental, en que me encuentro ahora. Pero no hay ninguna manera lógica de escapar de ello. [...] El que la vida haya sido un accidente químico en la Tierra es como buscar cierto particular grano de arena en todas las playas de todos los planetas del universo... y hallarlo". En otras palabras, sencillamente es imposible que la vida pudiera haberse originado de un accidente químico. De modo que Wickramasinghe llega a esta conclusión: "No hay otra manera de entender el orden preciso que se ha impuesto en las sustancias químicas de la vida excepto por acudir al concepto de creaciones en escala cósmica"[31].

[36] Como dijo el astrónomo Robert Jastrow: "Los científicos no tienen prueba de que la vida no haya sido el resultado de un acto de creación"[32].

[37] Con todo, hasta suponiendo que una primera célula viva sí hubiera surgido espontáneamente de alguna manera, ¿hay prueba de que esta evolucionara hasta la formación de todas las criaturas que hasta ahora han vivido en la Tierra? Los fósiles suministran la respuesta, y el capítulo siguiente considera lo que realmente dice el registro fósil.

Un científico confesó: "La única explicación aceptable es *creación*"

Jastrow: "Los científicos no tienen prueba de que la vida no haya sido el resultado de un acto de creación"

---

35. a) ¿De qué noción le ha sido doloroso librarse a cierto profesor universitario? b) ¿Cómo ilustra él la posibilidad de que la vida evolucionara al azar?
36. ¿Qué comentario hace Robert Jastrow?
37. ¿Qué pregunta se presenta ahora acerca de la evolución, y dónde puede hallarse la respuesta?

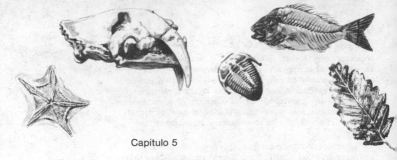

Capítulo 5

Lo que sí dice
el registro fósil

LOS fósiles son los restos de formas de vida antiguas conservados en la corteza de la Tierra. Estos pueden ser esqueletos o partes de esqueletos, como huesos, dientes o caparazones. Un fósil puede ser también algún rastro de la actividad de lo que en un tiempo estuvo vivo, como una impresión dejada en algún material, o huellas. Hay muchos fósiles que no contienen ya a su materia original; más bien, están compuestos de depósitos minerales que se infiltraron en los organismos y adoptaron su forma.

[2] ¿Por qué son importantes para la evolución los fósiles? El genetista G. L. Stebbins señaló una razón importante: "Ningún biólogo ha visto en realidad el origen por evolución de alguno de los grandes grupos de organismos"[1]. Así, hoy día no se ve que los organismos vivos que se hallan en la Tierra estén evolucionando para llegar a ser otros organismos. En vez de eso, todos están completos en su forma y se distinguen de los demás tipos. Como señaló el genetista Theodosius Dobzhansky: "El mundo viviente no es un solo despliegue [...] conectado por series ininterrumpidas de formas intermedias"[2]. Y Charles Darwin admitió que "la distinción característica de las formas específicas [de vida], y el hecho de que no estén conectadas discerniblemente entre sí por innumerables eslabones de transición, es una dificultad muy obvia"[3].

"Ningún biólogo ha visto en realidad el origen por evolución de alguno de los grandes grupos de organismos"

---

1. ¿Qué son los fósiles?
2, 3. ¿Por qué son importantes para la evolución los fósiles?

54

Por la teoría evolucionista ortodoxa se esperaba un registro fósil que manifestara:	Por el patrón de la creación se esperaba un registro fósil que manifestara:
1. Formas de vida muy simples que aparecieran gradualmente	1. Formas de vida complejas que aparecieran súbitamente
2. Formas simples que gradualmente se transformaran en formas complejas	2. Formas de vida complejas que se multiplicaran 'según sus géneros' (familias biológicas), aunque habría variedad
3. Muchos "eslabones" de transición entre las diferentes clases de organismos	3. Ausencia de "eslabones" de transición entre diferentes familias biológicas
4. Principios de nuevos rasgos corporales, tales como extremidades, huesos, órganos	4. Ausencia de rasgos corporales parciales; todas las partes estarían completas

[3] Así, las variedades discretas o distintas de formas vivas de hoy no ofrecen apoyo a la teoría de la evolución. Por eso se hizo tan importante el registro fósil. Se creía que por lo menos los fósiles suministrarían la confirmación que la teoría de la evolución necesitaba.

Qué buscar

[4] Si la evolución fuera realidad, la evidencia fósil de seguro revelaría un cambio gradual desde un tipo o género de vida hasta otro. Y eso tendría que ser así sin importar qué variación de la teoría evolucionista se aceptara. Hasta científicos que creen en los cambios de índole más rápida que se asocian con la teoría del "equilibrio puntuado" reconocen que todavía habría de suponerse que estos cambios tuvieran lugar durante muchos miles de años. De modo que no es razonable creer que no habría ninguna necesidad en absoluto de fósiles eslabonadores.

[5] Además, si la evolución estuviera fundada en la realidad, se esperaría que el registro fósil revelara los comienzos de nuevas estructuras en los organismos vi-

4-6. Si la evolución estuviera basada en hechos, ¿qué mostraría la prueba fósil?

Muñeca
Antebrazo
Codo
Brazo
Hombro

Un libro sobre evolución contiene un dibujo como este con la explicación: "DE PEZ A HOMBRE". Dice que la ilustración "muestra cómo los huesos de la aleta del pez evolucionaron hasta formar los huesos del brazo y de la mano humanos". También declara: "El registro fósil documenta muchas etapas intermedias en esta transición". Pero ¿es verdad que hace eso?[a]

vos. Debería haber por lo menos algunos fósiles en los que estuvieran en desarrollo brazos, piernas, alas, ojos y otros huesos y órganos. Por ejemplo, debería haber aletas de peces que estuvieran transformándose en patas de anfibio con pies y dedos, y branquias que estuvieran transformándose en pulmones. Debería haber reptiles con extremidades delanteras que estuvieran transformándose en alas de aves, extremidades posteriores que estuvieran pasando a ser patas con garras, escamas que estuvieran convirtiéndose en plumas, y bocas que estuvieran llegando a ser picos córneos.

[6] Sobre esto, la revista científica británica *New Scientist* dice de la teoría: "Predice que un registro fósil completo consistiría en linajes de organismos que continuamente mostraran cambio gradual durante largos espacios de tiempo"[4]. Como aseguró Darwin mismo: "La cantidad de variedades intermedias, que han existido anteriormente, [tiene que] ser verdaderamente enorme"[5].

[7] Por otra parte, si el relato de la creación que se da en Génesis es factual, entonces el registro fósil *no* mostraría que un tipo de vida estuviera transformándose en otro. Reflejaría la declaración de Génesis de que cada diferente tipo de organismo vivo se reproduciría sólo "según su género" (Génesis 1:11, 12, 21, 24, 25). Además, si los organismos vivos llegaron a existir por un acto de creación, no habría huesos ni órganos parciales, no terminados, en el registro fósil. Todos los fósiles estarían completos y serían altamente complejos, como sucede en el caso de los organismos vivos que existen hoy.

[8] Además, si los organismos vivos fueron creados, hubiera de esperarse que hubieran aparecido de súbito en el registro fósil, sin conexión con lo que hubiera existido antes de ellos. Y si se descubriera que esto fuera así, entonces, ¿qué? Darwin admitió francamente: "Si numerosas especies [...] en realidad han comenzado su existencia de una vez, ese hecho sería mortal para la teoría de la evolución"[6].

¿Está completo el registro?

[9] Sin embargo, ¿se halla el registro fósil lo suficientemente completo como para que se dé prueba aceptable de si es la creación o la evolución lo que tiene apoyo? Hace más de un siglo, Darwin no pensaba así. ¿Qué había de "malo" en el registro fósil en su tiempo? No contenía los eslabones de transición que se requerían para sostener su teoría. Esta situación lo impulsó a decir: "Entonces, ¿por qué no están llenos de esos eslabones intermedios toda formación geológica y todo estrato? Ciertamente la geología no revela ninguna cadena orgánica finamente graduada como esa; y esta, quizás, sea la más obvia y seria objeción que se puede presentar contra la teoría"[7].

[10] En el tiempo de Darwin el registro fósil desilusionó a Darwin de otra manera. Explicó él: "La manera abrupta como grupos enteros de especies aparecen súbitamente en ciertas formaciones ha sido presentada por varios

Darwin: "Si numerosas especies [...] en realidad han comenzado su existencia de una vez, ese hecho sería mortal para la teoría de la evolución"

---

7. ¿Qué debe mostrar el registro fósil si el relato de la creación en Génesis es factual?
8. Si las cosas vivas fueron creadas, ¿qué otro aspecto debe evidenciarse en el registro fósil?
9. ¿Qué dijo Darwin acerca de la prueba disponible en su día?
10. ¿Qué otra desilusión mencionó Darwin?

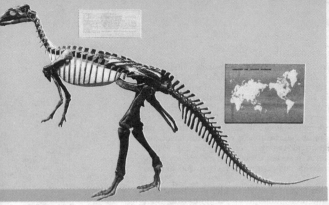

Se han hallado millones de fósiles, y están en museos y laboratorios por todo el mundo

paleontólogos [...] como una objeción mortífera a la creencia en la transmutación de las especies". Añadió: "Hay otra dificultad, relacionada con esta, que es mucho más seria. Aludo a la manera como especies que pertenecen a varias de las principales divisiones del reino animal aparecen de súbito en las rocas fosilíferas más bajas que se conocen. [...] En la actualidad el caso tiene que permanecer inexplicable, y verdaderamente se puede presentar como argumento válido contra los puntos de vista [evolucionistas] que aquí se expresan"[8].

[11] Darwin intentó explicar estos enormes problemas mediante un ataque contra el registro fósil. Dijo: "Considero el registro geológico como una historia del mundo que no ha sido registrada a perfección, [...] imperfecta hasta un grado extremo"[9]. Él y otros supusieron que, a medida que el tiempo pasara, de seguro se hallarían los eslabones fósiles que faltaban.

[12] Ahora, después de más de un siglo de extenso cavar, se han desenterrado grandes cantidades de fósiles. ¿Es todavía tan 'imperfecto' como antes el registro? El libro *Processes of Organic Evolution* (Procesos de la evolución orgánica) comenta: "Ahora el registro de las formas de vida pasadas es extenso, y constantemente aumenta en riqueza a medida que los paleontólogos hallan, describen y comparan nuevos fósiles"[10]. Y el científico Porter Kier, de la Institución Smithsoniana, añade: "En museos de todo el mundo hay cien millones de fósiles, todos catalogados e identificados"[11]. Por tanto, *A Guide*

11. ¿Cómo intentó explicar las dificultades Darwin?
12. ¿Cuán extenso es el registro fósil ahora?

to Earth History (Guía a la historia de la Tierra) declara: "Con la ayuda de los fósiles los paleontólogos pueden darnos ahora un cuadro excelente de la vida de las edades pasadas"[12].

[13] Después de todo este tiempo, y de haberse ensamblado millones de fósiles, ¿qué dice el registro ahora? El evolucionista Steven Stanley declara que estos fósiles "revelan cosas nuevas y sorprendentes acerca de nuestros orígenes biológicos"[13]. El libro *A View of Life* (Una vista de la vida), escrito por tres evolucionistas, añade: "El registro fósil está lleno de tendencias que los paleontólogos no han podido explicar"[14]. ¿Qué es esto que ha sido tan 'sorprendente' para estos científicos evolucionistas, y que ellos 'no pueden explicar'?

[14] Lo que ha confundido a estos científicos es el hecho de que la gran cantidad de prueba fósil que ahora está disponible revela precisamente lo mismo que revelaba en los días de Darwin: Las clases fundamentales de organismos vivos aparecieron de súbito y no cambiaron en grado apreciable durante largos espacios de tiempo. Nunca se han hallado eslabones de transición entre una de las clases principales de organismos vivos y otra. Por eso, lo que el registro fósil dice es precisamente lo opuesto de lo que se esperaba.

El registro fósil dice lo contrario de lo que había predicho la teoría evolucionista

[15] El botanista sueco Heribert Nilsson describe la situación de este modo, después de 40 años de llevar a cabo sus propias investigaciones: "No es posible siquiera hacer una caricatura de una evolución mediante los hechos paleobiológicos. El material fósil ahora está tan completo que [...] la falta de series de transición no puede ser explicada como cosa que se deba a escasez de material. Las deficiencias son reales, y nunca serán llenadas"[15].

La vida aparece de repente

[16] Miremos más de cerca la prueba. En su libro *Red Giants and White Dwarfs* (Gigantes rojas y enanas blancas), Robert Jastrow declara: "En alguna ocasión en los primeros mil millones de años, la vida apareció en la

---

13, 14. ¿Por qué se han desilusionado los evolucionistas ante la prueba fósil ampliada?
15. ¿A qué conclusión llegó un botanista al estudiar el registro fósil?
16. a) ¿Qué lleva a uno a esperar en cuanto al registro fósil primitivo cierto científico? b) ¿Satisface el registro fósil esa expectativa?

superficie de la Tierra. Lentamente, según indica el registro fósil, los organismos vivos fueron ascendiendo desde formas simples hasta formas más avanzadas". De esta descripción, uno esperaría que el registro fósil hubiera verificado una evolución lenta desde las primeras formas de vida "simples" hasta las complejas. Sin embargo, el mismo libro dice: "Los críticos primeros mil millones de años, durante los cuales la vida empezó, son páginas en blanco en la historia de la Tierra"[16].

[17] Además, ¿pueden verdaderamente ser descritos como "simples" los primeros tipos de vida? "Al retroceder en el tiempo hasta la edad de las rocas más antiguas —dice *Evolution From Space* (Evolución desde el espacio)—, los residuos fósiles de antiguas formas de vida que se han descubierto en las rocas no revelan un principio simple. Aunque decidamos pensar que las bacterias fósiles y las algas y los microhongos fósiles son simples en comparación con un perro o un caballo, la norma de información permanece enormemente alta. La mayor parte de la complejidad bioquímica de la vida ya estaba presente al tiempo de la formación de las más antiguas rocas de la superficie de la Tierra"[17].

"Residuos fósiles de antiguas formas de vida que se han descubierto en las rocas no revelan un principio simple"

[18] Desde este principio, ¿puede hallarse prueba alguna que verifique que los organismos de una sola célula evolucionaran hasta formar los de muchas células, o pluricelulares? "El registro fósil no contiene vestigio alguno de estas etapas preliminares en el desarrollo de los organismos pluricelulares", dice Jastrow[18]. En vez de que eso sea cierto, él declara: "El registro de las rocas contiene muy poco, aparte de bacterias y plantas unicelulares, hasta que, hace aproximadamente mil millones de años, después de unos tres mil millones de años de progreso invisible, aconteció un suceso de gran trascendencia. Aparecieron en la Tierra las primeras criaturas compuestas de muchas células"[19].

[19] Así, al comienzo de lo que se llama el período cámbrico, el registro fósil presenta un dramático e inexplicado cambio. En este tiempo aparece tan súbitamente una gran variedad de criaturas marinas plenamente desarrolladas, complejas, muchas con fuertes caparazones,

17. ¿Se pudiera llamar "simples" a las primeras formas de vida?
18. ¿Hay prueba fósil de que las criaturas de una sola célula evolucionaran hasta ser criaturas de muchas células?
19. ¿Qué sucedió al comienzo de lo que se llama el período cámbrico?

Esponja

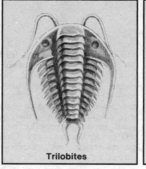

Trilobites

Aguamar

Temprano en lo que se llama el período cámbrico aparecen fósiles de los grupos principales de invertebrados en una espectacular "explosión" de formas vivas, sin conexión con antepasados evolutivos

que suele hacerse referencia a este tiempo como el de una "explosión" de organismos vivos. *A View of Life* (Una vista de la vida) lo describe así: "Comenzando a la base del período cámbrico, y extendiéndose por unos diez millones de años, todos los grupos principales de invertebrados 'esqueletizados' se presentaron por primera vez en el más espectacular aumento de diversidad que haya acontecido sobre nuestro planeta". Aparecieron caracoles, esponjas, estrellamares, animales parecidos a langostas llamados trilobites, y muchas otras criaturas marinas complejas. Es interesante el hecho de que el mismo libro señala lo siguiente: "De hecho, algunos trilobites extintos desarrollaron ojos más complejos y eficaces de los que posee cualquier artrópodo viviente"[20].

[20] ¿Hay eslabones fósiles entre este estallido de formas de vida y lo que lo precedió? En el tiempo de Darwin no existían tales eslabones. Él confesó: "A la pregunta de por qué no hallamos abundantes depósitos fosilíferos que pertenezcan a estos supuestos períodos más tempranos anteriores al sistema cámbrico, no puedo dar respuesta satisfactoria"[21]. Hoy día, ¿ha cambiado esta situación? El paleontólogo Alfred S. Romer notó la declaración de Darwin acerca de "la manera abrupta como grupos enteros de especies aparecen súbitamente" y escribió: "Debajo de esto [el período cámbrico], hay un vasto grosor de sedimentos en los cuales debería esperarse que estu-

Darwin: "Grupos enteros de especies aparecen súbitamente"

20. ¿Hay eslabones fósiles entre el "estallido" cámbrico de vida y lo que hubo antes de eso?

61

vieran los progenitores de las formas cámbricas. Pero no los hallamos; estos lechos más antiguos están casi desprovistos de indicación de vida, y pudiera decirse que el cuadro general es consecuente, razonablemente, con la idea de una creación especial en el principio de los tiempos cámbricos. 'A la pregunta de por qué no hallamos abundantes depósitos fosilíferos que pertenezcan a estos supuestos períodos más tempranos anteriores al sistema cámbrico —dijo Darwin—, no puedo dar respuesta satisfactoria'. Tampoco podemos hacer eso nosotros hoy", dijo Romer[22].

"Pudiera decirse que el cuadro general es consecuente, razonablemente, con la idea de una creación especial"

[21] Algunos afirman que las rocas precámbricas fueron demasiado alteradas por el calor y la presión para retener eslabones fósiles, o que no se depositaron rocas en mares de poca profundidad de modo que se retuvieran fósiles. "Ninguno de estos argumentos ha quedado en pie", dicen los evolucionistas Salvador E. Luria, Stephen Jay Gould y Sam Singer. Añaden: "Los geólogos han descubierto muchos sedimentos precámbricos sin alteración, y éstos no contienen fósiles de organismos complejos"[23].

[22] Estos hechos hicieron que el bioquímico D. B. Gower comentara, como se relató en el periódico *Times,* de Kent, Inglaterra: "El relato de la creación que se halla en Génesis y la teoría de la evolución no podían ser conciliados. Una de estas cosas tenía que ser correcta y la otra estar equivocada. La historia de los fósiles concordaba con el relato de Génesis. En las rocas más antiguas no encontramos una serie de fósiles que abarcara los cambios graduales desde las criaturas más primitivas hasta formas desarrolladas; más bien, en las rocas más antiguas aparecían de súbito especies desarrolladas. Entre cada especie había ausencia total de fósiles intermedios"[24].

"Había ausencia total de fósiles intermedios"

[23] El zoólogo Harold Coffin llegó a esta conclusión: "Si es correcto el concepto de una evolución progresiva desde lo sencillo hasta lo complejo, en el cámbrico se debería encontrar a los antecesores de estas criaturas vivientes totalmente desarrolladas; pero no se han hallado, y los científicos admiten que hay poca probabilidad de que alguna vez se hallen. Sobre la base de los hechos

---

21. ¿Qué argumentos no han quedado en pie, y por qué no?
22. En vista de estos hechos, qué comentarios hizo un bioquímico?
23. ¿A qué conclusión llegó un zoólogo?

solamente, sobre la base de lo que en realidad se encuentra en la tierra, la teoría de un súbito acto de creación en el cual fueron establecidas las formas principales de vida encaja mejor"[25].

Caballo

Ardilla listada

Mariposa

Helecho

Rosa

Pez

Formas de vida diferentes y muy complejas aparecen de repente y plenamente desarrolladas

Siguen las apariciones súbitas, poco cambio

[24] En las capas que se hallan encima de aquella "explosión" de vida del cámbrico, el testimonio del registro fósil sigue siendo, vez tras vez, el mismo: De súbito aparecen nuevas clases de animales y nuevos géneros de plantas, sin conexión con lo que hubo antes de ellos. Y una vez que aparecen en el escenario, continúan con poco cambio. *The New Evolutionary Timetable* (El nuevo horario evolutivo) declara: "El registro ahora revela que las especies sobreviven típicamente por cien mil generaciones, o hasta un millón o más, sin evolucionar mucho. [...] Después de sus orígenes, la mayoría de las especies experimentan poca evolución antes de extinguirse"[26].

[25] Por ejemplo, los insectos aparecieron en el registro fósil de manera súbita y en gran cantidad, sin antepasados evolutivos. Y no han cambiado mucho hasta este mismo día. En cuanto al hallazgo de una mosca fósil de la cual se dijo que tenía "cuarenta millones de años de edad", el Dr. George Poinar, Jr., dijo: "La anatomía interna de estas criaturas es sorprendentemente similar a lo que se halla en las moscas hoy día. Las alas y las patas y la cabeza, y hasta las células internas, tienen apariencia muy moderna"[27]. Y un informe en el periódico *The Globe and Mail,* de Toronto, Canadá, comentó: "En cuarenta millones de años de luchar por ascender evolutivamente, no han logrado casi ningún progreso discernible"[28].

[26] Un cuadro similar existe en cuanto a las plantas. En las rocas se hallan hojas fósiles de muchos árboles y arbustos que difieren muy poco de las hojas de los mismos tipos de plantas de hoy: roble, nogal, pacana, la uva, la magnolia, la palmera y muchas otras plantas. El

24. ¿Es igual el testimonio que dan los fósiles en las capas que se hallan encima de la del período cámbrico?
25. ¿Qué estabilidad notable han exhibido los insectos?
26. ¿Cómo se ve que las plantas y los animales muestran la misma estabilidad?

Golondrina
de mar

Colibrí

Águila

**La teoría evolucionista
afirma que las criaturas
aladas evolucionaron de
formas de transición
antecesoras, pero
nunca se han hallado
estos antecesores**

mismo patrón siguen los géneros de la vida animal. Los antepasados de los que viven hoy aparecen en el registro fósil súbitamente, con gran parecido a sus formas correspondientes de hoy. Hay muchas variaciones, pero es fácil identificar a todas estas formas como el mismo grupo o "género". La revista *Discover* señala uno de esos ejemplos: "El cangrejo bayoneta [...] ha existido en la Tierra casi sin cambio alguno por doscientos millones de años"[29]. Las formas que se extinguieron también siguieron el mismo patrón. Por ejemplo, los dinosaurios aparecen de repente en el registro fósil, sin eslabones con antecesores que los precedieran. Se multiplicaron en gran manera, y entonces se extinguieron.

[27] Sobre este punto, el *Bulletin* (Boletín) del Museo Field de Historia Natural, de Chicago, E.U.A., declara: "En la secuencia, las especies aparecen muy de súbito, muestran poco o ningún cambio durante su existencia en el registro, y entonces, abruptamente, salen del registro. Y no siempre está claro —de hecho, rara vez está claro— el que los descendientes en realidad estuvieran mejor adaptados que sus predecesores. En otras palabras, es difícil hallar mejora biológica"[30].

Ningún rasgo de transición

[28] Otra dificultad para la evolución es el hecho de que en ningún lugar en el registro fósil se hallan huesos u órganos parcialmente formados que pudieran considerarse el principio de un nuevo rasgo. Por ejemplo, hay fósiles de varios tipos de criaturas aladas... aves, murciélagos, pterodáctilos extintos. Según la teoría evolucionista, estos tendrían que haber evolucionado de antecesores de transición. Pero no se ha hallado ninguna de esas formas de transición. No hay indicio alguno de ellas. ¿Hay fósiles de jirafas cuyos cuellos tengan dos terceras o tres cuartas partes de la longitud que tienen ahora? ¿Hay fósiles de aves que estén evolucionando un pico de la quijada de un reptil? ¿Hay indicación fósil alguna de peces que estén desarrollando una pelvis de anfibio, o de aletas de pez que estén convirtiéndose en las patas, pies y dedos de los anfibios? La realidad es

27. ¿Qué dice una publicación científica acerca de la "mejora" evolutiva?
28. ¿Se han hallado alguna vez formas de transición de huesos y órganos?

que la búsqueda de tales rasgos en desarrollo en el registro fósil ha resultado infructífera.

[29] Una revista científica, *New Scientist,* señaló que la evolución "predice que un registro fósil completo consistiría en linajes de organismos que mostraran cambio gradual continuamente durante largos espacios de tiempo". Pero admitió lo siguiente: "Lamentablemente, el registro fósil no presenta esto que se esperaba, pues rara vez están conectadas unas con otras las especies individuales de fósiles mediante formas intermedias conocidas. [...] las especies fósiles conocidas en realidad dan la apariencia de *no* evolucionar ni siquiera durante millones de años"[31]. Y el genetista Stebbins escribe: "No se conocen formas de transición entre ningunos de los grandes filos de animales o plantas". Habla acerca de "las grandes lagunas que existen entre muchas grandes categorías de organismos"[32]. "De hecho —reconoce *The New Evolutionary Timetable* (El nuevo horario evolutivo)—, el registro fósil *no documenta convincentemente ni siquiera una transición* de una especie a otra. Además, las especies duraron por espacios de tiempo asombrosamente largos"[33]. (Cursivas añadidas.)

[30] Esto concuerda con el extenso estudio efectuado por la Sociedad Geológica de Londres y la Asociación Paleontológica de Inglaterra. John N. Moore, profesor de ciencias naturales, informó lo siguiente acerca de los resultados: "Unos 120 científicos, todos especialistas, prepararon 30 capítulos en una obra monumental de más de 800 páginas para presentar el registro fósil de plantas y animales dividido en aproximadamente 2.500 grupos. [...] ¡Se muestra que cada gran grupo de formas o clases de plantas y animales tiene una historia separada y distinta de todos los demás grandes grupos de formas o clases! Grupos de plantas y de animales *aparecen súbitamente* en el registro fósil. [...] Ballenas, murciélagos, caballos, primates, elefantes, liebres, ardillas, y así por el estilo, todas estas formas son tan distintas al aparecer por primera vez como lo son ahora. No hay ningún vestigio de un antecesor común, ni mucho menos de un eslabón con algún reptil, el supues-

Nunca se han hallado fósiles de jirafas cuyos cuellos sean de dos terceras partes o tres cuartas partes la largura que tienen ahora

---

29. ¿Qué reconocen ahora ciertos evolucionistas acerca de las supuestas formas de transición?
30. ¿Qué confirma un estudio extenso?

to progenitor". Moore añadió: "Muy probablemente no se han hallado formas de transición en el registro fósil porque no existen en absoluto formas de transición en etapa fósil. Muy probablemente nunca han ocurrido transiciones entre las clases animales y/o transiciones entre las clases de vida vegetal"[34].

[31] Como se ve, lo que era cierto en el tiempo de Darwin es igualmente cierto hoy día. Lo que indica el registro fósil todavía está en la condición que describió el zoólogo D'Arcy Thompson unos años atrás en su libro *On Growth and Form* (Sobre el crecimiento y la forma): "La evolución darvinista no nos ha enseñado cómo las aves descienden de los reptiles, los mamíferos de cuadrúpedos anteriores, los cuadrúpedos de los peces, ni los vertebrados de la rama invertebrada. [...] buscar piedras de paso a través de las lagunas que hay entre ellos es buscar en vano, para siempre"[35].

¿Qué hay del caballo?

[32] Sin embargo, con frecuencia se ha dicho que por lo menos el caballo es un ejemplo clásico de evolución que se halla en el registro fósil. Como declara *The World Book Encyclopedia*: "Los caballos están entre los ejemplos mejor documentados del desarrollo evolutivo"[36]. Las ilustraciones de esto comienzan con un animal pequeñito y terminan con el caballo de gran tamaño de hoy día. Pero ¿realmente tiene esto el apoyo de la prueba fósil?

[33] La *Encyclopædia Britannica* comenta: "La evolución del caballo nunca fue en línea recta"[37]. En otras palabras, en ningún lugar muestra la prueba fósil un desarrollo gradual desde el animal pequeño hasta el caballo de gran tamaño. El evolucionista Hitching dice lo siguiente acerca de este principal modelo evolutivo: "Pintado antes como sencillo y directo, ahora es tan complicado que el aceptar una versión en lugar de otra es más bien asunto de fe que de selección racional. Eohipo, supuestamente el caballo más primitivo, y del

"La evolución del caballo nunca fue en línea recta"

---

31. ¿Dice ahora algo diferente de lo que decía en el tiempo de Darwin el registro fósil?
32. ¿Qué suele presentarse como ejemplo clásico de evolución?
33. ¿Está realmente apoyada por la prueba fósil la evolución del caballo?

66

Se dice que este animal parecido a un roedor es similar a eohípo *(Eohippus),* el supuesto antecesor del caballo. Pero no hay prueba de que eohípo fuera transformado por la evolución en una forma más parecida al caballo

cual los expertos decían que se había extinguido mucho tiempo atrás, y al cual conocíamos solo mediante fósiles, puede en realidad estar vivo y pasándola bien y no ser siquiera un caballo... sino un tímido animal del tamaño de una zorra, llamado un damán, que anda corriendo por la maleza africana"[38].

[34] El colocar al pequeño eohípo como antepasado del caballo va más allá de lo imaginable, especialmente en vista de lo que dice *The New Evolutionary Timetable* (El nuevo horario evolutivo): "Se supuso por todas partes que [eohípo] se había transformado lentamente, pero con persistencia, en un animal más plenamente equino". Pero ¿apoyan esta suposición los hechos reales? "La especie fósil de [eohípo] muestra poca indicación de modificación evolutiva", contesta el libro. De modo que admite, en cuanto al registro fósil, lo siguiente: "No documenta la historia completa de la familia del caballo"[39].

[35] Por eso, algunos científicos dicen ahora que el pequeño eohípo nunca fue un tipo de caballo ni un antecesor de uno. Y cada tipo de fósil colocado en la línea del caballo mostró notable estabilidad, de modo que no hay formas de transición entre ese tipo y otros de los cuales se pensó que eran antepasados evolutivos. Tampoco debe ser sorprendente el que haya fósiles de caballos de diferentes tamaños y formas. Aun hoy día los caballos varían desde los pequeños ponis hasta los grandes caballos de tiro. Todas son variedades dentro de la familia del caballo.

"El grupo *Equus,* que incluye a todos los caballos vivos [...] aparece de súbito en el registro fósil [...] su origen no está documentado por prueba fósil conocida"[b]

34, 35. a) ¿Por qué ponen en tela de juicio algunos ahora el lugar de eohípo? b) ¿Se han hallado antepasados evolutivos para las variedades de caballos fósiles?

67

Lo que manifiesta la prueba fósil...

Sobre el origen de la vida:

"Para por lo menos tres cuartas partes del libro de las edades grabado en la corteza de la Tierra, las páginas se hallan en blanco."
(The World We Live In [El mundo que habitamos] c.)

"Los pasos iniciales [...] no se conocen; [...] no queda rastro de ellos."
(Red Giants and White Dwarfs [Gigantes rojas y enanas blancas] d.)

Sobre la vida pluricelular:

"La cantidad de animales pluricelulares que se originaron, y si este paso ocurrió una sola vez o más, y de un solo modo o más, siguen siendo cuestiones difíciles y continuamente debatidas que están [...] 'a final de cuentas, absolutamente sin respuesta'."
(Revista *Science* e.)

"El registro fósil no contiene ningún rastro de estas etapas preliminares en el desarrollo de los organismos pluricelulares."
(Red Giants and White Dwarfs [Gigantes rojas y enanas blancas] f.)

Sobre la vida vegetal:

"La mayoría de los botánicos acuden al registro fósil como la fuente de esclarecimiento. Pero [...] no se ha descubierto tal ayuda. [...] No hay indicio de la ascendencia."
(The Natural History of Palms [La historia natural de las palmeras] g.)

Sobre los insectos:

"El registro fósil no da ninguna información sobre el origen de los insectos." *(Encyclopædia Britannica* h.)

"No se conocen fósiles que muestren cómo eran los insectos primitivos ancestrales." *(The Insects* [Los insectos] i.)

Sobre los animales con espinazo:

"Sin embargo, los restos fósiles no dan información sobre el origen de los vertebrados." *(Encyclopædia Britannica* j.)

Sobre los peces:

"Que nosotros sepamos, ningún 'eslabón' unía a este nuevo animal con cualquier forma de vida anterior. Los peces aparecieron, simplemente."
(Maravillas y Misterios del Reino Animal k.)

sobre el origen de los organismos vivos

Sobre la transformación de peces en anfibios:

"Probablemente nunca sepamos precisamente cómo o por qué hicieron esto."
(The Fishes [Los peces] [l].)

Sobre la transformación de anfibios en reptiles:

"Uno de los rasgos frustráneos del registro fósil de la historia de los vertebrados es lo poco que muestra acerca de la evolución de los reptiles durante sus mismos primeros días, cuando se desarrollaba el huevo con cascarón."
(The Reptiles [Los reptiles] [m].)

Sobre la transformación de reptiles en mamíferos:

"No hay eslabón perdido [que enlace] los mamíferos con los reptiles."
(The Reptiles [Los reptiles] [n].)

"Los fósiles, lamentablemente, revelan muy poco acerca de las criaturas que nosotros consideramos los primeros mamíferos en sentido verdadero."
(The Mammals [Los mamíferos] [o].)

Sobre la transformación de reptiles en aves:

"Peor documentada aún está la transición de reptiles a aves."
(Processes of Organic Evolution [Procesos de la evolución orgánica] [p].)

"Todavía no se ha hallado ningún fósil de tal reptil parecido a ave."
(The World Book Encyclopedia [q].)

Sobre los antropoides:

"Lamentablemente, el registro fósil que habría de hacer posible que determináramos el aparecimiento de los antropoides todavía está desesperadamente incompleto."
(The Primates [Los primates] [r].)

"Por ejemplo, los antropoides modernos dan la impresión de no tener fuente de origen. No tienen ayer, ni registro fósil."
(Revista *Science Digest* [s].)

De los antropoides al hombre:

"Ningún fósil ni otra prueba física establece conexión directa entre el hombre y el antropoide."
(Revista *Science Digest* [t].)

"La familia humana no consiste en una sola línea de descendencia que conduzca desde una forma simiesca hasta nuestra especie."
(The New Evolutionary Timetable [El nuevo horario evolutivo] [u].)

69

Lo que realmente dice el registro fósil

[36] Cuando dejamos que el registro fósil hable, su testimonio no va orientado hacia la evolución. En vez de eso, el testimonio del registro fósil va orientado hacia la creación. Muestra que muchos diferentes tipos o géneros de organismos vivos aparecieron de súbito. Aunque hubo gran variedad dentro de cada género, estos no tuvieron eslabones con antepasados evolutivos que hubieran existido antes de ellos. Tampoco tuvieron eslabones evolutivos que los conectaran con tipos diferentes de organismos vivos que vinieron después de ellos. Diversas clases de organismos vivos existieron con poco cambio por largos espacios de tiempo antes que algunas de ellas se extinguieran, mientras que otras sobreviven hasta nuestro día.

"El concepto de la evolución no puede ser considerado como explicación científica sólida para la presencia de las diversas formas de vida"

[37] "El concepto de la evolución no puede ser considerado como explicación científica sólida para la presencia de las diversas formas de vida", es la conclusión a que llega el evolucionista Edmund Samuel en su libro *Order: In Life* (Orden: en la vida). ¿Por qué no? Él añade: "Ningún análisis cuidadoso de la distribución biogeográfica ni del registro fósil puede apoyar directamente la evolución"[40].

[38] De esto claramente se desprende que el investigador imparcial sería llevado a la conclusión de que los fósiles no apoyan la teoría de la evolución. Por otra parte, la prueba fósil sí da sólido peso a los argumentos a favor de la creación. Como declaró el zoólogo Coffin: "Para los científicos seglares, los fósiles, pruebas de la vida del pasado, constituyen el último y final tribunal de apelaciones, porque el registro fósil es la única historia auténtica de la vida a disposición de la ciencia. Si esta historia fósil no concuerda con la teoría evolucionista —y hemos visto que no lo hace—, ¿qué enseña? Nos dice que las plantas y los animales fueron creados en sus formas básicas. Los datos básicos del registro fósil apoyan la creación, no la evolución"[41]. El astrónomo Carl Sagan reconoció cándidamente lo siguiente en su libro *Cosmos:* "La prueba fósil pudiera ser consecuente con la idea de un Gran Diseñador"[42].

---

36. ¿Qué muestra, realmente, el registro fósil?
37. ¿Cómo reconoce esto un evolucionista?
38. ¿A qué conclusión llegaría el investigador imparcial?

Capítulo 6

Lagunas enormes...
¿las puede salvar la evolución?

LOS fósiles dan evidencia tangible de las variedades de formas de vida que existieron mucho antes de la llegada del hombre. Pero no han presentado el apoyo que se esperaba para el punto de vista evolucionista de cómo empezó la vida, o cómo, después, empezaron nuevos tipos de vida. Comentando sobre la falta de fósiles de transición que salven las lagunas biológicas, o vacíos entre las formas de vida, Francis Hitching dice: "Lo curioso es que hay cierta consecuencia en cuanto a las lagunas relacionadas con los fósiles: *los fósiles faltan en todos los lugares importantes*"[1].

[2] Los lugares importantes a que él se refiere son las lagunas que existen entre las grandes divisiones de la vida animal. Un ejemplo de esto es que se piensa que los peces evolucionaron de los invertebrados, criaturas que no tienen espinazo. "Los peces irrumpen en el registro fósil —dice Hitching—, sin que sea patente desde dónde: misteriosamente, súbitamente, plenamente formados"[2]. El zoólogo N. J. Berrill comenta sobre su propia explicación evolucionista de cómo se presentaron los peces, y dice: "En cierto sentido este relato es ciencia ficción"[3].

"Los peces irrumpen en el registro fósil, sin que sea patente desde dónde"

[3] La teoría evolucionista supone que los peces se convirtieron en anfibios, algunos anfibios se transformaron en reptiles, de los reptiles vinieron tanto los mamíferos como las aves, y con el tiempo algunos mamíferos llegaron a ser hombres. El capítulo anterior ha mostrado que el registro fósil no apoya estas alegaciones. Este capítulo concentrará atención en la magnitud de los supuestos pasos de transición. A medida que usted siga leyendo,

1. ¿Qué se señala respecto a lagunas o vacíos en el registro fósil?
2. ¿Cómo ilustran estas lagunas los fósiles de peces?
3. ¿Cómo relaciona en el tiempo la teoría de la evolución las grandes divisiones de la vida animal?

71

considere cuánta probabilidad hay de que tales cambios
sucedieran espontáneamente, al azar, sin dirección.

La laguna entre el pez y el anfibio

El espinazo
del pez y el
de la rana
son muy
diferentes

4 El espinazo era lo que distinguía a los peces de los
invertebrados. Este espinazo tendría que experimentar
grandes modificaciones para que el pez llegara a ser
anfibio, es decir, una criatura que pudiera vivir tanto en
el agua como en la tierra. Tenía que añadirse una pelvis,
pero no se conocen peces fósiles que muestren cómo se
desarrolló la pelvis de los anfibios. En algunos anfibios,
tales como las ranas y los sapos, todo el espinazo tendría
que haber cambiado hasta no ser reconocible. Además,
los huesos craneales son diferentes. Adicionalmente,
para la formación de los anfibios la evolución exige que
las aletas de los peces lleguen a ser extremidades articu-
ladas en que hubiera muñecas y dedos de pies, junto con
grandes alteraciones en los músculos y los nervios. Las
branquias tendrían que convertirse en pulmones. En los
peces, la sangre es bombeada por un corazón de dos
cámaras, pero en los anfibios por un corazón de tres
cámaras.

**Ningún pez fósil
muestra cómo se
desarrolló la pelvis
de los anfibios**

5 Para salvar la laguna que existe entre el pez y el
anfibio, el sentido del oído tendría que haber experimentado un cambio radical. En general, los peces reciben el
sonido a través de sus cuerpos, pero la mayoría de los
sapos y las ranas tienen tímpano. Las lenguas también
tendrían que experimentar transformación. Ningún pez
tiene una lengua que se pueda extender, pero anfibios
como los sapos sí tienen esa clase de lengua. Además,
los ojos de los anfibios pueden parpadear, puesto que
tienen una membrana que hacen pasar sobre los ojos
para mantenerlos limpios.

6 Se han hecho grandes esfuerzos por conectar a los
anfibios con algún antecesor entre los peces, pero no se
ha tenido éxito en esto. Un candidato favorito había sido
el pez pulmonado, puesto que, además de branquias,
tiene una vejiga natatoria que se puede usar para respirar cuando el pez está temporalmente fuera del agua.
Dice el libro *The Fishes* (Los peces): "Es tentador pen-

4, 5. ¿Cuáles son algunas de las grandes diferencias entre los peces
y los anfibios?
6. ¿Qué criaturas habían sido consideradas eslabones entre los peces
y los anfibios, y por qué no son tal cosa?

Cada uno se reproduce "según su género"

Pez   Anfibio   Reptil   Ave   Mamífero   Humano

sar que pudieran tener alguna conexión directa con los anfibios que condujeron a los vertebrados que viven en tierra. Pero no la tienen; son un grupo enteramente separado"[4]. David Attenborough elimina, a este respecto, tanto el pez pulmonado como el celacanto "porque los huesos de sus cráneos son tan diferentes de los de los primeros anfibios fósiles que una forma no puede haberse derivado de la otra"[5].

La laguna entre el anfibio y el reptil

[7] El tratar de establecer un puente que salvara la laguna que existe entre el anfibio y el reptil saca a luz otros problemas serios. Uno extremadamente difícil es el del origen del huevo con cascarón. Las criaturas anteriores a los reptiles ponían sus huevos blandos y semejantes a jalea en el agua, donde los huevos eran fertilizados *externamente*. Los reptiles viven en tierra y colocan sus huevos en tierra, pero, con todo, los embriones en desarrollo dentro de ellos tienen que estar en un ambiente acuoso. El huevo con cascarón era la respuesta. Pero esto también exigía un cambio de gran magnitud en el proceso de fertilización: Exigía fertilización *interna, antes* que el huevo fuera rodeado por un cascarón. El lograr esto envolvía nuevos órganos sexuales, nuevos procedimientos de cópula y nuevos instintos...

No hay eslabones entre las principales divisiones de la vida. Un científico dijo: "Los fósiles faltan en todos los lugares importantes"

7. De anfibio a reptil, ¿cuál es uno de los más difíciles problemas para explicar?

Los huevos de los anfibios son como jalea y no tienen cascarones

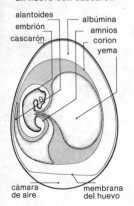

Los huevos de los reptiles tienen cascarones protectores

Corte transversal de un huevo con cascarón

alantoides
embrión
cascarón

albúmina
amnios
corion
yema

cámara de aire
membrana del huevo

todo lo cual constituye una enorme laguna entre el anfibio y el reptil.

⁸ El encerrar el huevo en un cascarón hacía necesarios otros cambios notables para que fuera posible el desarrollo de un reptil y, finalmente, su liberación desde el cascarón. Por ejemplo, dentro del cascarón se necesitan varias membranas y sacos, tales como el amnios. Esta membrana retiene el fluido en el cual crece el embrión. La obra *The Reptiles* (Los reptiles) describe otra membrana llamada el alantoides: "El alantoides recibe y almacena los desperdicios embriónicos, al servir a manera de vejiga. También tiene vasos sanguíneos que recogen el oxígeno que pasa a través del cascarón y lo conducen al embrión"[6].

⁹ La evolución no ha dado cuenta de otras complejas diferencias implicadas. Los embriones que se hallan en los huevos de los peces y de los anfibios expelen al agua que los rodea sus desperdicios en forma de urea, una sustancia soluble. Pero urea dentro de los huevos con cascarón de los reptiles mataría a los embriones. Por eso, en el huevo con cascarón se efectúa un gran cambio químico: Los desperdicios —ácido úrico *insoluble*— se almacenan dentro de la membrana alantoides. Considere esto también: La yema del huevo es alimento para el embrión reptil en desarrollo, algo que le permite desarrollarse a plenitud antes de salir del cascarón... a diferencia de los anfibios, que no salen del huevo en la forma adulta. Y para salir del cascarón, el embrión se distingue por tener un "diente" que le es útil para salir de su prisión.

¹⁰ Se necesita mucho más que esto para salvar la laguna que existe entre el anfibio y el reptil, pero estos ejemplos muestran lo imposible que es que el azar sin dirección dé cuenta de todos los muchos y complejos cambios que se necesitan para salvar esa amplia laguna. No sorprende el que el evolucionista Archie Carr se lamentara de este modo: "Uno de los rasgos frustráneos del registro fósil relacionado con la historia de los vertebrados es lo poco que muestra acerca de la evolución

8, 9. ¿Qué otros rasgos son necesarios junto con el huevo provisto de cascarón?
10. ¿Qué lamento presentó un evolucionista?

74

de los reptiles durante sus mismos primeros días, cuando se estaba desarrollando el huevo con cascarón"[7].

La laguna entre reptil y ave

[11] Los reptiles son animales de sangre fría, lo que quiere decir que su temperatura interna aumenta o disminuye según la temperatura del exterior. Las aves, por otra parte, son de sangre caliente; sus cuerpos mantienen una temperatura interna relativamente constante, prescindiendo de lo que sea la temperatura en el exterior. Para resolver el rompecabezas de cómo se derivaron aves de sangre caliente de reptiles de sangre fría, algunos evolucionistas ahora dicen que algunos de los dinosaurios (que eran reptiles) eran de sangre caliente. Pero el punto de vista general todavía concuerda con esta declaración de Robert Jastrow: "Los dinosaurios, como todos los reptiles, eran animales de sangre fría"[8].

[12] Lecomte du Noüy, el evolucionista francés, dijo lo siguiente acerca de creer que las aves —de sangre caliente— vinieron de los reptiles, que son de sangre fría: "Esto sobresale hoy como uno de los mayores rompecabezas de la evolución". También confesó que las aves tienen "todas las características insatisfactorias de la creación absoluta"[9]... insatisfactorias, es decir, para la teoría de la evolución.

[13] Aunque es cierto que tanto los reptiles como las aves ponen huevos, solo las aves tienen que incubar los de ellas. Están diseñadas para ello. Muchas aves tienen una zona de empollar en su pecho, un área que no tiene plumas y que contiene una red de vasos sanguíneos, para suministrar calor para los huevos. Algunas aves no tienen una zona para empollar, pero se arrancan las plumas que tienen en el pecho. Además, para que las aves incubaran los huevos se requeriría que la evolución les suministrara nuevos instintos —para construir el nido, para empollar los huevos y para alimentar la cría— comportamientos muy altruistas que implicarían habilidad, trabajo duro y exposición deliberada al peligro. Todo esto representa un gran vacío entre los reptiles y las aves. Pero hay mucho más.

Las aves tienen "todas las características insatisfactorias de la creación absoluta"

11, 12. ¿Cuál es una de las principales diferencias entre los reptiles y las aves, y cómo han tratado de resolver este rompecabezas algunos?
13. ¿Qué hacen las aves para incubar sus huevos?

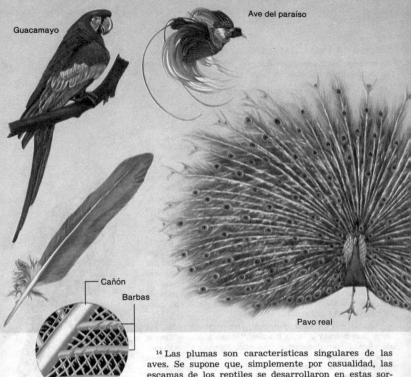

Guacamayo

Ave del paraíso

Pavo real

Cañón

Barbas

Barbicelas

Bárbulas

Evolucionistas declaran: "No se necesita mucha imaginación para visualizar la pluma como una escama [de reptil] modificada". Los hechos demuestran lo contrario

¹⁴ Las plumas son características singulares de las aves. Se supone que, simplemente por casualidad, las escamas de los reptiles se desarrollaron en estas sorprendentes estructuras. Del cañón de una pluma salen filas de barbas. Cada barba tiene muchas bárbulas, y cada bárbula tiene centenares de barbicelas y ganchitos. Después de un examen microscópico de una pluma de paloma, se reveló que esta tenía "varios centenares de miles de bárbulas y millones de barbicelas y ganchitos"¹⁰. Estos ganchos mantienen juntas todas las partes de una pluma para hacer superficies planas. Nada efectúa mejor labor que la pluma como plano sustentador, y pocas sustancias la igualan como aislador. Un

14. ¿Qué complejidades relacionadas con las plumas hacen que sea increíble el que estas pudieran haber venido de las escamas de los reptiles?

76

pájaro que tenga el tamaño de un cisne tiene unas 25.000 plumas.

15 Si las barbas de estas plumas llegan a separarse, el ave las peina con el pico. El pico aplica presión a medida que las barbas pasan por él, y los ganchos de las bárbulas se unen como los dientes de una cremallera. La mayoría de las aves tienen a la base de la cola una glándula que produce aceite, y de esta sacan aceite para mantener en buena condición cada pluma. Algunos pájaros no tienen una glándula de aceite, sino plumas especiales que se desgastan en la punta y producen un polvo fino semejante a talco para mantener en buena condición las plumas. Y por lo general las plumas son mudadas una vez al año.

16 Ahora que usted sabe todo esto acerca de la pluma, considere este sorprendente esfuerzo para explicar su desarrollo: "¿Cómo evolucionó esta maravilla estructural? No se necesita mucha imaginación para visualizar la pluma como una escama modificada, básicamente como la de un reptil... una escama alargada adherida sin gran firmeza, cuyas orillas externas se desgastaron y se extendieron hasta que evolucionó en la altamente compleja estructura que es hoy"[11]. Pero ¿cree usted que tal explicación es verdaderamente científica, o más parece ciencia ficción?

17 Considere, además, el diseño del ave para volar. Los huesos de un pájaro son delgados y huecos, a diferencia de los huesos sólidos del reptil. Sin embargo, se requiere fortaleza para el vuelo, de modo que dentro de los huesos del ave hay estructuras de refuerzo, como las costillas dentro de las alas de un avión. Este diseño de los huesos cumple con otro propósito: Ayuda a explicar otra maravilla exclusiva de las aves... su sistema respiratorio.

18 Alas musculares que batan por horas o hasta días en el vuelo generan mucho calor, y sin embargo, sin glándulas segregadoras de sudor que lo refresquen, el pájaro resuelve este problema... tiene un "motor" refrigerado

15. ¿Cómo atienden a sus plumas las aves?
16. ¿Qué dijo un evolucionista acerca del origen de las plumas?
17. ¿Cómo difieren los huesos de un ave de los de un reptil?
18. ¿Qué estructuras ayudan a las aves a resolver el problema del calor durante vuelos largos?

El ojo del águila funciona como un telescopio, y el ojo de la reinita como una lupa

por aire. Un sistema de bolsas de aire llega a casi toda parte importante del cuerpo, hasta dentro de los huesos huecos, y se alivia el problema del calor corporal mediante esta circulación interna del aire. Además, debido a estas bolsas de aire, los pájaros extraen el oxígeno del aire con mucho mayor eficacia que cualquier otro vertebrado. ¿Cómo se efectúa esto?

[19] En los reptiles y los mamíferos los pulmones inhalan y exhalan aire, como fuelles que se llenaran y se vaciaran en alternación. Pero en las aves hay un fluir constante de aire fresco que pasa por los pulmones, tanto durante el inhalar como durante el exhalar. Expresado sencillamente, el sistema funciona de este modo: Cuando

19. ¿Qué permite a las aves respirar aire enrarecido?

el ave inhala, el aire va a ciertas bolsas de aire; estas sirven de fuelles para empujar el aire a los pulmones. Desde los pulmones el aire pasa a otras bolsas de aire, y estas, con el tiempo, lo expelen. Esto significa que hay una corriente de aire fresco pasando constantemente a través de los pulmones en una sola dirección, muy parecido a como el agua fluye a través de una esponja. La sangre que se halla en los capilares de los pulmones fluye en la dirección opuesta. Es este fluir del aire y la sangre, cada uno contra el otro, lo que hace que el sistema respiratorio del ave sea excepcional. Debido a él, las aves pueden respirar el aire enrarecido de las grandes altitudes, y volar a una altura de más de 6.100 metros (20.000 pies) día tras día en su migración por distancias de miles de kilómetros.

[20] Otros rasgos ensanchan la laguna que existe entre ave y reptil. La vista es uno de esos rasgos. Desde las águilas hasta las currucas, hay ojos como telescopios y ojos como lupas. Las aves tienen en sus ojos más células sensorias que cualquier otro tipo de organismo vivo. Además, los pies de las aves son diferentes. Cuando se posan para descansar, unos tendones cierran automáticamente los dedos alrededor de la rama. Y tienen solo cuatro dedos en vez de los cinco del reptil. Además, no tienen cuerdas vocales, sino que tienen una siringe desde la cual salen canciones melodiosas como las del ruiseñor y el sinsonte. Considere, también, que los reptiles tienen un corazón de tres cámaras; el corazón del ave tiene cuatro cámaras. Los picos también distinguen a los pájaros de los reptiles. Picos que sirven de cascanueces, picos que actúan como filtros para sacar alimento de agua lodosa, picos que abren agujeros en los árboles, picos de piquituerto que sacan piñones de los pinos... parece interminable la variedad. Sin embargo, del pico, cuyo diseño es tan especializado, ¡se dice que evolucionó al azar de la nariz de un reptil! ¿Le parece creíble tal explicación?

Arqueópteris no es ningún eslabón entre los reptiles y las aves

[21] Hubo un tiempo en que los evolucionistas creían que arqueópteris *(Archaeopteryx),* que significa "ala antigua" o "ave antigua", era un eslabón entre el reptil y el

---

20. ¿Qué otros rasgos ensanchan la laguna que existe entre ave y reptil?
21. ¿Qué descalifica a arqueópteris como eslabón entre el reptil y el ave?

Los mamíferos
tienen cría que nace
bien desarrollada,
a la cual lactan

ave. Pero ahora hay muchos que no creen eso. Los restos fosilizados de arqueópteris revelan plumas perfectamente formadas sobre alas de diseño aerodinámico que hacían posible el vuelo. Los huesos de sus alas y de sus piernas eran delgados y huecos. Sus supuestos rasgos de reptil se hallan en aves de hoy. Y no antecede a las aves, porque se han hallado fósiles de otros pájaros en rocas del mismo período que arqueópteris[12].

La laguna entre reptil y mamífero

[22] Diferencias de gran importancia dejan un amplio vacío entre reptiles y mamíferos. El mismo nombre "mamífero" señala a una gran diferencia: la existencia de glándulas mamarias que dan leche para la cría, que nace como fetos bien desarrollados. Theodosius Dobzhansky sugirió que estas glándulas que dan leche "quizás sean glándulas sudoríparas modificadas"[13]. Pero los reptiles ni siquiera tienen glándulas sudoríparas, o que segreguen sudor. Además, de las glándulas sudoríparas salen productos de desecho, no alimento. Y a diferencia de los hijuelos de los reptiles, la cría de los mamíferos tiene tanto los instintos como los músculos necesarios para mamar la leche de su madre.

[23] En los mamíferos existen otros rasgos que no se hallan en los reptiles. Entre los mamíferos las madres tienen placentas altamente complejas para la nutrición y el desarrollo de su cría no nacida. Los reptiles no tienen tal cosa. No hay diafragma en los reptiles, pero los mamíferos tienen un diafragma que separa el tórax, o cavidad del pecho, del abdomen o vientre. El órgano de Corti se encuentra en los oídos de los mamíferos, pero no se halla en los oídos de los reptiles. Este complejo y diminuto órgano tiene veinte mil bastoncillos y treinta mil terminaciones nerviosas. Los mamíferos mantienen una temperatura corporal constante, mientras que los reptiles no.

[24] También sucede que los mamíferos tienen tres huesos en sus oídos, mientras que los reptiles tienen uno solo. ¿De dónde vinieron los dos huesos "extras"? La teoría evolucionista intenta explicar esto del siguiente

---

22. ¿Qué diferencia entre reptil y mamífero se indica por el mismo nombre de "mamífero"?
23, 24. ¿Qué otros rasgos tienen los mamíferos que los reptiles no tienen?

modo: Los reptiles tienen por lo menos cuatro huesos en la quijada inferior, mientras que los mamíferos tienen uno solo; por eso, cuando los reptiles se convirtieron en mamíferos, supuestamente hubo un reajuste de huesos; algunos de la quijada inferior del reptil se movieron al oído medio del mamífero para componer los tres huesos que hay allí, y, mientras hacían eso, dejaron uno solo para la quijada inferior del mamífero. Sin embargo, el problema, en esta línea de razonamiento, es que no hay ninguna evidencia fósil que la apoye. Es simplemente conjetura ilusoria.

²⁵ He aquí otro problema que tiene que ver con los huesos: Las piernas de los reptiles están colocadas a los lados del cuerpo, de modo que el vientre queda sobre el suelo o muy cerca de éste. Pero en los mamíferos las piernas están debajo del cuerpo y lo elevan del suelo. En cuanto a esta diferencia, Dobzhansky comentó: "Este cambio, aunque parezca menor, ha necesitado extensas alteraciones del esqueleto y de la musculatura". Entonces reconoció otra diferencia grande entre los reptiles y los mamíferos: "Los mamíferos han elaborado en gran manera sus dientes. En vez de los dientes sencillos como clavijas del reptil, hay una gran variedad de dientes mamíferos adaptados para punzar, agarrar, atravesar, cortar, golpear o moler el alimento"¹⁴.

²⁶ Un punto final: Cuando el anfibio supuestamente evolucionó para formar un reptil, se notó que los desechos eliminados habían cambiado de urea a ácido úrico. Pero cuando el reptil se hizo mamífero, el proceso fue al revés. Los mamíferos regresaron a la costumbre del anfibio y eliminaron los desechos como urea. En efecto, la evolución retrocedió... algo que, teóricamente, no se supone que haga.

La más grande laguna de todas

²⁷ Físicamente, el hombre encaja en la definición general de un mamífero. Sin embargo, un evolucionista declaró: "No pudiera cometerse un error más trágico que el de considerar al hombre como 'simplemente un animal'. El hombre es singular; difiere de todos los demás

"No pudiera cometerse un error más trágico que el de considerar al hombre como 'simplemente un animal'"

---

25. ¿Qué otras diferencias hay entre reptiles y mamíferos?
26. ¿Qué retroceso hubiera tenido que dar la evolución en la eliminación de desechos?
27. ¿Qué dijo un evolucionista que sería un "error [...] trágico"?

Pez

Anfibio

Reptil

Ave

Mamífero

Humano

"Las formas intermedias faltan en el registro fósil [...] porque no había formas intermedias"

animales en muchas propiedades, tales como el habla, la tradición, la cultura y un período enormemente largo de desarrollo y de cuidado por sus padres"[15].

[28] Lo que separa al hombre de toda otra criatura en la Tierra es su cerebro. ¡La información que se almacena en unos cien mil millones de neuronas del cerebro humano llenaría aproximadamente veinte millones de volúmenes! La facultad del pensamiento abstracto y del habla separa al hombre de todo animal, y el que el hombre pueda registrar conocimiento que se acumula es una de las características más notables del hombre. El uso de este conocimiento le ha permitido sobrepasar a todos los demás géneros de criaturas vivas en la Tierra... hasta el punto de haber podido ir a la Luna y regresar. Verdaderamente, como dijo cierto científico, el cerebro del hombre "es diferente e inconmensurablemente más complicado que toda otra cosa en el universo conocido"[16].

[29] Otro rasgo que hace de la laguna que existe entre el hombre y el animal la mayor de todas es el de los valores morales y espirituales del hombre, que se derivan de tales cualidades como el amor, la justicia, la sabiduría, el poder, la misericordia. A esto se alude en Génesis cuando se dice que el hombre está hecho 'a la imagen y semejanza de Dios'. Y la laguna que existe entre el hombre y el animal es el abismo más grande de todos. (Génesis 1:26.)

[30] Como se ve, existen vastas diferencias entre las grandes divisiones de la vida. Las separan muchas nuevas estructuras, instintos programados y cualidades. ¿Es razonable pensar que estas cosas pudieran haberse originado mediante acontecimientos aleatorios, sin dirección? Como hemos visto, la prueba fósil no apoya tal punto de vista. No se pueden hallar los fósiles que salven las lagunas. Como dicen Hoyle y Wickramasinghe: "Las formas intermedias faltan en el registro fósil. Ahora vemos por qué... esencialmente porque no había formas intermedias"[17]. Para las personas cuyos oídos están abiertos para oír, el registro fósil está diciendo: "Creación especial".

_____

28. ¿Cómo separa al hombre de los animales el cerebro humano?
29. ¿Qué hecho hace que la laguna entre el hombre y los animales sea la mayor de todas?
30. En realidad, ¿qué está diciendo el registro fósil?

Capítulo 7

Los "hombres-monos"…
¿qué eran?

DURANTE muchos años ha habido informes de que se han encontrado los restos fósiles de humanos parecidos a simios o monos. La literatura científica abunda en los conceptos artísticos de tales criaturas. ¿Son estas las transiciones evolutivas entre las bestias y el hombre? ¿Son unos "hombres-monos" nuestros antecesores? Los científicos evolucionistas afirman que sí. Por eso, con frecuencia leemos expresiones como este título de un artículo de una revista científica: "Cómo se convirtió en hombre el antropoide"[1].

[2] Es verdad que algunos evolucionistas no creen que sea correcto llamar "antropoides" o "monos" a estos antecesores teóricos del hombre. Con todo, otros evolucionistas no son tan exigentes de precisión[2]. Stephen Jay Gould dice: "La gente […] evolucionó de antepasados simiescos"[3]. Y George Gaylord Simpson declaró: "El antepasado común ciertamente sería llamado antropoide o mono en el habla popular por cualquier persona que lo viera. Puesto que los términos *antropoide* y *mono* son términos definidos por el uso popular, los antepasados del hombre *fueron* antropoides o monos"[4].

[3] ¿Por qué es tan importante el registro fósil en el

1, 2. Según la teoría evolucionista, ¿qué eran nuestros antepasados?
3. ¿Por qué se considera importante el registro fósil para determinar la ascendencia del hombre?

83

Puesto que el mundo viviente no suministra ningún eslabón entre el hombre y las bestias, los evolucionistas esperaban que los fósiles harían eso

esfuerzo por documentar la existencia de antecesores simiescos o parecidos a monos para la humanidad? Porque en el mundo viviente de hoy no hay nada que apoye tal idea. Como se muestra en el capítulo 6 de este libro, hay una enorme laguna entre los humanos y todo animal existente hoy, incluso la familia de los monos antropomorfos, o antropoides. Por eso, puesto que el mundo viviente no suministra un eslabón entre el hombre y el antropoide, se esperaba que el registro fósil lo hiciera.

[4] Desde el punto de vista de la evolución, la obvia laguna que existe entre el hombre y el antropoide hoy es extraña. La teoría evolucionista sostiene que, a medida que los animales progresaron en la escala de la evolución, se hicieron más capaces de sobrevivir. Entonces, ¿por qué está todavía en existencia la familia "inferior" de los antropoides, pero no hay ningún representante de las presuntas formas intermedias, que supuestamente habrían de ser más adelantadas en el proceso evolutivo? Hoy vemos chimpancés, gorilas y orangutanes, pero no vemos "hombres-monos". ¿Parece probable que cada uno de los más recientes y supuestamente más adelantados "eslabones" entre las criaturas simiescas y el hombre moderno hubieran de haberse extinguido, pero no los antropoides, que serían inferiores?

¿Por qué sobrevivieron los antropoides y monos, que serían formas "inferiores", pero no sobrevivió ningún "hombre-mono", que sería una forma "superior"?

¿Cuánta prueba fósil?

[5] A juzgar por los relatos que se dan en la literatura científica, en las exhibiciones de los museos y en la televisión, parecería que de seguro debería haber abun-

4. Desde el punto de vista de la evolución, ¿por qué es tan extraña la ausencia de "hombres-monos" vivientes?
5. En cuanto a la prueba fósil para la evolución humana, ¿qué impresión dejan los relatos?

dante prueba de que los humanos hubieran evolucionado desde criaturas semejantes a monos. ¿Es realmente cierto eso? Por ejemplo, ¿qué prueba fósil había de esto en el tiempo de Darwin? ¿Fue prueba de esa índole lo que lo estimuló a formular su teoría?

⁶ La publicación *The Bulletin of the Atomic Scientists* (El boletín de los científicos atómicos) nos informa: "Las primeras teorías de la evolución humana son en realidad muy extrañas, si se examinan con detenimiento. David Pilbeam ha descrito las primeras teorías como 'infósiles'. Es decir, se trataba de teorías sobre la evolución humana de las cuales uno pensaría que requerirían alguna prueba fósil, pero en realidad había o tan pocos fósiles que no ejercían influencia alguna en la teoría, o ningún fósil en absoluto. De modo que lo único que había entre los supuestos parientes más cercanos al hombre y los primeros fósiles humanos era la imaginación de unos científicos del siglo XIX". Esta publicación científica muestra por qué: "La gente quería creer en la evolución, la evolución humana, y esto afectó el resultado de su obra"⁵.

⁷ Después de más de un siglo de búsqueda, ¿cuánta prueba fósil hay de los "hombres-monos"? Richard Leakey declaró: "Los que trabajan en este campo tienen tan poca prueba sobre la cual basar sus conclusiones que frecuentemente se les hace necesario cambiar de conclusiones"⁶. La revista *New Scientist* comentó: "A juzgar por la cantidad de prueba sobre la cual se funda, el estudio del hombre fósil difícilmente merece ser más que una subdisciplina de la paleontología o de la antropología. [...] tan atormentadoramente incompleta es la colección, y tan fragmentarios y tan poco convincentes suelen ser los especímenes mismos"⁷.

⁸ De manera similar, el libro *Origins* (Orígenes) confiesa lo siguiente: "A medida que adelantamos por la senda de la evolución hacia los humanos el paso se hace claramente incierto, debido, de nuevo, a la poca prueba fósil"⁸. La revista *Science* añade: "La principal prueba científica es un conjunto de huesos lastimosamente pequeño del cual construir la historia evolutiva del hombre. Cierto

Las teorías tempranas de la evolución humana fueron "la imaginación de unos científicos del siglo XIX"

"La principal prueba científica es un conjunto de huesos lastimosamente pequeño"

6. a) ¿Se basaban en prueba fósil las teorías anteriores acerca de la evolución humana? b) ¿Por qué pudo ganar aceptación sin prueba sólida la evolución?
7-9. ¿Cuánta prueba fósil hay ahora para la evolución humana?

Cierto evolucionista reconoce lo siguiente: "No tenemos prueba de cambio biológico en el tamaño ni en la estructura del cerebro desde la aparición de *Homo sapiens* en el registro fósil"

antropólogo ha comparado esa tarea con la de reconstruir el argumento de *Guerra y Paz* con 13 páginas seleccionadas al azar"[9].

[9] Precisamente, ¿cuán escaso es el registro fósil en cuanto a los "hombres-monos"? Note lo siguiente. La revista *Newsweek:* "'Todos los fósiles se pudieran colocar encima de un solo escritorio', dijo Elwyn Simons, de la Universidad Duke"[10]. El periódico *The New York Times:* "Los restos fósiles conocidos de los antepasados del hombre cabrían sobre una mesa de billar. Eso constituye una pobre plataforma desde la cual tratar de penetrar la niebla de los últimos millones de años"[11]. La revista *Science Digest:* "El hecho sorprendente es que toda la prueba física que tenemos para la evolución humana todavía se puede colocar, con lugar de sobra, ¡dentro de un solo ataúd! [...] Por ejemplo, los antropoides modernos dan la impresión de haber aparecido sin fuente alguna. No tienen ayer, no tienen registro fósil. Y el origen verdadero de los humanos modernos —de seres erguidos, desnudos, hacedores de instrumentos, de cerebro grande— es, si vamos a ser honrados con nosotros mismos, un asunto tan misterioso como ese"[12].

[10] Los humanos de tipo moderno, con capacidad para razonar, trazar planes, inventar, edificar sobre el conocimiento ya adquirido y usar lenguajes complejos, aparecen de súbito en el registro fósil. Gould, en su libro *The Mismeasure of Man* (El hombre mal medido), señala: "No tenemos prueba de cambio biológico en el tamaño ni en la estructura del cerebro desde la aparición de *Homo sapiens* en el registro fósil hace unos cincuenta mil años"[13]. Así, pues, el libro *The Universe Within* (El universo interno) pregunta: "¿Qué hizo que la evolución [...]

10. ¿Qué muestra la prueba acerca de la aparición de los humanos de tipo moderno?

86

produjera, como de la noche a la mañana, a la humanidad moderna con su cerebro altamente especial?"[14]. La evolución no puede contestar. Pero ¿pudiera hallarse la respuesta en la *creación* de una criatura muy compleja y diferente?

¿Dónde están los "eslabones"?

[11] Sin embargo, ¿no han hallado los científicos los "eslabones" necesarios entre los animales simiescos y el hombre? No según la prueba existente. La revista *Science Digest* habla de "la falta de un eslabón perdido que explique la aparición relativamente súbita del hombre moderno"[15]. La revista *Newsweek* declaró: "El eslabón perdido entre el hombre y los antropoides [...] es simplemente el más atractivo de toda una jerarquía de criaturas fantasmas. En el registro fósil, los eslabones perdidos son la regla"[16].

[12] Porque no hay eslabones, de una cantidad mínima de pruebas hay que fabricar "criaturas fantasmas" y presentarlas como si en realidad hubieran existido. Eso explica por qué pudiera ocurrir la siguiente contradicción, según el informe de una revista científica: "Los humanos evolucionaron en pasos graduales desde sus antepasados simiescos, y no, como afirman algunos científicos, en saltos repentinos de una forma a otra. [...] Pero, según informes, otros antropólogos, trabajando con más o menos la misma información, han llegado a una conclusión exactamente opuesta a esa"[17].

[13] Por esto podemos entender mejor la declaración que hizo el respetado anatomista Solly Zuckerman, quien escribió en la publicación *Journal of the Royal College of Surgeons of Edinburgh* (Revista del Real Colegio de Cirujanos de Edimburgo): "La búsqueda del proverbial 'eslabón perdido' de la evolución del hombre, ese santo grial de una secta de anatomistas y biólogos que jamás desaparece, permite que el razonamiento superficial y el mito florezcan hoy tan felizmente como lo hacían 50 años atrás, y más"[18]. Señaló que, con demasiada frecuencia, se pasaban por alto los hechos y, en vez de darles apoyo, se apoyaba lo que era popular por el momento, a pesar de la prueba que lo contradecía.

"La búsqueda del proverbial 'eslabón perdido' [...] permite que el razonamiento superficial y el mito florezcan"

---

11. Como se reconoce, ¿cuál es "la regla" en el registro fósil?
12. ¿En qué ha resultado la falta de eslabones?
13. ¿Qué resultado ha tenido el no poder hallar "eslabones perdidos"?

El "árbol genealógico" del hombre

[14] Como resultado de esto, el "árbol genealógico" que suele dibujarse según la supuesta evolución del hombre desde los animales inferiores cambia constantemente. Por ejemplo, Richard Leakey declaró que un descubrimiento fósil muy reciente "deja en ruinas la noción de que todos los fósiles primitivos pueden ser puestos en una secuencia ordenada de cambio evolutivo"[19]. Y un informe periodístico acerca de ese descubrimiento declaró: "Cuanto libro de antropología hay, cuanto artículo de la evolución del hombre, sí, y todo dibujo del árbol genealógico del hombre, tendrán que ser descartados. Parece que están equivocados"[20].

[15] El árbol genealógico teórico de la evolución humana está lleno de "eslabones" rechazados que habían recibido aceptación. Un artículo de fondo del periódico *The New York Times* señaló que la ciencia evolucionista "tiene tanto lugar para la conjetura que las teorías de cómo llegó a existir el hombre tienden a decir más acerca del autor de ellas que de su tema. [...] Muchas veces parece que el descubridor de un nuevo cráneo dibuja de nuevo el árbol genealógico del hombre, y al hacerlo pone su descubrimiento en la línea central que conduce al hombre, y los cráneos de todos los demás en líneas secundarias que no conducen a ningún lugar"[21].

'Todo dibujo del árbol genealógico del hombre tendrá que ser descartado'

[16] En una reseña del libro *The Myths of Human Evolution* (Los mitos de la evolución humana), escrito por los evolucionistas Niles Eldredge y Ian Tattersall, la revista *Discover* declaró que los autores eliminaron todo árbol genealógico evolucionista. ¿Por qué? Después de señalar que "solo se puede adivinar cuáles son los eslabones que componen el conjunto de antepasados de la especie humana", esta publicación declaró: "Eldredge y Tattersall insisten en que el hombre busca en vano a sus antepasados. [...] Si la prueba estuviera allí, afirman, 'se pudiera esperar con confianza que a medida que se hallaran más fósiles homínidos la historia de la evolución humana se hiciera más clara. Mientras que, si algo ha pasado, es lo contrario de eso'".

14, 15. ¿Qué le ha hecho la prueba disponible al "árbol genealógico" de la evolución humana?
16. ¿Qué llevó a dos científicos a omitir de su libro un árbol genealógico de la evolución?

[17] La revista *Discover* llegó a esta conclusión: "La especie humana, y todas las especies, seguirán siendo en cierto sentido huérfanas, pues la identidad de sus padres está perdida en el pasado"[22]. Quizás "perdida" desde el punto de vista de la teoría evolucionista. Pero ¿no ha "hallado" la alternativa de Génesis a nuestros padres como realmente son en el registro fósil... plenamente humanos, tal como lo somos nosotros?

[18] El registro fósil revela un origen distinto, separado, para los monos antropoides y para los humanos. Por eso la prueba fósil de la conexión del hombre con las bestias simiescas no existe. En realidad los eslabones nunca han estado allí.

¿Qué apariencia tenían?

[19] Sin embargo, si los antecesores del hombre no eran parecidos a monos, ¿por qué hay tantos dibujos y reproducciones de "hombres-monos" en las publicaciones científicas y en museos de todo el mundo? ¿En qué se basan estos? El libro *The Biology of Race* (La biología de la raza) responde: "Para completar los detalles de la carne y el pelo de tales reconstrucciones hay que recurrir a la imaginación". Añade: "El color de la piel; el color, la forma y la distribución del pelo; la forma de los rasgos; y el aspecto de la cara... de estas características no sabemos absolutamente nada respecto a cualesquiera hombres prehistóricos"[23].

[20] La revista *Science Digest* también comentó: "La vasta mayoría de las concepciones artísticas se fundan más en la imaginación que en la prueba. [...] Los artistas tienen que crear algo que se encuentre entre un antropoide y un ser humano; mientras más antiguo se diga que es el espécimen, más parecido a mono lo hacen"[24]. Donald Johanson, buscador de fósiles, reconoció: "Nadie puede estar seguro de precisamente qué apariencia presentaba cualquier homínido extinto"[25].

[21] De hecho, la revista *New Scientist* informó que no hay "suficiente prueba del material fósil para sacar de los campos de la fantasía nuestro teorizar"[26]. Por eso, los dibujos e ilustraciones de "hombres-monos" son, como

¿En qué se basan los dibujos de "hombres-monos"? Los evolucionistas responden: "la imaginación", "en la mayoría de los respectos, pura ficción", "total invención"

17, 18. a) ¿Cómo puede ser "hallado" lo que algunos evolucionistas consideran "perdido"? b) ¿Cómo confirma esto el registro fósil?
19, 20. ¿En qué se basan los dibujos de "hombres-monos"?
21. En realidad, ¿qué son las ilustraciones de "hombres-monos"?

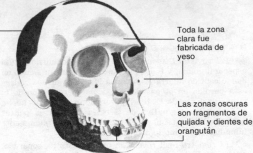

Las zonas oscuras son fragmentos de un cráneo humano

Toda la zona clara fue fabricada de yeso

Las zonas oscuras son fragmentos de quijada y dientes de orangután

El hombre de Piltdown fue aceptado como "eslabón perdido" por 40 años hasta que se vio que era un engaño. Partes de una quijada y dientes de orangután habían sido combinados con partes de un esqueleto humano

admitió cierto evolucionista, "en la mayoría de los respectos, pura ficción [...] total invención"[27]. En armonía con eso, en *Man, God and Magic* (El hombre, Dios y la magia) Ivar Lissner hizo este comentario: "Tal como lentamente estamos aprendiendo que los hombres primitivos no son necesariamente salvajes, así tenemos que aprender a darnos cuenta de que los hombres primitivos del período Glacial no eran ni bestias brutas ni semiantropoides ni cretinos. De ahí la inefable estupidez de todos los intentos por reconstruir al hombre de Neandertal o hasta al hombre de Pekín"[28].

[22] En su deseo de hallar prueba de la existencia de "hombres-monos", algunos científicos han caído en los lazos del engaño directo; por ejemplo, el relacionado con el hombre de Piltdown, en 1912. Por 40 años este fue aceptado como genuino por la mayoría de la comunidad evolucionista. Finalmente, en 1953 se descubrió el engaño cuando las técnicas modernas revelaron que huesos humanos y de antropoides habían sido combinados y tratados artificialmente para que representaran gran edad. En otro caso, en la prensa se presentó el dibujo de un "eslabón perdido" semejante a un antropoide. Pero más tarde se reconoció que la "prueba" consistía en solamente un diente que pertenecía a una forma extinta de cerdo[29].

No hay "suficiente prueba del material fósil para sacar de los campos de la fantasía nuestro teorizar"

¿Qué eran?

[23] Si las reconstrucciones de los "hombres-monos" no son válidas, entonces, ¿qué eran esas criaturas antiguas cuyos huesos fósiles han sido hallados? Uno de estos mamíferos de gran antigüedad de los cuales se alega que están en la línea del hombre es un animalito parecido a

22. ¿Cómo se ha engañado a muchos apoyadores de la evolución?
23. ¿Qué eran, en realidad, algunos fósiles que supuestamente eran antecesores del hombre?

roedor del cual se dice que vivió unos setenta millones de años atrás. En su libro *Lucy: The Beginnings of Humankind* (Lucy: Los principios de la humanidad), Donald Johanson y Maitland Edey escribieron: "Eran cuadrúpedos insectívoros de aproximadamente el tamaño y la forma de las ardillas"[30]. Richard Leakey llamó a este mamífero un "primate parecido a rata"[31]. Pero ¿hay prueba sólida alguna de que estos animalitos hayan sido los antecesores de los humanos? No; en vez de eso, solo hay el razonamiento superficial de los que quisieran que así fuera. Ninguna etapa de transición las ha conectado alguna vez con nada excepto con lo que esas formas eran: mamíferos pequeños semejantes a roedores.

Se dice que un roedor parecido a una musaraña es el antepasado del hombre. Pero no hay prueba fósil para tal relación

[24] Después en la lista que por lo general se acepta, con una laguna admitida de unos cuarenta millones de años, hay fósiles que se hallaron en Egipto y que fueron llamados egiptopiteco (*Aegyptopithecus*... simio egipcio). Se dice que esta criatura vivió unos treinta millones de años atrás. Revistas, periódicos y libros han presentado ilustraciones de esta criaturita, con titulares como estos: "Criatura parecida a mono fue nuestro antepasado" (revista *Time*)[32]. "Primate africano parecido a mono llamado antepasado común del hombre y de los antropoides" (periódico *The New York Times*)[33]. "Egiptopiteco es un antepasado que compartimos con los antropoides vivos" (obra *Origins* [Orígenes])[34]. Pero ¿dónde están los eslabones entre esta criatura y el roedor que vino antes de ella? ¿Dónde están los eslabones a lo que se coloca después de ella en el alineamiento evolutivo? No se ha hallado ninguno.

Esta criatura simiesca ha sido llamada antecesora nuestra. No existe prueba fósil de tal alegación

La subida y caída de los "hombres-monos"

[25] Después de otra laguna también reconocida como grande en el registro fósil, se había presentado otra criatura fósil como el primer simio parecido a un humano. Se dijo que había vivido unos catorce millones de años atrás, y fue llamado ramapiteco (*Ramapithecus*... el simio de Rama [Rama era un príncipe mítico de la India]). Hace aproximadamente medio siglo se hallaron

---

24. ¿Qué problemas surgen cuando se trata de establecer a egiptopiteco como antecesor de los humanos?
25, 26. a) ¿Qué afirmación se hizo acerca de ramapiteco? b) ¿Basándose en qué prueba fósil fue reconstruido para que pareciera un "hombre-mono"?

Con solo unos dientes y partes de quijadas, se llamó a ramapiteco "el primer representante de la familia humana". Prueba que salió a luz después mostró que no era tal cosa

fósiles de este animal en la India. De estos fósiles se construyó una criatura parecida a un antropoide, erguida, plantada sobre dos extremidades. De esta criatura, *Origins* (Orígenes) declaró: "Hasta donde se puede decir al momento, es el primer representante de la familia humana"[35].

[26] ¿Qué prueba fósil había para llegar a tal conclusión? La misma publicación dijo: "La prueba en cuanto a ramapiteco es considerable... aunque en términos absolutos sigue siendo atormentadoramente pequeña: fragmentos de la quijada superior y la inferior, más un conjunto de dientes"[36]. ¿Cree usted que esto era "prueba" lo suficientemente "considerable" como para reconstruir a un "hombre-mono" erguido que fuera antecesor de los humanos? Sin embargo, los artistas dibujaron a esta criatura mayormente hipotética como un "hombre-mono", y dibujos de esta criatura se generalizaron en la literatura evolucionista... ¡todo sobre la base de fragmentos de quijadas y unos dientes! Con todo, como informó el periódico *The New York Times,* por décadas ramapiteco "se mantuvo, con toda la seguridad que pudiera tener, en la base del árbol evolutivo humano"[37].

[27] Sin embargo, ya eso no es así. Fósiles recientes y más completos revelaron que ramapiteco tenía estrecho parecido a la familia actual de los antropoides. Debido a eso, la revista *New Scientist* declara ahora: "Ramapiteco no pudo haber sido el primer miembro de la línea humana"[38]. Esta nueva información evocó la siguiente pregunta en la revista *Natural History:* "¿Cómo se metió

27. ¿Qué quedó evidenciado mediante prueba posterior en cuanto a ramapiteco?

ramapiteco, [...] reconstruido únicamente de unos dientes y quijadas —sin pelvis, huesos de extremidades ni cráneo conocidos— en esta procesión en marcha hacia el hombre?"[39]. Es obvio que tiene que haber intervenido mucha ilusión en tal esfuerzo para hacer que la prueba dijera lo que no dice.

[28] Hay otra laguna de enormes proporciones entre esa criatura y la siguiente que había sido puesta en la lista como antepasado de tipo "hombre-mono". A esta última se llama australopiteco (*Australopithecus*... simio del sur). Fósiles de este se encontraron originalmente en el sur de África en los años veinte de este siglo. Tenía un cráneo pequeño como de antropoide y una quijada pesada, y lo representaron caminando sobre dos extremidades, encorvado, cubierto de pelo y con apariencia de antropoide. Se decía que había vivido unos tres o cuatro millones de años atrás. Con el tiempo llegó a ser aceptado por casi todos los evolucionistas como el antepasado del hombre.

"Ramapiteco no puede haber sido el primer miembro de la línea humana"

[29] Por ejemplo, el libro *The Social Contract* (El contrato social) señaló: "Con una o dos excepciones, todos los investigadores competentes en este campo concuerdan ahora en que los australopitecinos [...] son verdaderos antecesores del hombre"[40]. El periódico *The New York Times* declaró: "Fue australopiteco [...] el que con el tiempo evolucionó hasta *Homo sapiens,* o el hombre moderno"[41]. Y en *Man, Time, and Fossils* (El hombre, el tiempo y los fósiles) Ruth Moore dijo: "Toda la prueba indicaba que los hombres al fin habían encontrado a sus antecesores primitivos, que por mucho tiempo les habían sido desconocidos". Declaró ella con énfasis: "La prueba era arrolladora [...] al fin se había encontrado el eslabón perdido"[42].

[30] Pero cuando en realidad la prueba para algo es débil, o no existente, o se basa en puro engaño, tarde o temprano lo que se afirma queda en nada. Así ha sucedido en el caso de muchos ejemplos pasados de presuntos "hombres-monos".

[31] Así ha sucedido, también, con australopiteco. La investigación creciente ha revelado que su cráneo "difería del de los humanos de más maneras que solamente su

---

28, 29. ¿Qué afirmación se hizo en cuanto a australopiteco?
30, 31. ¿Qué muestra en cuanto a australopiteco la prueba hallada posteriormente?

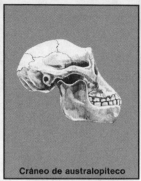

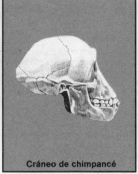

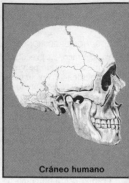

Cráneo de australopiteco | Cráneo de chimpancé | Cráneo humano

Hubo un tiempo en que se aceptó a australopiteco como antecesor humano, "el eslabón perdido". Ahora algunos científicos concuerdan en que su cráneo era "arrolladoramente símico [de antropoide]… no humano"

menor capacidad cerebral"[43]. El anatomista Zuckerman escribió: "El cráneo australopitecino, al compararse con el cráneo humano y el cráneo símico [de antropoide], parece arrolladoramente símico… no humano. La proposición contraria pudiera igualarse a una afirmación de que lo negro es blanco"[44]. También dijo: "Nuestros descubrimientos dejan poca duda respecto a que […] australopiteco no se parece a *Homo sapiens,* sino a los monos y antropoides vivientes"[45]. Donald Johanson también dijo: "Los australopitecinos […] *no* eran hombres"[46]. Richard Leakey también llamó "poco probable el que nuestros antecesores directos sean descendientes evolutivos de los australopitecinos"[47].

[32] Si hoy hubiera de hallarse vivos a algunos australopitecinos, serían puestos en los jardines zoológicos con los demás antropoides. Nadie los llamaría "hombres-monos". Lo mismo es cierto de otros "primos" fósiles semejantes, como un tipo de australopitecino más pequeño llamado "Lucy". De este espécimen Robert Jastrow dice: "Este cerebro no era grande en tamaño absoluto; tenía la tercera parte del tamaño de un cerebro humano"[48]. Es obvio que este australopitecino era también sencillamente un "antropoide". De hecho, la revista *New Scientist* dijo que "Lucy" tenía un cráneo "muy parecido al de un chimpancé"[49].

32. Si tales criaturas todavía estuvieran vivas hoy, ¿cómo se trataría con ellas?

94

³³ Otro tipo fósil recibe el nombre de *Homo erectus*... hombre erguido. El tamaño y la forma de su cerebro sí caen dentro del alcance de las medidas inferiores del cerebro del hombre moderno. Además, la *Encyclopædia Britannica* declaró que "los huesos de las extremidades descubiertos hasta ahora no se han podido distinguir de los de H[omo] *sapiens*"[50]. Sin embargo, no está claro si era humano o no. Si lo era, entonces era simplemente una rama de la familia humana, y desapareció.

La familia humana

³⁴ El hombre de Neandertal (llamado así por el distrito de Neander, en Alemania, donde se halló el primer fósil) era indudablemente humano. Al principio se le pintó encorvado, con apariencia de estúpido, peludo y simiesco. Ahora se sabe que esta reconstrucción equivocada se basó en un esqueleto fósil que había sido malamente deformado por una enfermedad. Desde entonces se han hallado muchos fósiles de Neandertal, y estos confirman que no difería mucho de los humanos modernos. En su libro *Ice* (Hielo), Fred Hoyle declaró: "No hay prueba de que el hombre de Neandertal fuera de manera alguna inferior a nosotros"[51]. El resultado ha sido que dibujos recientes de los neandertaloides han adquirido una apariencia más moderna.

> "No hay prueba de que el hombre de Neandertal fuera de manera alguna inferior a nosotros"

³⁵ Otro tipo fósil que frecuentemente se menciona en la literatura científica es el del hombre de Cro-Magnon, o Cromañón. Fue llamado así por el lugar, en el sur de Francia, donde sus huesos fueron originalmente desenterrados. Estos especímenes "eran casi tan indistinguibles de los de hoy que hasta los más escépticos tuvieron que admitir que eran humanos", dice el libro *Lucy*[52].

³⁶ Así, pues, hay clara indicación de que no existe fundamento para creer en "hombres-monos". En vez de eso, los humanos tienen todas las señales de haber sido creados... separados y distintos de todo animal. Los humanos se reproducen solamente según su propio género. Hacen eso hoy, y siempre han hecho eso en el pasado. Cualesquiera criaturas simiescas que vivieran en el pasa-

33. ¿Qué tipo fósil quizás haya sido, o quizás no, humano?
34. ¿Cómo han cambiado las ideas en cuanto al hombre de Neandertal?
35. ¿Qué eran los tipos llamados hombres de Cromañón?
36. ¿Cuál es la realidad en cuanto a los fósiles simiescos del pasado, y a los fósiles de apariencia humana?

Como sucede en el registro fósil, hoy hay gran variedad en el tamaño y la forma de la estructura ósea en los humanos. Pero todos pertenecen al "género" humano

do eran precisamente eso —antropoides, o monos— no humanos. Y los fósiles de humanos antiguos que difieren ligeramente de los humanos de hoy simplemente demuestran variedad dentro de la familia humana, tal como hoy tenemos muchas variedades que viven lado a lado. Hay humanos de dos metros (siete pies) de estatura y hay pigmeos, con una variedad de tamaños y formas de esqueletos. Pero todas estas variedades pertenecen al mismo tipo o "género" humano, no a un "género" animal.

¿Qué se dice de las fechas?

[37] La cronología bíblica indica que desde la creación de los humanos han pasado unos seis mil años. Entonces, ¿por qué lee uno con frecuencia acerca de espacios de tiempo mucho mayores desde que aparecieron fósiles de tipo reconocidamente humano?

[38] Antes de llegar a la conclusión de que la cronología bíblica esté equivocada, considere el hecho de que los métodos de fechar mediante la radiactividad han llegado a estar bajo vigorosa crítica por algunos científicos. Una publicación científica dio informe de estudios que muestran que "las fechas determinadas por degeneración radiactiva pueden estar equivocadas... no solo por unos cuantos años, sino por órdenes de magnitud". Dijo: "Es posible que el hombre, en vez de haber estado en la Tierra por 3.600.000 años, haya estado en existencia por solo unos cuantos miles"[53].

[39] Tome, por ejemplo, el "reloj" de radiocarbono. Este método de fechar por radiocarbono fue desarrollado durante un espacio de dos décadas por científicos de todas partes del mundo. Recibió amplia aclamación por suministrar fechas exactas de artefactos provenientes de la historia antigua del hombre. Pero entonces hubo en Uppsala, Suecia, una conferencia de los peritos del mundo, entre ellos radioquímicos, arqueólogos y geólogos, para comparar sus apuntes. El informe de su conferencia mostró que las suposiciones fundamentales sobre las cuales se habían basado las medidas habían resultado poco seguras a mayor o menor grado. Por ejemplo, se

---

37. La cronología bíblica indica que los humanos han estado en la Tierra ¿por cuánto tiempo?
38. ¿Prueban que la Biblia esté equivocada las fechas que se determinan por la degeneración radiactiva y que están en conflicto con la cronología bíblica?
39. ¿Es siempre confiable el "reloj" de radiocarbono?

Los humanos tienen todas las señales de haber sido creados como forma de vida separada y distinta de los antropoides

halló que la proporción de formación de carbono radiactivo en la atmósfera no ha sido consecuente en el pasado, y que este método no es confiable para fechar objetos que sean de aproximadamente 2.000 años antes de la era común, o de tiempo anterior a ese[54].

⁴⁰ Tenga presente que la prueba verdaderamente confiable de la actividad del hombre en la Tierra no se da en millones de años, sino en miles. Por ejemplo, en *The Fate of the Earth* (El destino de la Tierra) leemos: "Solo seis o siete mil años atrás [...] surgió la civilización, y nos permitió edificar un mundo humano"[55]. *The Last Two Million Years* (Los últimos dos millones de años) declara: "En el Viejo Mundo, la mayoría de los pasos críticos en la revolución agrícola se dieron entre 10.000 y 5.000 años

40. ¿De qué manera apoyan los registros históricos la cronología bíblica en cuanto a la edad de la raza humana?

antes de Cristo." También dice: "Solo durante los últimos 5.000 años ha dejado el hombre registros escritos"[56]. El hecho de que el registro fósil muestra que el hombre moderno apareció de súbito en la Tierra, y de que, como se admite, los registros históricos confiables son recientes, armoniza con la cronología bíblica de la vida humana en la Tierra.

[41] A este respecto, note lo que declaró en la revista *Science* W. F. Libby, físico nuclear y ganador del premio Nobel, uno de los pioneros en fechar mediante radiocarbono: "La investigación en el desarrollo de la técnica de fechar consistió en dos etapas... determinar la fecha de muestras de las épocas histórica y prehistórica, respectivamente. Arnold [un colaborador] y yo recibimos nuestra primera sacudida cuando los que nos aconsejaban nos informaron que la historia se remontaba únicamente hasta 5.000 años atrás. [...] Uno lee declaraciones que dicen que tal y tal sociedad o lugar arqueológico es de 20.000 años atrás. Aprendimos, algo abruptamente, que estas cifras, estas edades antiguas, no se conocen con exactitud"[57].

[42] En una reseña de un libro sobre la evolución, el autor inglés Malcolm Muggeridge comentó acerca de la falta de prueba para la evolución. Señaló que, de todos modos, florecía el razonamiento superficial y sin riendas. Entonces dijo: "En comparación con eso, el relato de Génesis parece suficientemente serio, y por lo menos tiene el mérito de estar relacionado válidamente con lo que conocemos acerca de los seres humanos y su comportamiento". Dijo que las alegaciones sin base de millones de años para la evolución del hombre "y saltos desenfrenados de cráneo a cráneo, no pueden menos que impresionar como pura fantasía al que no haya sido cautivado por el mito [evolucionista]". Muggeridge llegó a esta conclusión: "De seguro la posteridad quedará asombrada, y espero que en gran medida entretenida, por el hecho de que tal teorizar descuidado y no convincente hubiera cautivado con tanta facilidad mentes del siglo XX, y hubiera sido aplicado tan amplia e imprudentemente"[58].

"De seguro la posteridad quedará asombrada [...] de que tal teorizar descuidado y no convincente hubiera cautivado con tanta facilidad mentes del siglo XX"

---

41. ¿Qué dijo un pionero en el campo del fechar con radiocarbono acerca de las fechas "prehistóricas"?
42. ¿Qué comentario hizo un autor inglés en cuanto a la diferencia entre los relatos evolucionistas y el relato de Génesis?

Capítulo 8

Las mutaciones...
¿base para la evolución?

LA TEORÍA de la evolución se halla ante otra dificultad. ¿Precisamente *cómo* se supone que haya sucedido la evolución? ¿Cuál es un mecanismo básico o fundamental que supuestamente haya hecho posible que un tipo de organismo vivo haya evolucionado hasta formar otro? Los evolucionistas dicen que diversos cambios dentro del núcleo de la célula desempeñan su parte en esto. Y entre estos cambios descuellan los cambios "accidentales" conocidos como *mutaciones*. Se cree que las partes particulares implicadas en estos cambios por mutación son los genes y los cromosomas de las células sexuales, puesto que las mutaciones que tienen lugar en ellos pueden ser pasadas a los descendientes del organismo implicado.

[2] "Las mutaciones [...] son la base de la evolución", declara *The World Book Encyclopedia*[1]. De manera similar, el paleontólogo Steven Stanley llamó las mutaciones "la materia prima" de la evolución[2]. Y el genetista P. C. Koller declaró que las mutaciones "son necesarias para el progreso evolutivo"[3].

[3] Sin embargo, lo que la evolución requiere no es solo cualquier clase de mutación. Robert Jastrow señaló que se necesita "una lenta acumulación de mutaciones favorables"[4]. Y Carl Sagan añadió: "Las mutaciones —cambios súbitos en la herencia— se propagan. Suministran la materia prima de la evolución. El ambiente selecciona las pocas mutaciones que favorecen la supervivencia, y el resultado es una serie de lentas transformaciones de una forma de vida en otra, el origen de nuevas especies"[5].

"Las mutaciones [...] son la base de la evolución"

1, 2. ¿De qué mecanismo se dice que es una base para la evolución?
3. ¿De qué tipo serían las mutaciones necesarias para la evolución?

99

⁴ También se ha dicho que las mutaciones pueden ser una clave del cambio rápido que exige la teoría del "equilibrio puntuado". En la revista *Science Digest,* John Gliedman escribió: "Los revisionistas de la evolución creen que las mutaciones en genes regulativos clave pueden ser precisamente los 'martillos neumáticos' genéticos que su teoría de saltos significativos exige". Sin embargo, el zoólogo británico Colin Patterson declaró: "El razonamiento superficial anda sin restricción. No sabemos nada acerca de estos genes maestros regulativos"[6]. Pero aparte de tales razonamientos con poco fundamento, por lo general se acepta que las mutaciones que supuestamente están implicadas en la evolución son cambios accidentales menores que se acumulan a través de un largo espacio de tiempo.

Las mutaciones son asemejadas a "accidentes" en la maquinaria genética. Pero los accidentes causan daño, no bien

⁵ ¿Qué origen tienen las mutaciones? Se cree que la mayoría de ellas ocurren en el proceso normal de la reproducción celular. Pero los experimentos han demostrado que también pueden ser causadas por agentes externos tales como la radiación y ciertas sustancias químicas. ¿Y con cuánta frecuencia suceden? La reproducción del material genético de la célula es sorprendentemente consecuente. Hablando en sentido relativo, cuando se considera la cantidad de células que se dividen en un organismo, las mutaciones no ocurren con gran frecuencia. Como señaló un comentario de la *Encyclopedia Americana,* la reproducción "de las cadenas de ADN que componen un gen es notablemente exacta. Los 'errores de imprenta' o errores al copiar son accidentes de poca frecuencia"[7].

¿Son útiles, o dañinas?

⁶ Si las mutaciones provechosas son una base de la evolución, ¿qué proporción de las mutaciones son provechosas? Entre los evolucionistas se manifiesta amplio acuerdo sobre este punto. Por ejemplo, Carl Sagan declara: "La mayoría de ellas son dañinas o mortíferas"[8]. P. C. Koller declara: "La mayor proporción de las mutaciones son perjudiciales al individuo que lleva el gen mutado. En experimentos se halló que, por cada muta-

---

4. ¿Qué dificultad surge respecto a la afirmación de que las mutaciones pueden estar implicadas en cambios evolutivos rápidos?
5. ¿Qué origen tienen las mutaciones?
6, 7. ¿Qué proporción de las mutaciones son dañinas en vez de provechosas?

ción de éxito o útil, hay muchos miles que son perjudiciales"[9].

[7] Entonces, sin contar cualesquiera mutaciones "neutrales", las dañinas sobrepasan a las que supuestamente son provechosas en la proporción de miles contra una. "Resultados como estos se han de esperar de cambios accidentales que ocurran en cualquier organización complicada", declara la *Encyclopœdia Britannica*[10]. Por eso se dice que las mutaciones son responsables de centenares de enfermedades cuya base está en los genes[11].

[8] Debido a la naturaleza dañina de las mutaciones, la *Encyclopedia Americana* reconoce lo siguiente: "El hecho de que la mayoría de las mutaciones son dañinas al organismo parece difícil de conciliar con el punto de vista de que la mutación sea la fuente de materia prima para la evolución. Ciertamente los mutantes que se ilustran en los libros de texto de biología son una colección de fenómenos y monstruosidades, y la mutación parece ser un proceso destructivo, más bien que constructivo"[12]. Cuando mutantes de insectos fueron colocados en competencia con insectos normales, el resultado siempre fue el mismo. Como declaró G. Ledyard Stebbins: "Después de una cantidad mayor o menor de generaciones, los mutantes son eliminados"[13]. No podían competir, porque no eran formas mejoradas, sino degeneradas y en desventaja.

[9] En su libro *The Wellsprings of Life* (Las fuentes de la vida), Isaac Asimov, escritor sobre asuntos científicos, confesó: "La mayoría de las mutaciones llevan a peor condición". No obstante, entonces aseguró: "Sin embargo, al cabo las mutaciones hacen que el curso de la evolución adelante y vaya en ascenso"[14]. Pero ¿es cierto que hacen esto? ¿Habría de considerarse beneficioso cualquier proceso que resultara en daño más de 999 veces de cada 1.000? Si usted quisiera construir una casa, ¿contrataría para ello a un constructor que, por cada trabajo correcto, presentara miles defectuosos? Si el conductor de un automóvil tomara miles de malas decisiones por cada buena decisión al viajar, ¿desearía usted viajar con esa persona? Si un cirujano hiciera miles de

"La mutación parece ser un proceso destructivo, más bien que constructivo"

8. ¿Cómo está verificada la declaración de cierta enciclopedia por resultados reales?
9, 10. ¿Por qué es una suposición sin base el decir que las mutaciones dan cuenta de la evolución?

Si un constructor produjera miles de trabajos mal hechos por cada uno bien hecho, ¿lo contrataría usted?

Si un conductor de vehículo tomara miles de malas decisiones por cada buena decisión, ¿viajaría usted con él?

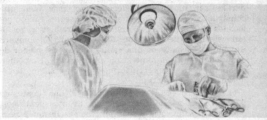

Si un cirujano hiciera miles de movimientos equivocados por cada movimiento acertado, ¿dejaría usted que él le operara?

movimientos equivocados por cada movimiento acertado al operar, ¿quisiera usted que ese cirujano le hiciera una operación?

10 El genetista Dobzhansky dijo en cierta ocasión: "Difícilmente se puede esperar que un accidente —un cambio al azar— en un mecanismo delicado lo mejore. Rara vez puede suceder que el meter un palillo en la maquinaria del reloj pulsera de uno, o meter un palo en el radiorreceptor de uno, haga que el aparato funcione mejor"[15]. Por eso, pregúntese: ¿Parece razonable que todas las células y los órganos, extremidades y procesos tan sorprendentemente complejos que existen en los organismos vivos fueran *construidos* por un procedimiento que *destruye?*

102

¿Producen algo nuevo las mutaciones?

[11] Aunque todas las mutaciones fueran provechosas, ¿podrían producir un organismo nuevo? No; no podrían hacer eso. Una mutación solo podría resultar en la variación de una característica que ya estuviera en el organismo. Suministra variedad, pero nunca produce nada nuevo.

[12] *The World Book Encyclopedia* da un ejemplo de lo que pudiera suceder cuando hay una mutación provechosa: "Una planta que estuviera en un área seca pudiera tener un gen mutante que le diera raíces mayores y más firmes. La planta tendría mejor probabilidad de sobrevivir que otras de su propia especie porque sus raíces podrían absorber más agua"[16]. Pero ¿ha aparecido algo nuevo? No; todavía es la misma planta. No está evolucionando para formar otra cosa.

[13] Las mutaciones pudieran cambiar el color o la textura del pelo de alguien. Pero el pelo siempre será pelo. Nunca se transformará en plumas. Las mutaciones pudieran alterar la mano de una persona. La persona pudiera tener dedos anormales. A veces hasta pudiera haber una mano con seis dedos o con otra malformación. Pero la mano siempre es mano. Nunca se transforma en otra cosa. Nada nuevo está llegando a existir, ni puede jamás llegar a existir.

11-13. ¿Producen alguna vez un organismo nuevo las mutaciones?

Moscas mutantes

Mosca del vinagre (espécimen normal)

Los experimentos con moscas del vinagre produjeron muchos mutantes mal formados, pero siempre siguieron siendo moscas del vinagre

Los experimentos con la mosca del vinagre

[14] Pocos experimentos relacionados con la mutación pudieran igualar los muchos que se han efectuado con la común mosca del vinagre, drosofila o drosófila *(Drosophila melanogaster)*. Desde principios del siglo XX, los científicos han expuesto millones de estas moscas a la acción de los rayos X. Esto aumentó la frecuencia de las mutaciones a más de cien veces lo que era normal.

[15] Después de todas esas décadas, ¿qué mostraron los experimentos? Dobzhansky reveló un resultado: "Los mutantes patentes de drosofila, con los cuales se efectuó parte tan grande de la investigación clásica en genética, son casi sin excepción inferiores a las moscas de tipo silvestre en viabilidad, fertilidad, longevidad"[17]. Otro resultado fue que las mutaciones jamás produjeron algún organismo nuevo. Las moscas del vinagre tenían alas, patas y cuerpos mal formados, y otras distorsiones, pero siempre siguieron siendo moscas del vinagre. Y cuando las moscas mutantes fueron combinadas unas con otras para reproducción, se halló que después de algunas generaciones comenzaron a surgir algunas moscas normales. De haberse dejado en su estado natural, estas moscas normales con el tiempo habrían llegado a ser las sobrevivientes, en vez de que sobrevivieran las mutan-

14, 15. ¿Qué ha quedado claro después de décadas de experimentos con la mosca del vinagre?

tes, que eran más débiles, y se conservaría la mosca del vinagre en la forma en que originalmente había existido.

16 El código hereditario, el ADN, es notable por la manera como puede reparar las lesiones genéticas que haya recibido. Esto ayuda a conservar el tipo o género de organismo para la cual está codificado. La revista *Investigación y Ciencia* relata que "la vida de un organismo y su continuidad de generación en generación" son conservadas "por enzimas que continuamente reparan" las lesiones genéticas. Esta publicación declara: "En concreto, las lesiones importantes de la molécula del ADN pueden inducir una respuesta de emergencia mediante la cual se sintetizan mayores cantidades de enzimas reparadores"[18].

17 Así, pues, en el libro *Darwin Retried* (Darwin bajo nuevo juicio) el autor relata lo siguiente acerca de Richard Goldschmidt, respetado genetista que falleció recientemente: "Después de muchos años de observar mutaciones en moscas del vinagre, Goldschmidt cayó en la desesperación. Los cambios —se lamentó él— eran tan irremediablemente micros [pequeños] que si en un solo espécimen se combinaran mil mutaciones, todavía no habría una nueva especie"[19].

"Si en un solo espécimen se combinaran mil mutaciones, todavía no habría una nueva especie"

Geómetra del abedul

18 En la literatura evolucionista suele hacerse referencia a una mariposa nocturna llamada geómetra del abedul como ejemplo moderno de la evolución en progreso. *The International Wildlife Encyclopedia,* una enciclopedia sobre la vida animal, declaró: "Este es el más sorprendente cambio evolutivo de que el hombre ha sido testigo"[20]. Después de declarar que Darwin se sintió molesto por no poder demostrar la evolución de siquiera una especie, Jastrow, en su libro *Red Giants and White Dwarfs* (Gigantes rojas y enanas blancas), añadió: "Si él lo hubiera sabido, había disponible un ejemplo que le habría suministrado la prueba que necesitaba. El caso era uno extremadamente raro"[21]. Por supuesto, el caso era el de la geómetra del abedul.

19 ¿Qué le sucedió, precisamente, a esta mariposa? Al

16. ¿De qué manera ayuda a conservar a los organismos el código hereditario?
17. ¿Qué desilusionó a Goldschmidt en sus experimentos con la mutación?
18, 19. ¿Qué se afirma en cuanto a la geómetra del abedul, y por qué?

El cambio de coloración de la geómetra del abedul no es evolución, sino simplemente variedad dentro de un género o tipo básico

principio, la forma clara de esta mariposa era más común que la forma oscura. Este tipo más claro de la mariposa se confundía bien con los troncos de color claro de los árboles, y por eso tenía mayor protección del ataque de los pájaros. Pero después, debido a años de contaminación procedente de las áreas industriales, los troncos de los árboles se oscurecieron. Ahora el color claro de las mariposas les fue un factor adverso, puesto que los pájaros podían notarlas más fácilmente, y se las comían. Por consiguiente, la variedad más oscura de esta mariposa, de la cual se dice que es una forma mutante, sobrevivió mejor debido a que para los pájaros era difícil verla contra los árboles cuya superficie había sido ennegrecida por el humo. Rápidamente, la variedad oscura llegó a ser el tipo dominante.

[20] Pero ¿estaba evolucionando esta mariposa para transformarse en otro tipo de insecto? No; todavía era

20. ¿Cómo explicó una publicación médica inglesa que la geómetra del abedul no estaba evolucionando?

exactamente la misma geómetra del abedul, excepto que tenía coloración diferente. Por eso, la publicación médica inglesa *On Call* (De guardia) se refirió al empleo de este ejemplo para tratar de probar la evolución como un uso "de fama indeseable". Declaró: "Esta es una excelente demostración de la función del camuflaje, pero, puesto que empieza y termina con geómetras del abedul y no se forma ninguna especie nueva, es completamente irrelevante como prueba para la evolución"[22].

[21] La afirmación desacertada de que esta mariposa nocturna está evolucionando es similar a varios otros ejemplos. Como ilustración: Puesto que algunos gérmenes han resultado resistentes a los antibióticos, se alega que está aconteciendo evolución. Pero los gérmenes más resistentes todavía son del mismo tipo de organismo, y no están evolucionando para ser otro. Y hasta se reconoce que el cambio quizás no se deba a mutaciones, sino al hecho de que algunos gérmenes eran inmunes desde el principio. Cuando los otros fueron matados por las drogas, los inmunes se multiplicaron y se hicieron dominantes. Como dice *Evolution From Space* (Evolución desde el espacio): "Sin embargo, dudamos que en estos casos haya implicado algo que no sea la selección de genes ya existentes"[23].

[22] Puede que este mismo proceso haya tenido lugar con relación a ciertos insectos que han resultado inmunes a venenos que se han empleado contra ellos. O los venenos mataron a los insectos contra los cuales se usaron, o no fueron eficaces. Los insectos que fueron matados no podían desarrollar resistencia, puesto que estaban muertos. La supervivencia de otros pudiera significar que habían sido inmunes desde el principio. Tal inmunidad es un factor genético que aparece en unos insectos y no en otros. Sea como sea, los insectos siguieron siendo insectos del mismo tipo o género. No estaban evolucionando para llegar a ser otra clase de organismo.

"Según sus géneros"

[23] El mensaje una vez más confirmado por las muta-

"Es completamente irrelevante como prueba para la evolución"

El mensaje confirmado por las mutaciones es este: Los organismos vivos se reproducen solo "según sus géneros"

---

21. ¿Qué se puede decir acerca de lo que se afirma en el sentido de que los gérmenes pueden hacerse resistentes a los antibióticos?
22. ¿Significa que ciertos insectos estén evolucionando el hecho de que algunos resulten inmunes a los venenos?
23. ¿Qué norma de Génesis ha sido confirmada también por las mutaciones?

La familia del perro tiene muchas variedades, pero los perros siempre siguen siendo perros

"Parecería que los procedimientos de cría refutan la evolución, más bien que apoyarla"

ciones es la fórmula del capítulo 1 de Génesis: Los organismos vivos se reproducen solo "según sus géneros". La razón para esto es que el código genético impide que una planta o un animal se aleje demasiado de la condición media. Puede haber gran variedad (como se puede ver, por ejemplo, entre los humanos, entre los gatos y entre los perros), pero no tanta que una forma de vida pudiera transformarse en otra. Todo experimento que se ha conducido con mutaciones prueba esto. También está probada la ley de biogénesis, que significa que la vida viene solo de vida preexistente, y que el organismo progenitor y su prole son del mismo tipo o "género".

²⁴ Los experimentos de crianza también confirman esto. Los científicos han tratado de seguir cambiando indefinidamente a varios animales y plantas mediante el entrecruzamiento. Han deseado ver si, con el tiempo, pudieran desarrollar nuevos organismos. ¿Y qué resultado ha habido? *On Call* (De guardia) informa: "Lo que usualmente descubren los criadores es que tras de unas cuantas generaciones se alcanza un punto óptimo después del cual es imposible lograr mejora, y no se han formado nuevas especies [...] Por tanto, parecería que

24. ¿Cómo han mostrado los experimentos en crianza que los organismos vivos se reproducen solo "según sus géneros"?

los procedimientos de cría refutan la evolución, más bien que apoyarla."[24].

[25] Más o menos lo mismo se dice en la revista *Science:* "Las especies sí tienen la capacidad de experimentar modificaciones menores en sus características físicas y de otras índoles, pero esto es limitado, y si se trabaja con una perspectiva de más tiempo, este hecho se refleja en una oscilación alrededor de un medio [o promedio]"[25]. Por tanto, lo que los organismos vivos heredan no es la posibilidad de cambio continuo, sino, más bien 1) estabilidad y 2) alcances limitados de variación.

[26] Por eso, el libro *Molecules to Living Cells* (De moléculas a células vivas) declara: "Las células de una zanahoria o del hígado de un ratón retienen consecuentemente sus identidades respectivas de tejido y de organismo después de incontables ciclos de reproducción"[26]. Y *Symbiosis in Cell Evolution* (La simbiosis en la evolución celular) dice: "Toda vida [...] se reproduce con increíble fidelidad"[27]. *Scientific American* también declara: "Los organismos vivos manifiestan enorme diversidad de forma, pero la forma es notablemente constante dentro de cualquier línea dada de descendencia: los cerdos siguen siendo cerdos y los robles siguen siendo

Hay gran variedad en la familia humana, pero los humanos se reproducen únicamente 'según su género'

"Los cerdos siguen siendo cerdos y los robles siguen siendo robles generación tras generación"

25, 26. ¿Qué dicen unas publicaciones científicas en cuanto a los límites de la reproducción en los organismos vivos?

109

robles generación tras generación"[28]. Y un escritor sobre asuntos científicos comentó: "Los rosales siempre florecen con rosas, nunca con camelias. Y las cabras tienen cabritos, nunca corderos". Llegó a la conclusión de que las mutaciones "no pueden dar cuenta de la evolución en general... de por qué hay peces, reptiles, aves y mamíferos"[29].

Las mutaciones "no pueden dar cuenta de la evolución en general"

[27] El asunto de la variación dentro de un mismo género o tipo de organismo explica algo que ejerció influencia en el pensamiento original de Darwin acerca de la evolución. Cuando él se halló en las islas Galápagos, observó cierto tipo de pájaro llamado pinzón. Estas aves procedían del mismo antepasado común hallado en el continente sudamericano, de donde aparentemente habían emigrado. Pero había diferencias curiosas, tales como respecto a la forma de sus picos. Darwin interpretó esto como evolución en progreso. Pero esto en realidad no era nada sino otro ejemplo de variedad dentro de una clase o género de animal, algo permitido por la composición genética de la criatura. Los pinzones todavía eran pinzones. No se estaban convirtiendo en otra forma de animal, y nunca lo harían.

[28] Así, lo que Génesis dice está en plena armonía con la realidad científica. Cuando uno planta semillas, éstas producen solo "según sus géneros", de modo que uno puede sembrar un jardín con confianza en lo seguro de esa ley. Cuando los gatos tienen cría, su prole consiste siempre en gatos. Cuando los humanos llegan a ser padres, sus hijos son siempre humanos. Hay variación en color, tamaño y forma, pero siempre dentro de los límites del género de organismo. ¿Ha visto usted alguna vez, personalmente, un caso que no fuera así? Tampoco lo ha visto ninguna otra persona.

"Me parece una lógica de tipo lunático, y creo que deberíamos poder razonar mejor"

No es base para evolución

[29] La conclusión es clara. Ninguna cantidad de cambio genético accidental puede hacer que un género de organismo vivo se convierta en otro. Como dijo una vez el biólogo francés Jean Rostand: "No; decididamente no puedo obligarme a pensar que estos 'deslices' en la

---

27. ¿Qué interpretó equivocadamente Darwin en cuanto a los pinzones de las islas Galápagos?
28. ¿Por qué se puede decir, pues, que la realidad científica está en plena armonía con la regla de Génesis de "según sus géneros"?
29. ¿Qué dijo un biólogo francés acerca de las mutaciones?

Los pinzones que Darwin observó en las Galápagos siempre siguen siendo pinzones; por eso, lo que él observó fue variedad, no evolución

herencia hayan podido, ni con la cooperación de la selección natural, ni con la ventaja de los inmensos espacios de tiempo durante los cuales la evolución trabaja en la vida, edificar el mundo entero, con su prodigalidad estructural y sus refinamientos, sus asombrosas 'adaptaciones'"[30].

[30] De manera similar, el genetista C. H. Waddington declaró lo siguiente en cuanto a la creencia respecto a las mutaciones: "Esta en realidad es la teoría de que si uno empieza con cualesquiera catorce líneas de inglés coherente y va cambiando eso letra por letra, reteniendo solo lo que todavía tiene sentido, con el tiempo termina teniendo uno de los sonetos de Shakespeare. [...] eso me parece una lógica de tipo lunático, y creo que deberíamos poder razonar mejor"[31].

[31] La verdad es como lo que declaró el profesor John Moore: "Después de examen y análisis riguroso, cualquier afirmación dogmática [...] de que las mutaciones genéticas son la materia prima para cualquier proceso evolutivo que implique selección natural es expresar un mito"[32].

30. ¿Qué comentario hizo un genetista acerca de las mutaciones?
31. ¿Cómo calificó un científico la creencia de que las mutaciones sean la materia prima para la evolución?

¿Cuál encaja con los hechos?

Después de leer los capítulos anteriores, es apropiado preguntar: ¿Cuál de los dos conceptos encaja bien con los hechos?, ¿el de evolución, o el de creación? Las columnas de abajo muestran el modelo de la evolución, el modelo de la creación y los hechos como se hallan en el mundo real.

Predicciones del modelo de la evolución	Predicciones del modelo de la creación	Los hechos como se hallan en el mundo real
La vida evolucionó desde lo inanimado por evolución química al azar (generación espontánea)	La vida viene solo de vida previa; originalmente creada por un Creador inteligente	1) La vida viene solo de vida anterior; 2) no hay modo de formar el complejo código genético al azar
Los fósiles deben mostrar 1) organismos simples que se originen gradualmente; 2) formas de transición que eslabonen con las anteriores	Los fósiles deben mostrar: 1) formas complejas que aparezcan de súbito en gran variedad; 2) lagunas que separen a grupos grandes de organismos; ausencia de formas eslabonadoras	Los fósiles muestran: 1) aparición súbita de vida compleja en gran variedad; 2) cada nueva clase de vida separada de los géneros previos; no hay formas eslabonadoras
Nuevos géneros de organismos vivos que surjan gradualmente; principios de huesos y órganos incompletos en varias etapas de transición	No aparecen gradualmente nuevos tipos o géneros de organismos; no hay huesos ni órganos incompletos, sino que todas las partes están completamente formadas	No aparecen gradualmente nuevos tipos de organismos, aunque hay muchas variedades; no hay huesos ni órganos incompletamente formados
Mutaciones: resultado final provechoso; generan nuevos rasgos	Las mutaciones son dañinas a la vida compleja; no resultan en nada nuevo	Las mutaciones pequeñas son dañinas; las grandes, mortíferas; nunca resultan en nada nuevo
Origen gradual de la civilización, surgiendo de comienzos toscos, como de brutos	La civilización y el hombre tienen existencia contemporánea; la civilización ha sido compleja desde el principio	La civilización aparece junto con el hombre; cualesquiera moradores de cavernas se hallaban en contemporaneidad con la civilización
El lenguaje evolucionó desde simples sonidos de animales hasta complejos idiomas modernos	El lenguaje y el hombre son de existencia contemporánea; los idiomas antiguos son complejos y completos	El lenguaje y el hombre son contemporáneos; a menudo los idiomas antiguos son más complejos que los modernos
La aparición del hombre hace millones de años	La aparición del hombre hace unos 6.000 años	Los registros escritos más antiguos son de solo unos 5.000 años atrás

...la conclusión lógica

Cuando comparamos lo que se ha hallado en el mundo real con lo que por la evolución se prediciría y con lo que por la creación se prediciría, ¿no se manifiesta claramente cuál modelo encaja con los hechos, y cuál está en conflicto con ellos? La prueba que sale del mundo de los organismos vivos que nos rodea, y del registro fósil de organismos que vivieron hace mucho tiempo, da testimonio a favor de la misma conclusión: La vida fue creada; no evolucionó.

No; la vida no comenzó en alguna desconocida "sopa" de tiempos primitivos. Los humanos no llegaron a existir mediante antecesores simiescos. En vez de eso, los organismos vivos fueron creados en abundancia como tipos familiares distintos unos de otros. Cada uno podía multiplicarse con gran variedad dentro de su propio tipo de organismo o "género", pero no podía cruzar el límite que separaba a los diferentes géneros. Ese límite, como se puede observar claramente en los organismos vivos, es mantenido en vigor por la esterilidad. Y la distinción entre los géneros está protegida por la singular maquinaria genética de cada uno.

Sin embargo, muchas otras cosas dan testimonio de la existencia de un Creador además de solo el que los hechos encajen con las predicciones del modelo de la creación. Considere los diseños y complejidades asombrosos que se hallan en la Tierra, sí, por todo el universo. Estos, también, dan testimonio de la existencia de una Inteligencia Suprema. Solo unas cuantas de estas maravillas, desde el universo imponente hasta los diseños intrincados en el mundo microscópico, serán ahora el foco de nuestra atención en los varios capítulos que siguen.

Capítulo 9

Nuestro imponente universo

DURANTE miles de años, la gente se ha maravillado ante el espectáculo de los cielos estrellados. En una noche clara, los hermosos astros cuelgan como joyas relucientes contra la oscuridad del espacio. Una noche de luna baña la Tierra de una belleza singular.

[2] Los que piensan acerca de lo que ven, suelen preguntarse: '¿Qué hay, precisamente, allá en el espacio? ¿Cómo está organizado? ¿Podemos llegar a saber cómo empezó todo ello?'. No hay duda de que la respuesta a estas preguntas ayudaría a determinar con mayor exactitud por qué llegaron a existir la Tierra y los humanos y otros organismos que habitan en ella, y lo que el futuro quizás encierre.

Lo que el hombre está aprendiendo ahora acerca del universo "lo ha dejado atónito"

[3] Hace muchos siglos se pensaba que el universo estaba compuesto de unos cuantos miles de estrellas que podían observarse a simple vista. Pero ahora, con poderosos instrumentos para explorar los cielos, los científicos saben que hay muchísimo más que eso. De hecho, lo que se ha observado es mucho más sorprendente de lo que cualquiera se había imaginado alguna vez. La mente humana no llega a comprender la inmen-

1, 2. a) ¿Cómo se pueden describir los cielos materiales? b) ¿Qué preguntas hacen las personas pensadoras, y qué se puede determinar con la ayuda de las respuestas a ellas?
3. ¿Cuál es uno de los resultados de que el conocimiento del universo haya aumentado?

115

Una galaxia espiral típica

sidad y complejidad de todo ello. Como lo señaló un comentario de la revista *National Geographic,* lo que el hombre está aprendiendo ahora acerca del universo "lo ha dejado atónito"[1].

Tamaño imponente

[4] En siglos recientes, astrónomos que examinaron los cielos con los primeros telescopios notaron ciertas formaciones borrosas, nebulosas. Supusieron que estas eran nubes cercanas compuestas de gases. Pero en los años veinte de nuestro siglo, a medida que se empezaron a usar telescopios más poderosos, se descubrió que estos "gases" eran algo mucho más inmenso y significativo: galaxias.

[5] Una galaxia es una gran agrupación de estrellas, gases y materia en otras formas que giran alrededor de un núcleo central. Se ha llamado a las galaxias universos islas, porque cada una de ellas es en sí misma como un universo. Por ejemplo, considere la galaxia en que vivimos, llamada la Vía Láctea. Nuestro sistema solar

4. ¿Qué descubrimiento se hizo en los años veinte de nuestro siglo?
5. a) ¿Qué es una galaxia? b) ¿En qué consiste nuestra galaxia, la Vía Láctea?

—es decir, el Sol y la Tierra y otros planetas con sus lunas— es parte de esta galaxia. Pero es solamente una parte pequeñísima, ¡pues nuestra galaxia, la Vía Láctea, contiene más de 100.000 millones de estrellas! Algunos científicos calculan que hay por lo menos de 200.000 millones a 400.000 millones. Y un editor de artículos científicos hasta declaró: "Pudiera haber hasta de cinco billones a diez billones de estrellas en la galaxia Vía Láctea"[2].

Nuestro sistema solar, en el cuadrado de arriba, es pequeñísimo en comparación con nuestra galaxia, la Vía Láctea

[6] El diámetro de nuestra galaxia se extiende por una distancia tan grande que si uno pudiera viajar a la velocidad de la luz (299.792 kilómetros [186.282 millas] *por segundo*) ¡le tomaría 100.000 *años* cruzarla! ¿Cuántos kilómetros representa eso? Pues bien, puesto que la luz viaja aproximadamente diez billones (10.000.000.000.000) de kilómetros (seis billones [6.000.000.000.000] de millas) en un año, si uno multiplica eso por 100.000 tiene la respuesta: nuestra galaxia, la Vía Láctea ¡tiene un diámetro de aproximadamente un trillón (1.000.000.000.000.000.000) de

Nuestra galaxia, la Vía Láctea, contiene más de 100.000 millones de estrellas

6. ¿Qué enorme distancia hay de un extremo a otro de nuestra galaxia?

kilómetros (600.000 billones de millas)! Se dice que la distancia media entre las estrellas dentro de la galaxia es de unos seis años de luz (o años luz), o aproximadamente sesenta billones de kilómetros (treinta y seis billones de millas).

[7] Para la mente humana es casi imposible comprender tal tamaño y distancia. Sin embargo, ¡nuestra galaxia es solo el *principio* de lo que se halla en el espacio sideral! Hay algo más sorprendente todavía. Es esto: Ahora se han detectado tantas galaxias que se dice que "son tan comunes como las hojas de hierba en una pradera"[3]. ¡En el universo observable hay aproximadamente diez mil millones de galaxias! Pero hay muchas más que se encuentran fuera del alcance de los telescopios de hoy. ¡Algunos astrónomos calculan que hay 100.000 millones de galaxias en el universo! ¡Y cada galaxia posiblemente contiene centenares de miles de millones de estrellas!

Cúmulos de galaxias

[8] Pero hay más. Estas imponentes galaxias no están esparcidas sin organización por el espacio. En vez de eso, por lo general están arregladas en grupos específicos llamados cúmulos, como uvas en un racimo. Miles de estos cúmulos galácticos ya han sido observados y fotografiados.

Las galaxias están arregladas en cúmulos, como uvas en un racimo

[9] Algunos cúmulos contienen relativamente pocas galaxias. Por ejemplo, nuestra galaxia, la Vía Láctea, es parte de un cúmulo de unas veinte galaxias. Dentro de este grupo local hay una galaxia "vecina" que puede verse sin telescopio en una noche clara. Es la galaxia de Andrómeda, que tiene una forma espiral similar a la de nuestra galaxia.

[10] Otros cúmulos galácticos están compuestos de mu-

---

7. ¿Qué cálculos se han hecho de la cantidad de galaxias que hay en el universo?
8. ¿De qué manera están arregladas las galaxias?
9. ¿En qué consiste nuestro cúmulo galáctico local?
10. a) ¿Cuántas galaxias pudiera haber en un cúmulo? b) ¿Qué distancias hay entre las galaxias, y entre cúmulos de galaxias?

Los planetas de nuestro sistema solar se mueven con gran precisión en órbitas alrededor del Sol

chas docenas de galaxias, quizás cientos o hasta miles. ¡Se dice que uno de estos cúmulos contiene unas 10.000 galaxias! La distancia entre las galaxias *dentro* de un cúmulo puede ser, como promedio, aproximadamente un millón de años luz. Sin embargo, la distancia desde un cúmulo galáctico hasta otro puede ser cien veces mayor. Y hasta hay indicio de que los cúmulos mismos están arreglados en "supercúmulos", como racimos de uvas en una vid. ¡Qué tamaño colosal y qué brillante organización!

Organización similar

[11] Enfocando nuestro sistema solar, hallamos otro arreglo excelentemente organizado. El Sol, que es una estrella de tamaño medio, es el "núcleo" alrededor del cual la Tierra y los demás planetas con sus lunas se

11. ¿Qué organización similar encontramos en nuestro sistema solar?

120

mueven en órbitas precisas. Año tras año, giran con precisión tan matemática que los astrónomos pueden predecir con exactitud dónde estarán en cualquier tiempo futuro.

[12] Al examinar cosas infinitesimalmente pequeñas —los átomos— vemos que existe la misma precisión. El átomo es una maravilla de orden; su orden se asemeja al del sistema solar. Incluye un núcleo que contiene partículas llamadas protones y neutrones, ro-

El orden que hay en un átomo se parece al del sistema solar

12. ¿Cómo están organizados los átomos?

Un reloj de precisión es producto de un diseñador inteligente. ¿No es la precisión del universo —una precisión mucho mayor— producto de un diseñador superior, inteligente?

deado por pequeñísimos electrones que se mueven en órbitas. Toda la materia está compuesta de estos "bloques de construcción". Lo que hace que una sustancia difiera de otra es la cantidad de protones y neutrones que hay en el núcleo y la cantidad y el arreglo de los electrones que dan vuelta alrededor de este. Esto tiene un orden delicadísimo, puesto que todos los elementos que componen la materia pueden ser puestos en una secuencia exacta por la cantidad de esos "bloques de construcción" presentes.

¿Qué hay detrás de tal organización?

[13] Como hemos señalado, el tamaño del universo es verdaderamente imponente. Lo mismo se puede decir de su maravilloso arreglo. Desde lo infinitamente grande hasta lo infinitesimalmente pequeño, desde los cúmulos galácticos hasta los átomos, el universo está caracterizado por excelentísima organización. La revista *Discover* declaró: "Percibimos el orden sorprendidos, y nuestros cosmólogos y físicos continúan hallando aspectos nuevos y sorprendentes del orden. [...] Solíamos decir que era un milagro, y todavía nos permitimos hacer referencia a todo el universo como una maravilla"[4]. Esta estructura ordenada está reconocida hasta en la palabra que comúnmente se usa en la astronomía para describir el universo... "cosmos". Un diccionario la define como "el Universo, el mundo considerado como un todo organizado y armonioso"[5].

Los científicos "continúan hallando aspectos nuevos y sorprendentes del orden"

---

13. ¿Qué característica se observa en todo el universo?

122

[14] John Glenn, ex astronauta, notó "el *orden* que existe en todo el universo que nos rodea", y que las galaxias estaban "todas viajando en órbitas prescritas en relación unas con las otras". Por tanto preguntó: "¿Pudiera todo esto simplemente haberse presentado porque sí? ¿Fue un accidente, que una acumulación de fruslerías y desechos de repente empezó a marchar en estas órbitas por propio impulso?". Llegó a esta conclusión: "No puedo creer eso. [...] Algún Poder puso todo esto en órbita y lo mantiene allí"[6].

[15] Sí; el universo está tan precisamente organizado que el hombre puede emplear los cuerpos celestes como la base para medir el tiempo. Pero cualquier reloj bien diseñado es obviamente producto de una mente ordenada que puede diseñar. Una mente ordenada que diseña puede residir únicamente en una persona inteligente, como posesión suya. Entonces, ¿qué hay del diseño y la confiabilidad mucho más complejos que existen por todo el universo? ¿No señalaría esto también a un diseñador, un hacedor, una mente... inteligencia? ¿Y tiene usted razón alguna para creer que la inteligencia pueda existir aparte de la personalidad?

La excelencia de organización exige la existencia de un organizador excelente

[16] Es ineludible: La excelencia de organización exige la existencia de un organizador excelente. En nuestra experiencia no hay nada que indique que lo que se caracteriza por la organización suceda al azar, por accidente. Más bien, toda nuestra experiencia en la vida muestra que todo lo que está organizado tiene que haber tenido un organizador. Toda máquina, ordenador o computadora, edificio, sí, hasta lápiz y papel, ha tenido hacedor, organizador. Lógicamente, la organización mucho más compleja e imponente que se observa en el universo tiene que haber tenido también organizador.

El universo "obedece ciertas leyes bien definidas"

La ley exige un legislador

[17] Además, todo el universo, desde los átomos hasta las galaxias, está regido por leyes físicas precisas. Por ejemplo, hay leyes para regir el calor, la luz, el sonido

14. ¿Qué comentario hizo un ex astronauta?
15. ¿Qué indican el diseño y la organización precisos del universo?
16. ¿A qué conclusión tenemos que llegar respecto al universo?
17. ¿De qué manera hay ley implicada en el universo?

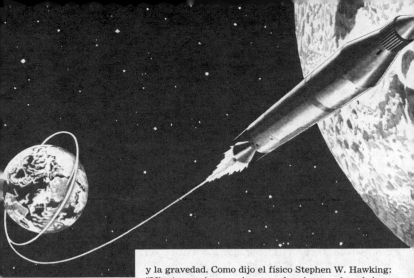

El vuelo de un cohete para entrar en órbita exige adherirse a leyes de movimiento y gravitación. Tales leyes exigen un legislador

y la gravedad. Como dijo el físico Stephen W. Hawking: "Mientras más examinamos el universo, descubrimos que de ninguna manera es arbitrario, sino que obedece ciertas leyes bien definidas que funcionan en diferentes campos. Parece muy razonable suponer que haya principios unificadores, de modo que todas las leyes sean parte de alguna ley mayor"[7].

[18] Wernher von Braun, perito en cohetes, fue más allá que eso cuando declaró: "Las leyes naturales del universo son tan precisas que no se nos hace difícil construir una nave espacial para volar a la Luna, y podemos medir el tiempo del vuelo con precisión de una fracción de segundo. Estas leyes tienen que haber sido establecidas por alguien"[8]. Los científicos que desean que un cohete gire en órbita alrededor de la Tierra, o de la Luna, tienen que trabajar en armonía con esas leyes universales para tener éxito.

[19] Cuando pensamos en leyes, reconocemos que estas han venido de una entidad legislativa. Un letrero del tráfico que diga "Alto" ciertamente ha procedido de alguna persona o grupo de personas que haya dado

18. ¿A qué conclusión llegó un perito en cohetes?
19. ¿Qué se exige para explicar la existencia de leyes?

origen a la ley. Entonces, ¿qué hay de las leyes abarcadoras que rigen el universo material? Ciertamente estas leyes de brillante concepción dan testimonio de la existencia de un legislador supremamente inteligente.

El Organizador y Legislador

[20] Después de comentar sobre todas las condiciones especiales de orden y ley que tan manifiestas son en el universo, la publicación de noticias de la ciencia *Science News* declaró: "La contemplación de estas cosas perturba a los cosmólogos, porque parece que tales condiciones particulares y precisas difícilmente pudieran haber surgido al azar. Una manera de tratar con esta cuestión es decir que todo fue ideado, y atribuirlo a la Divina Providencia"[9].

[21] Muchas personas, entre ellas muchos científicos, están renuentes a reconocer eso. Pero otras están dispuestas a reconocer aquello en que la prueba sigue insistiendo... inteligencia. Reconocen que el tamaño colosal, la precisión y la ley que existen por todo el universo jamás pudieran haber sucedido simplemente por accidente. Todas estas cosas tienen que ser producto de una mente superior.

[22] Esta es la conclusión que expresó un escritor de la Biblia que dijo lo siguiente acerca de los cielos físicos: "Levanten sus ojos a lo alto y vean. ¿Quién ha creado estas cosas? Es Aquel que está sacando el ejército de ellas aun por número, todas las cuales él llama aun por nombre". Ese "Aquel" está identificado como "el Creador de los cielos y el Magnífico que los extiende." (Isaías 40:26; 42:5.)

Fuente de energía

[23] Leyes universales rigen la materia existente. Pero ¿de dónde vino toda la materia? En *Cosmos,* Carl Sagan dice: "Al principio de este universo no había galaxias, estrellas ni planetas, ni vida ni civilizaciones". Se refiere al cambio desde esa condición hasta el universo presente como "la más imponente transformación

Las leyes del tráfico tuvieron que proceder de mentes pensadoras

"Parece que tales condiciones particulares y precisas difícilmente pudieran haber surgido al azar"

---

20. ¿Qué declaración hizo una publicación que da noticias de la ciencia, *Science News?*
21. ¿A qué conclusión están dispuestas a llegar algunas personas?
22. ¿Cómo identificó un escritor bíblico al Originador del universo?
23, 24. ¿Cómo puede producirse la materia?

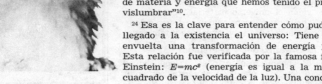

de materia y energía que hemos tenido el privilegio de vislumbrar"[10].

²⁴ Esa es la clave para entender cómo pudiera haber llegado a la existencia el universo: Tiene que haber envuelta una transformación de energía y materia. Esta relación fue verificada por la famosa fórmula de Einstein: $E=mc^2$ (energía es igual a la masa por el cuadrado de la velocidad de la luz). Una conclusión que se deriva de esta fórmula es que la materia puede ser producida de energía, tal como de la materia se puede producir tremenda energía. La bomba atómica probó esto último. Así, el astrofísico Josip Kleczek declaró: "La mayoría de las partículas elementales, y posiblemente todas, pueden haber sido creadas por conversión de energía en materia"[11].

La bomba atómica demostró que hay relación entre la materia y la energía

²⁵ Así, pues, hay indicación científica de que una fuente de energía ilimitada tendría lo primordialmente necesario para crear la sustancia del universo. El escritor bíblico de quien ya se ha citado señaló que esta fuente de energía es una personalidad viva e inteligente, al decir: "Debido a la *abundancia de energía dinámica,* él también siendo *vigoroso en poder,* ninguna de ellas [las estrellas o cuerpos celestes] falta". Desde el punto de vista bíblico, pues, esta fuente de energía sin límite estuvo detrás de lo que Génesis 1:1 describe: "En el principio creó Dios los cielos y la tierra".

El principio no fue caótico

²⁶ Hoy los científicos en general reconocen que el universo sí tuvo principio. Una teoría prominente con la cual se intenta describir este principio se conoce como la de la Gran Explosión. "Casi todas las consideraciones recientes del origen del universo se basan en la teoría de la Gran Explosión", señala Francis Crick[12]. Jastrow se refiere a esta "explosión" cósmica como "literalmente, el momento de la creación"[13]. Pero, como confesó el astrofísico John Gribbin en la publicación *New Scientist,* aunque los científicos "afirman, en su mayoría, que pueden describir con lujo de detalle" lo que sucedió después de este "momento", lo que llevó a

¿Resulta en edificios mejor organizados la explosión de unas bombas?

25. ¿Cuál es la fuente del asombroso poder que se necesitó para crear el universo?
26. Hoy día, ¿qué reconocen por lo general los científicos?

126

la producción del "instante de la creación sigue siendo un misterio". Y, reflexionó: "Después de todo, quizás Dios sí lo hizo"[14].

[27] Sin embargo, la mayoría de los científicos no están dispuestos a atribuir este "instante" a Dios. Por eso, por lo general se dice que la explosión fue caótica, como la explosión de una bomba nuclear. Pero ¿resulta en mejor organización una explosión de ese tipo? Las bombas que caen sobre las ciudades en tiempos de guerra, ¿producen acaso edificios excelentemente diseñados, calles y letreros con leyes del tráfico? Al contrario, explosiones de esa clase causan ruina, desorden, caos, desintegración. Y cuando la bomba que estalla es nuclear, la desorganización es total, como se experimentó en las ciudades japonesas de Hiroshima y Nagasaki en 1945.

[28] No; una simple "explosión" no pudiera haber creado nuestro imponente universo con su maravilloso orden, diseño y ley. Solo un poderoso organizador y legislador pudiera haber dirigido las poderosas fuerzas en función de modo que resultaran en excelente organización y ley. Por eso, la prueba científica y la razón suministran sólido apoyo para la declaración bíblica: "Los cielos están declarando la gloria de Dios; y de la obra de sus manos la expansión está informando". (Salmo 19:1.)

[29] De este modo, la Biblia se encara a preguntas y cuestiones que la teoría evolucionista no ha afrontado con claridad. En vez de dejarnos en la oscuridad en cuanto a qué se halla tras el origen de todas las cosas, la Biblia nos dice la respuesta de manera sencilla y entendible. Confirma las observaciones de la ciencia, así como las nuestras, en el sentido de que nada viene a la existencia por sí mismo. Aunque personalmente no estuvimos presentes cuando el universo fue construido, es patente que tuvo que haber tenido un Edificador Magistral, como se razona en la Biblia: "Toda casa es construida por alguien, mas el que construyó todas las cosas es Dios". (Hebreos 3:4.)

"Toda casa es construida por alguien, mas el que construyó todas las cosas es Dios." (Hebreos 3:4.)

27. ¿Por qué es demasiado limitada la teoría de la Gran Explosión?
28. ¿A qué conclusión hay que llegar en cuanto a las fuerzas poderosas que trabajaron en la creación del universo?
29. ¿Qué queda confirmado por las observaciones de la ciencia, así como las nuestras?

Capítulo 10

Prueba procedente
de un planeta singular

CIERTAMENTE nuestro planeta, la Tierra, es una maravilla... una rara, hermosa joya en el espacio. Los astronautas han informado que, vistos desde el espacio, los cielos azules y las blancas nubes de la Tierra "hacían de ella, por mucho, el objeto más invitador que podían ver"[1].

[2] Sin embargo, este planeta es mucho más que solo hermoso. "El mayor de todos los rompecabezas cosmológicos científicos, uno que confunde todos nuestros esfuerzos por comprenderlo, es la Tierra", escribió Lewis Thomas en la revista *Discover*. Añadió: "Es solo ahora cuando estamos empezando a comprender cuán extraña y espléndida es... cuán imponente es, el objeto más hermoso que flota alrededor del Sol, con la envoltura de su propia burbuja azul de atmósfera, fabricando y respirando su propio oxígeno, fijando su propio nitrógeno desde el aire a su propio suelo, generando sus propias condiciones del tiempo"[2].

"La Tierra es la maravilla del universo, una esfera singular"

[3] Interesante también es este hecho: De entre todos los planetas de nuestro sistema solar, solo en la Tierra han hallado vida los científicos. ¡Y qué maravillosas, abundantes variedades de organismos vivos hay!... organismos microscópicos, insectos, plantas, peces, aves, animales y humanos. Además, la Tierra es un vasto almacén de riquezas que contiene todo lo que se necesita para sustentar toda esa vida. En realidad, como lo expresó el

---

1, 2. ¿Qué dicen ciertos observadores acerca de nuestro planeta, la Tierra?
3. ¿Qué dice el libro *The Earth* (La Tierra) acerca de nuestro planeta, y por qué?

129

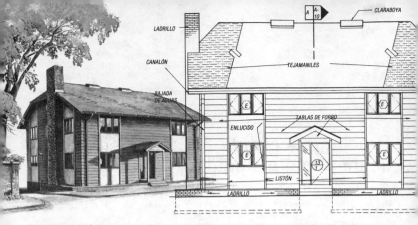

LADRILLO
CANALÓN
BAJADA
DE AGUAS
ENLUCIDO
LISTÓN
LADRILLO
CLARABOYA
TEJAMANILES
TABLAS DE FORRO
LADRILLO

Puesto que toda casa tiene que tener diseñador y constructor, ¿qué hay de nuestra Tierra, que es mucho más compleja y está mejor equipada?

libro *The Earth* (La Tierra): "La Tierra es la maravilla del universo, una esfera singular"[3].

[4] Como ilustración de lo singular que es la Tierra, imagínese que usted estuviera caminando por un desierto estéril, desprovisto de vida. De repente se ve ante una hermosa casa. La casa tiene aire acondicionado, calefacción, sistema de cañerías y electricidad. Su refrigerador y las alacenas tienen alimento en abundancia. En el sótano hay combustible y otras cosas útiles. Pues bien, si usted preguntara a alguien de dónde había venido todo esto, en un desierto tan estéril, ¿qué pensaría si esa persona respondiera: "Sencillamente apareció ahí al azar"? ¿Creería usted eso? ¿No daría usted por sentado, más bien, que aquella casa tendría que haber tenido diseñador y constructor?

[5] Todos los demás planetas que los científicos han investigado están inhabitados. Pero la Tierra rebosa de vida, sustentada por sistemas extremadamente complejos que suministran luz, aire, calor, agua y alimento, todo en delicado equilibrio. Da indicación de haber sido construida especialmente para dar alojamiento cómodo a los organismos vivos... como una casa magnífica. Y, lógicamente, como afirma uno de los escritores de la Biblia: "Toda casa es construida por alguien, mas el que construyó todas las cosas es Dios". Sí, esa "casa" infini-

4. ¿Qué ilustración puede emplearse para mostrar lo singular que es la Tierra, y a qué conclusión tenemos que llegar?
5. ¿Qué ilustración bíblica es apropiada respecto a nuestro planeta la Tierra?

tamente mayor y más sorprendente —nuestro planeta, la Tierra,— exige la existencia de un diseñador y constructor sobresalientemente inteligente, Dios. (Hebreos 3:4.)

[6] Cuanto más examinan los científicos el planeta Tierra y la vida que lo habita, más se dan cuenta de que la Tierra en realidad está excelentemente diseñada. La revista *Scientific American* expresa así su maravilla: "Cuando miramos al universo e identificamos los muchos accidentes de física y astronomía que han colaborado para beneficio nuestro, casi parece que en algún sentido el universo tenía que haber sabido que nos presentaríamos aquí"[4]. Y otra revista, *Science News,* admitió: "Parece difícil concebir que condiciones tan particulares y precisas pudieran haber surgido al azar"[5].

La velocidad orbital de la Tierra la mantiene a precisamente la distancia apropiada del Sol

A la distancia apropiada del Sol

[7] Entre las muchas condiciones precisas que son vitales para la vida en la Tierra está la de la cantidad de luz y calor que se recibe del Sol. La Tierra recibe solamente una fracción pequeñísima de la energía del Sol. Sin embargo, es precisamente la cantidad apropiada que se requiere para sustentar la vida. Esto se debe a que la Tierra se halla a precisamente la distancia apropiada del Sol... una distancia media de 149.600.000 kilómetros (93.000.000 de millas). Si la Tierra se hallara mucho más

6. ¿Cómo han reconocido algunos que el planeta Tierra sí da indicación de diseño inteligente?
7. ¿Cómo sucede que la Tierra recibe del Sol precisamente la cantidad apropiada de energía en forma de luz y calor?

Verano

Otoño

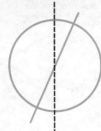

La inclinación
de la Tierra permite
deleitables cambios
estacionales

Inclinación
de 23° 27'

cerca o mucho más lejos del Sol, las temperaturas serían demasiado calientes o demasiado frías para la vida.

[8] A medida que describe una órbita alrededor del Sol una vez al año, la Tierra viaja a una velocidad de aproximadamente 107.200 kilómetros (66.600 millas) por hora. Esa velocidad es precisamente la apropiada para contrarrestar la atracción gravitatoria del Sol y mantener a la Tierra a la distancia debida. Si se disminuyera esa velocidad, la Tierra sería atraída hacia el Sol. Con el tiempo, la Tierra pudiera llegar a ser un lugar chamuscado y desierto como Mercurio, el planeta más cercano al Sol. La temperatura diurna de Mercurio es de más de 300 grados centígrado o Celsius (más de 600 grados Fahrenheit). Sin embargo, si la velocidad orbital de la Tierra fuera aumentada, la Tierra se alejaría más del Sol, y pudiera llegar a ser un lugar vacío y helado como Plutón, el planeta cuya órbita alcanza la distancia más retirada del Sol. La temperatura de Plutón es de unos 150 grados bajo cero Celsius (300 grados bajo cero Fahrenheit).

[9] Además, con firme regularidad la Tierra da una vuelta completa sobre su eje cada 24 horas. Esto suministra

8. ¿Por qué es tan vital la velocidad orbital de la Tierra alrededor del Sol?
9. ¿Por qué es importante que la Tierra gire sobre su eje con cierta frecuencia específica?

Invierno

Primavera

períodos regulares de luz y oscuridad. Pero ¿qué pasaría si la Tierra girara sobre su eje, digamos, solamente una vez al año? Eso significaría que el mismo lado de la Tierra estaría cara al Sol durante todo el año. Ese lado probablemente se convertiría en un desierto caliente como un horno, mientras que el lado que estuviera alejado del Sol podría llegar a ser un yermo a temperaturas bajísimas. En medio de esas circunstancias serían pocos los organismos vivos que pudieran existir, o no existiría ninguno.

¹⁰ A medida que la Tierra gira sobre su eje, mantiene una inclinación de aproximadamente veintitrés grados y medio (más exactamente: 23 grados y 27 minutos) con relación al Sol. Si la Tierra no estuviera inclinada, no habría cambio de estaciones. El clima sería el mismo constantemente. Aunque esto no haría imposible la vida, la haría menos interesante, y cambiaría drásticamente los ciclos actuales de las cosechas en muchos lugares. Si la Tierra estuviera inclinada mucho más, habría veranos extremadamente calientes e inviernos extremadamente fríos. Pero la inclinación precisa de 23° 27' permite el deleitoso cambio de estaciones con su interesante variedad. En muchas partes de la Tierra hay refrescantes

10. ¿Cómo son afectados el clima y las cosechas por la inclinación de la Tierra?

133

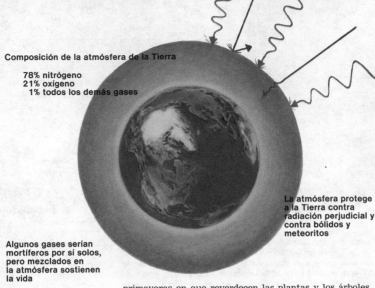

Composición de la atmósfera de la Tierra

78% nitrógeno
21% oxígeno
 1% todos los demás gases

La atmósfera protege a la Tierra contra radiación perjudicial y contra bólidos y meteoritos

Algunos gases serían mortíferos por sí solos, pero mezclados en la atmósfera sostienen la vida

primaveras en que reverdecen las plantas y los árboles y florecen en hermosura los capullos; veranos cálidos que permiten toda clase de actividad al aire libre; otoños vigorizantes caracterizados por magníficos despliegues de hojas que cambian de color; e inviernos en que se presentan ante la vista bellas escenas de montes y bosques y campos revestidos de la albura de la nieve.

Nuestra sorprendente atmósfera

[11] También singular —de hecho, sorprendente— es la atmósfera que rodea a nuestra Tierra. Ningún otro planeta de nuestro sistema solar tiene una semejante. Ni nuestra Luna. Por eso los astronautas necesitaron trajes espaciales para sobrevivir allí. Pero en la Tierra no se necesitan trajes espaciales, porque nuestra atmósfera contiene precisamente las proporciones apropiadas de los gases que son absolutamente esenciales para la vida. Algunos de esos gases, por sí solos, son mortíferos. Pero porque el aire contiene proporciones seguras de estos gases, podemos respirarlos sin perjudicarnos.

11. ¿Qué hace que la atmósfera de la Tierra sea tan singular?

[12] Uno de esos gases es el oxígeno, que compone el 21% del aire que respiramos. Sin este, los humanos y los animales morirían en unos minutos. Pero demasiado oxígeno pondría en peligro nuestra existencia. ¿Por qué? El oxígeno puro se hace tóxico si se respira por demasiado tiempo. Además, mientras más oxígeno hay, más fácilmente arden las cosas. Si hubiera demasiado oxígeno en la atmósfera, los materiales combustibles se harían altamente inflamables. Fácilmente pudieran surgir fuegos, y sería difícil controlarlos. Hay despliegue de sabiduría en el hecho de que el oxígeno esté diluido con otros gases, especialmente el nitrógeno, que compone el 78% de la atmósfera. Pero el nitrógeno es mucho más que solo un diluyente. Por toda la Tierra, durante las tronadas, hay millones de descargas eléctricas cada día. Estos rayos hacen que parte del nitrógeno se combine con el oxígeno. La lluvia lleva al terreno estos compuestos que se han producido, y las plantas los utilizan como fertilizantes.

Sin oxígeno, los humanos y los animales morirían en unos minutos

[13] El dióxido de carbono compone menos del uno por ciento de la atmósfera. ¿Para qué sirve tan pequeña cantidad? Sin él, la vida vegetal moriría. Esa pequeña cantidad es lo que las plantas necesitan tomar del aire, en un proceso en que liberan oxígeno a la atmósfera. Los humanos y los animales toman el oxígeno del aire y exhalan dióxido de carbono. Si el porcentaje de dióxido de carbono aumentara en la atmósfera, eso tendería a ser perjudicial para los humanos y los animales. Un porcentaje menor no podría sustentar la vida vegetal. ¡Qué maravilloso y preciso ciclo que a sí mismo se sostiene ha sido arreglado para la vida vegetal y la animal y la humana!

[14] La atmósfera no solo sostiene la vida. También sirve de envoltura protectora. A la altura de unos 24 kilómetros (15 millas) sobre el suelo, una delgada capa del gas ozono filtra la luz solar y elimina radiación dañina. Sin esta capa de ozono, tal radiación pudiera destruir la vida que hay en la Tierra. Además, la atmósfera protege al planeta del bombardeo de bólidos y meteoritos. La mayoría de estos nunca llegan al suelo, sino que se queman

12. a) ¿Cómo se evidencia que tenemos precisamente la cantidad apropiada de oxígeno? b) ¿Qué función vital desempeña el nitrógeno?
13. ¿Qué papel desempeña en el ciclo de la vida la cantidad correcta de dióxido de carbono?
14, 15. ¿Cómo sirve de envoltura protectora la atmósfera?

Un cielo nocturno puede desplegar una belleza singularmente suya

al descender a través de la atmósfera, y nosotros los vemos como "estrellas fugaces". Si esto no sucediera, millones de bólidos y meteoritos darían contra la Tierra por todas partes, y el resultado sería daño extenso a la vida y la propiedad.

15 Además de ser una envoltura protectora, la atmósfera impide que el calor de la Tierra se pierda en el frío del espacio. Y la fuerza de gravedad de la Tierra impide que la atmósfera misma escape. Esa fuerza de gravedad es precisamente tan fuerte como para lograr eso, pero no tan fuerte como para impedir nuestra libertad de movimiento.

16 La atmósfera no solo es vital para la vida; además, uno de los espectáculos más hermosos es la constante transformación que se observa en el cielo. Sencillamente expresado, su alcance y grandeza va mucho más allá de lo imaginable. La Tierra queda envuelta en los panoramas siempre majestuosos y siempre llenos de color del cielo. En el oriente un resplandor dorado anuncia el amanecer, mientras que el cielo occidental se despide del día con gloriosos despliegues de rosa, anaranjado, rojo y púrpura. Blancas nubes flotantes parecidas a algodón proclaman un magnífico día de primavera o de verano. Un manto otoñal de nubes que parecen lana de cordero dice que el invierno se acerca. De noche, el cielo luce

16. ¿Qué se puede decir acerca de la belleza del cielo?

magnificencia al tachonarse de esplendorosas estrellas, y una noche de luna despliega una belleza singularmente suya.

[17] ¡Qué sorprendente provisión es la atmósfera de nuestra Tierra, en todo sentido! Como lo declaró un escritor en una publicación médica de Nueva Inglaterra, *The New England Journal of Medicine:* "Tomado en todo su conjunto, el cielo es un logro milagroso. Funciona, y para lo que está diseñado es tan infalible como cualquier otra cosa de la naturaleza. Dudo que cualquiera de nosotros pudiera pensar en alguna manera de mejorarlo, más allá de quizás pasar una nube local de un sitio a otro en alguna ocasión"[6]. Este comentario nos recuerda lo que milenios atrás reconoció un hombre cuando se vio ante cosas tan notables... que son "las maravillosas obras de Aquel que es perfecto en conocimiento". Por supuesto, aquel hombre se refería al "Creador de los cielos y el Magnífico que los extiende". (Job 37:16; Isaías 42:5.)

"El cielo es un logro milagroso"

El agua... sustancia extraordinaria

[18] La Tierra contiene vastas cantidades de agua con propiedades esenciales para la vida. El agua sobrepasa a cualquier otra sustancia en abundancia. Entre sus muchas cualidades ventajosas está la de presentarse como gas (vapor de agua), como líquido (agua) y como sólido (hielo)... todo dentro de la variedad de temperaturas que conocemos en la Tierra. Además, las miles de sustancias que son materia prima necesitada por los humanos, los animales y las plantas tienen que ser transportadas en un fluido, como la sangre o la savia. El agua ciertamente es ideal para esto, porque ningún otro líquido disuelve más sustancias. Sin agua, la nutrición no podría continuar, puesto que los organismos vivos dependen del agua como disolvente para las sustancias de que se alimentan.

Sin agua, ni animales ni plantas pudieran conseguir los nutrimentos que necesitan

[19] El agua también es extraordinaria por la manera como se congela. A medida que el agua de los lagos y de los mares se enfría, se hace más pesada, y se hunde. Esto hace que el agua más liviana y más caliente suba

17. ¿Qué comentario hizo acerca del cielo cierto escritor, y a quién pertenece la honra con relación al cielo?
18. ¿Cuáles son algunas de las cualidades del agua que la hacen extraordinaria?
19. ¿Qué característica poco usual tiene el agua cuando se está congelando, y por qué es tan importante eso?

El agua se hunde mientras se enfría, pero sube precisamente antes de congelarse. Esto impide que la Tierra llegue a ser un planeta helado

a la superficie. Sin embargo, a medida que el agua se acerca al punto de congelación, ¡el proceso se invierte! Ahora el agua más fría se hace más liviana, y sube. Cuando se convierte en hielo por congelación, flota. El hielo obra como aislador e impide que las aguas más profundas que están debajo se congelen, y así protege la vida marina. Si no fuera por esta cualidad singular, cada invierno sería mayor la cantidad de hielo que se hundiría al fondo, donde los rayos del Sol no podrían derretirlo el verano siguiente. Pronto, gran parte del agua de los ríos, de los lagos y hasta de los océanos se convertiría en hielo que no se derretiría. La Tierra llegaría a ser un planeta congelado en el cual la vida no podría existir.

[20] También es extraordinaria la manera como regiones que están lejos de ríos, lagos y mares consiguen el agua que sostiene la vida. Cada segundo, el calor del Sol cambia miles de millones de litros de agua en vapor. Este vapor, más liviano que el aire, flota y sube, y forma nubes en el cielo. Las corrientes de viento y aire mueven estas nubes, y, cuando las condiciones apropiadas se presentan, la humedad se precipita como lluvia. Pero las gotas de la lluvia tienden a crecer solo hasta cierto tamaño. ¿Qué sucedería si esto no fuera así, y las gotas de lluvia se hicieran gigantescas? ¡Eso sería desastroso! En vez de eso, por lo general la lluvia baja en el tamaño apropiado, y con delicadeza, de modo que rara vez causa daño siquiera a una brizna de hierba o a la más delicada flor. ¡Qué magistral y considerado diseño se evidencia en el agua! (Salmo 104:1, 10-14; Eclesiastés 1:7.)

"La tierra productiva"

[21] Uno de los escritores de la Biblia describe a Dios

---

20. ¿Cómo se forma la lluvia, y por qué manifiesta diseño con consideración el tamaño de las gotas de lluvia?
21, 22. ¿Qué sabiduría se ve en la composición de "la tierra productiva"?

138

como "Aquel que firmemente estableció la tierra productiva por su sabiduría" (Jeremías 10:12). Y esta "tierra productiva" —el suelo del planeta Tierra— es impresionante. En su composición se manifiesta sabiduría. El suelo tiene cualidades esenciales para el crecimiento de las plantas. Las plantas combinan los nutrimentos y el agua del suelo con el dióxido de carbono del aire en la presencia de la luz, para producir alimento. (Compárese con Ezequiel 34:26, 27.)

La luz del Sol, el dióxido de carbono del aire, y el agua y sustancias químicas del suelo se combinan milagrosamente para producir alimento

²² El suelo contiene elementos químicos que se necesitan para sustentar la vida humana y la vida animal. Pero primero la vegetación tiene que convertir esos elementos en formas que puedan ser asimiladas por el cuerpo. En esto cooperan organismos pequeñísimos. ¡Y en solo una cucharada de tierra puede haber muchos millones de estos! La variedad de diseño que manifiestan es tremenda, y cada uno de ellos tiene como función transformar hojas muertas y hierba y otra materia de desecho en una forma que pueda ser usada de nuevo, o aflojar el terreno para que el aire y el agua puedan entrar en él. Ciertas bacterias convierten el nitrógeno en compuestos que las plantas necesitan para crecer. El mantillo o suelo fértil mejora a medida que gusanos e insectos hacen hoyos en él y continuamente hacen subir a la superficie partículas del subsuelo.

²³ Es cierto que debido al mal uso y a otros factores algún suelo recibe daño. Pero este daño no tiene que ser permanente. La Tierra tiene en sí sorprendentes poderes de regeneración. Esto se puede notar en lugares donde

23. ¿Qué poderes de regeneración tiene el suelo?

139

La Tierra tiene asombrosos poderes de regeneración. En poco tiempo surge de nuevo la vegetación

fuegos o erupciones volcánicas han devastado el terreno. Con el tiempo, la vegetación vuelve a florecer en estas áreas. Y cuando se controla la contaminación, el terreno se regenera, hasta terreno que hubiera sido convertido en un desierto estéril. Lo más importante de todo es que, para tratar con el problema fundamental detrás del mal uso del suelo, el Creador de la Tierra se ha propuesto "causar la ruina de los que están arruinando la tierra" y conservar el planeta como el hogar eterno que él preparó originalmente para la humanidad. (Revelación 11:18; Isaías 45:18.)

No solo el azar

24 Al reflexionar usted sobre lo anterior, considere

24. ¿Qué preguntas podemos hacer acerca del azar sin dirección?

140

estas cosas: ¿Fue el azar sin dirección lo que colocó a la Tierra a precisamente la distancia apropiada del Sol, su fuente de energía en la forma de luz y calor? ¿Fue puro azar lo que hizo que la Tierra se moviera alrededor del Sol precisamente a la velocidad correcta, que girara sobre su propio eje cada 24 horas, y que tuviera precisamente el ángulo correcto de inclinación? ¿Fue el azar lo que suministró a la Tierra una atmósfera protectora y sustentadora de la vida que tuviera precisamente la mezcla apropiada de gases? ¿Fue el azar lo que dio a la Tierra el agua y el suelo que se necesitan para cultivar los alimentos? ¿Fue el azar lo que suministró tantos frutos, vegetales y otros alimentos deliciosos y de variados colores? ¿Fue el azar lo que hizo que existiera tanta belleza en el cielo, en las montañas, en los ríos y lagos, en las flores, las plantas y los árboles, y en tantos otros deleitables organismos vivos?

¿Fue el azar sin dirección lo que suministró tantas cosas deleitables para disfrute nuestro?

[25] Muchas personas han llegado a la conclusión de que difícilmente pudiera ser que todo esto se debiera al azar sin dirección. En vez de eso, en todas partes ellas disciernen el sello inequívoco del diseño racional, inteligente, deliberado. Al reconocer eso, piensan que es solo correcto que los que se benefician 'teman a Dios y le den gloria' porque él es 'Aquel que hizo el cielo y la tierra y el mar y las fuentes de las aguas'. (Revelación 14:7.)

La Tierra lleva el sello inconfundible del diseño deliberado

25. ¿A qué conclusión han llegado muchas personas acerca de nuestro planeta singular?

Capitulo 11

El asombroso diseño
de los organismos vivos

CUANDO los antropólogos excavan en la tierra y hallan un pedazo triangular de pedernal afilado, llegan a la conclusión de que este tuvo que haber sido diseñado por alguien para que sirviera de punta de una flecha. Los científicos concuerdan en que tales cosas diseñadas con un propósito no pudieran ser producto del azar.

Se necesitó un diseñador

[2] Sin embargo, cuando se trata de organismos vivos, suele abandonarse tal lógica. No se considera necesario un diseñador. Pero en los más sencillos organismos unicelulares, o en solo el ADN (ácido desoxirribonucleico) de su código genético, hay mucha más complejidad que en un pedazo de pedernal que haya recibido forma. No obstante, los evolucionistas insisten en que estos organismos no tuvieron diseñador, sino que fueron formados por una serie de sucesos fortuitos.

¿No se necesitó un diseñador?

[3] Sin embargo, Darwin reconoció que se necesitaba alguna fuerza diseñadora, y dio ese trabajo a la selección natural. "La selección natural —dijo— está examinando diariamente, y a cada hora, por todo el mundo, las variaciones más ligeras; rechazando las que son malas, conservando y añadiendo todas las que son buenas"[1]. Sin embargo, ese punto de vista está perdiendo favor actualmente.

[4] Stephen Gould informa que muchos evolucionistas contemporáneos dicen ahora que cambios de importancia "quizás no estén sujetos a la selección natural, y posiblemente se esparzan por las poblaciones al azar"[2]. Gor-

---

1, 2. a) ¿Qué muestra que los científicos reconocen lo necesario de que haya diseñador? b) Sin embargo, ¿cómo se contradicen entonces?
3. ¿Qué reconoció Darwin como cosa necesaria, y cómo trató de suplir lo que se necesitaba?
4. ¿Qué cambios están efectuándose en los puntos de vista acerca de la selección natural?

don Taylor concuerda: "La selección natural explica una parte pequeña de lo que ocurre: la mayor parte sigue sin explicación"[3]. El geólogo David Raup dice: "Una importante alternativa que actualmente se presenta a la selección natural tiene que ver con los efectos del puro azar"[4]. Pero ¿es diseñador el "puro azar"? ¿Puede producir las complejidades que componen la vida?

[5] El evolucionista Richard Lewontin admitió que los organismos "parecen haber sido diseñados cuidadosa e ingeniosamente", de modo que algunos científicos los veían como "la prueba principal de la existencia de un Diseñador Supremo"[5]. Será útil considerar parte de esta prueba.

Cosas pequeñas

[6] Comencemos con los organismos más pequeños: los de una sola célula, o unicelulares. Cierto biólogo declaró que los animales unicelulares pueden "obtener el alimento, digerirlo, librarse de desechos, moverse en su ambiente, edificar viviendas, participar en actividad sexual" y "sin tejidos, ni órganos, ni corazones, ni mente... realmente tienen todo lo que nosotros tenemos"[6].

[7] Las diatomeas, organismos unicelulares, toman el silicio y el oxígeno del agua de mar y componen vidrio o cristal, con lo cual construyen diminutos "estuches" que contengan su verde clorofila. Un científico las alaba por su importancia y por su belleza: "Estas hojas verdes encerradas en joyeros son pastos para nueve décimas partes del alimento de todo lo que vive en los mares". Una gran parte de su valor como alimento se halla en el aceite que las diatomeas elaboran, que también las ayuda a flotar cerca de la superficie, donde su clorofila puede bañarse en la luz solar.

Diatomeas

[8] Sus bellas envolturas silíceas semejantes a cajitas de cristal, nos dice este mismo científico, tienen una "sorprendente variedad de formas —círculos, cuadrados, escudos, triángulos, óvalos, rectángulos—, siempre delicadamente ornamentadas con grabados geométricos. Están afiligranadas en cristal puro con pericia tan excelente que un cabello humano tendría que ser cortado a lo

Diseños en los esqueletos silíceos de plantas microscópicas

5. ¿Qué reconocimiento da un evolucionista al diseño, y al originador de este?
6. ¿Son realmente sencillos los organismos de una sola célula?
7. ¿Cómo, y con qué propósito, hacen vidrio o cristal las diatomeas, y de cuánta importancia son estos organismos a la vida en los mares?
8. ¿Con qué formas complejas se cubren a sí mismas las diatomeas?

largo en cuatrocientas hebras para caber entre las marcas"[7].

[9] Un grupo de animales oceánicos, llamados radiolarios, elaboran vidrio o cristal, y con él construyen "estructuras silíceas parecidas a broches en figura de Sol, con largas agujas o espículas finas y transparentes que salen como rayos de luz desde una esfera central de sílice". O "hacen hexágonos mediante puntales de sílice y los emplean para construir domos geodésicos [cúpulas hechas de elementos livianos y rectos en tensión] sencillos". De cierto constructor microscópico se dice: "Este superarquitecto no está satisfecho con un solo domo geodésico; tiene que hacer tres domos de sílice que dan la apariencia de encaje, uno dentro de otro"[8]. Las palabras no bastan para describir estas maravillas de diseño... se necesitan ilustraciones visuales.

[10] Las esponjas están compuestas de millones de células, pero solo unas cuantas clases diferentes. Un libro de texto universitario da esta explicación: "Las células no están organizadas en tejidos ni órganos, pero entre las células hay cierta forma de reconocimiento que las mantiene juntas y las organiza"[9]. Si se pasa una esponja por presión a través de una tela o cedazo y de ese modo se hace que se separe en sus millones de células, esas células se juntan de nuevo y reconstruyen la esponja. Las esponjas construyen esqueletos silíceos increíblemente hermosos. Uno de los más asombrosos es el de la regadera de Filipinas.

[11] De este un científico dice: "Cuando uno observa un esqueleto complejo de esponja como el de espículas de sílice conocido como [regadera de Filipinas], queda atónito. ¿Cómo pudieran colaborar unas células microscópicas casi independientes para secretar un millón de astillas vidriosas y construir una celosía tan intrincada y hermosa? No lo sabemos"[10]. Pero hay una cosa que sí sabemos: No es probable que el azar haya sido el diseñador.

Radiolarios: diseños en esqueletos silíceos de animales microscópicos

Regadera de Filipinas

Asociaciones provechosas

[12] Existen muchos casos en que parece que dos orga-

9. ¿Cuánta complejidad hay en algunas de las viviendas que construyen los radiolarios?
10, 11. a) ¿Qué son las esponjas, y qué hacen las células como organismos individuales cuando se desbarata por completo una esponja? b) ¿Para qué pregunta acerca de los esqueletos de las esponjas no tienen respuesta los evolucionistas, pero qué sabemos nosotros?
12. ¿Qué es simbiosis, y qué ejemplos hay de esto?

nismos han sido *diseñados* para vivir juntos. Tales aso-
ciaciones son ejemplos de simbiosis (vivir juntos). Ciertos higos y ciertas avispas se necesitan mutuamente
para la reproducción. Los termes o comejenes se alimentan de madera, pero para digerirla necesitan los protozoos que habitan en su cuerpo. De manera similar, ni el
ganado vacuno, ni las cabras ni los camellos podrían
digerir la celulosa de la hierba sin la ayuda de las
bacterias y los protozoos que viven dentro de ellos. Un
informe dice: "La parte del estómago de una vaca donde
se efectúa esa digestión tiene un volumen de aproximadamente 100 cuartos de galón [95 litros]... y contiene
10.000 millones de microorganismos en cada gota"[11]. Las
algas y los hongos se combinan en un equipo y llegan a
ser líquenes. Solo entonces pueden crecer sobre la roca
pelada y empezar a convertir la roca en suelo.

[13] Ciertas hormigas dotadas de aguijones viven en las
espinas huecas de árboles de acacia. Estas hormigas
mantienen fuera del árbol a los insectos que se comerían
las hojas, y dividen en trozos y matan las enredaderas
que tratan de subir por el árbol. En cambio por esto, el
árbol segrega un fluido dulce que es una delicia para las
hormigas, y también produce un pequeño fruto falso,
que sirve de alimento a las hormigas. ¿Protegió primero
la hormiga al árbol, y entonces el árbol la recompensó
con fruto, o preparó el árbol fruto para la hormiga y
entonces la hormiga expresó su agradecimiento mediante darle protección? ¿O sucedió todo esto a la vez por
casualidad?

[14] Existen muchos casos de tal tipo de cooperación
entre insectos y flores. Los insectos efectúan la polinización de las flores, y, a cambio de eso, las flores suplen
polen y néctar como alimentación para los insectos.
Algunas flores producen dos clases de polen. Uno ferti-
liza las semillas, y el otro es estéril, pero alimenta a los
insectos que visitan a las flores. Muchas flores tienen
marcas y olores especiales para guiar a los insectos al
néctar. De camino, los insectos realizan la polinización
de la flor. Algunas flores tienen mecanismos que actúan
como un gatillo o disparador. Cuando los insectos tocan

Muchas flores tienen
marcas indicadoras
para guiar a los
insectos al néctar
escondido

---

13. La asociación que existe entre ciertas hormigas dotadas de aguijones y las acacias hace que surjan ¿qué preguntas?
14. ¿Qué provisiones y mecanismos especiales utilizan las flores para
atraer a los insectos de modo que ocurra polinización?

el gatillo, son golpeados súbitamente por las anteras, que contienen el polen.

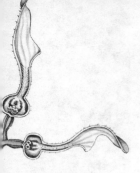

Algunas flores tienen resbaleras cerosas para atrapar insectos y lograr la polinización

15 Por ejemplo, una de las flores aristoloquias no puede efectuar su propia polinización; necesita la acción de insectos que traigan polen desde otra flor. Esta planta tiene una hoja tubular que sirve de envoltura a su flor, y la hoja está cubierta de cera. Los insectos, atraídos por la fragancia de la flor, descienden sobre la hoja y se precipitan por la resbalera hasta una cavidad al pie de esta. Allí, estigmas maduros reciben el polen que los insectos han traído, y ocurre la polinización. Pero por otros tres días los insectos quedan atrapados allí por unos pelos y los lados cerosos. Después madura el propio polen de la flor, y se adhiere a los insectos. Solo entonces se marchitan los pelos, y la resbalera cerosa se dobla hasta una posición horizontal. Los insectos salen y, con su nuevo surtido de polen, vuelan a otra flor del mismo tipo para efectuar la polinización de esta. No les está mal su visita de tres días, porque banquetean con el néctar que se ha almacenado allí para ellos. ¿Ha sucedido todo esto por azar, o se ha realizado por diseño inteligente?

16 Algunos tipos de orquídeas *Ophrys* tienen sobre sus pétalos el trazado de una avispa hembra, con sus ojos, antenas y alas. ¡Esta orquídea hasta despide el olor de una avispa hembra en condición de apareamiento! La avispa macho viene para aparearse, pero solo efectúa la polinización de la flor. Otra orquídea, del género *Coryanthes,* tiene un néctar fermentado que embriaga a la abeja que la visita; esta cae dentro de una "vasija" de líquido y la única manera como puede salir es moviéndose de lado a lado bajo una varilla que espolvorea polen sobre la abeja.

"Fábricas" de la naturaleza

17 Las hojas verdes de las plantas alimentan al mundo, directa o indirectamente. Pero no pueden funcionar sin la ayuda de unas raicillas. Millones de raicillas —cada punta de la raíz dotada de una cubierta a manera de gorra o cofia protectora, cada cofia lubricada con aceite— se abren camino a través del terreno. Los pelos

¿Por qué presenta esta orquídea la apariencia de una avispa hembra?

15. ¿Cómo se asegura de que ocurra polinización cruzada cierta aristoloquia, y qué preguntas hace surgir esto?
16. ¿Cómo consiguen polinización las orquídeas *Ophrys* y la orquídea *Coryanthes?*
17. ¿Cómo colaboran las hojas y las raíces para nutrir las plantas?

radicales detrás de la cofia aceitosa absorben agua y minerales, que ascienden hasta las hojas por canales diminutos en la albura, la capa de tejido vegetal bajo la corteza. En las hojas se elaboran azúcares y aminoácidos, y estas sustancias nutritivas son enviadas a todas partes del árbol y a las raíces.

[18] Ciertos rasgos del sistema circulatorio de los árboles y las plantas son tan asombrosos que muchos científicos los consideran casi milagrosos. Primero, ¿cómo se bombea el agua por 60 ó 90 metros (200 ó 300 pies) sobre el suelo? La presión en las raíces da comienzo a la subida del agua, pero en el tronco otro mecanismo se encarga de la acción. Las moléculas de agua se mantienen juntas por cohesión. Debido a esta cohesión, a medida que el agua se evapora de las hojas las pequeñas columnas de agua son haladas como si fueran cuerdas... cuerdas que llegan desde las raíces hasta las hojas, y que suben a una velocidad que puede llegar a ser de 60 metros (200 pies) por hora. ¡Se dice que este sistema pudiera hacer subir agua por un árbol de unos tres kilómetros (dos millas) de altura! A medida que el agua excedente se evapora de las hojas (lo que se llama transpiración), miles de millones de toneladas de agua regresan al aire en un ciclo completado, para caer de nuevo como lluvia... ¡un sistema perfectamente diseñado!

[19] Hay más. Las hojas necesitan nitratos o nitritos del suelo para elaborar aminoácidos vitales. Los rayos o descargas eléctricas y ciertas bacterias que viven libres ponen algunas cantidades de estas sustancias en el terreno. Otra fuente de estos compuestos de nitrógeno en cantidades adecuadas son las legumbres... plantas como los guisantes, el trébol, las habichuelas o judías y la alfalfa. Ciertas bacterias entran en las raíces de estas, las raíces suministran carbohidratos a las bacterias y las bacterias cambian, o fijan, el nitrógeno del suelo en nitratos y nitritos utilizables, produciendo cada año unos 225 kilos por hectárea (200 libras por acre).

[20] Todavía hay más. Las hojas verdes obtienen energía

---

18. a) ¿Cómo llega el agua desde las raíces hasta las hojas, y qué hecho muestra que este sistema es más que adecuado? b) ¿Qué es la transpiración y cómo contribuye al ciclo del agua?
19. ¿Qué servicio vital ejecuta la asociación entre algunas raíces y ciertas bacterias?
20. a) ¿Qué hace la fotosíntesis, dónde sucede, y quiénes entienden ese proceso? b) ¿Qué punto de vista expresó cierto biólogo acerca de la fotosíntesis? c) ¿Qué término se puede aplicar a las plantas verdes, cómo excelen, y qué preguntas son apropiadas?

¡Se dice que la cohesión entre las moléculas del agua pudiera hacer que el agua subiera por un árbol de tres kilómetros (dos millas) de altura!

Los asombrosos diseños de las semillas

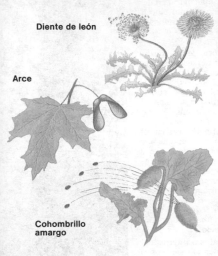

Diente de león

Arce

Cohombrillo amargo

¡Semillas maduras, listas para viajar!

¡Cuántos diseños ingeniosos envían a las semillas en su cometido! Las semillas de las orquídeas son tan livianas que se transportan flotando como si fueran polvo. Las semillas del diente de león vienen equipadas con paracaídas. Las semillas del arce tienen alas y se transportan revoloteando como las mariposas. Algunas plantas acuáticas equipan sus semillas con flotadores inflados de aire, ¡y allá van sobre el agua!

Algunas plantas tienen las semillas en cáscaras largas que se abren de súbito y las disparan hacia fuera. Las resbalosas semillas de la hamamelis son primero apretadas y luego disparadas desde la fruta, como cuando unos niños disparan semillas de sandía desde entre los dedos. Un pepinillo llamado cohombrillo amargo utiliza un sistema hidráulico. Mientras crece, la piel se hace más densa hacia el interior, el centro fluido llega a estar bajo presión aumentante, y para cuando las semillas están maduras la presión es tan grande que hace volar hacia fuera el tallo como el tapón de corcho de una botella, y las semillas salen disparadas.

Semillas que miden la lluvia

Algunas plantas desérticas anuales tienen semillas que no brotan a menos que hayan caído 13 milímetros (media pulgada) o más de lluvia. También parece que saben de qué dirección viene el agua... si les llueve, brotan, pero si se absorbe desde abajo, no. En el suelo hay sales que impiden que las semillas broten. La lluvia, al caer, elimina estas sales. El agua que se absorbe desde abajo no puede hacer eso.

Si estas plantas desérticas anuales comenzaran a crecer después de simplemente una lluvia ligera, morirían. Se necesita lluvia fuerte para humedecer suficientemente el suelo como para salvar de sequías posteriores a las plantas. De modo que ellas esperan hasta la llegada de esa lluvia. ¿Azar, o diseño?

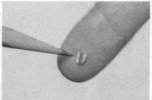

Un gigante
en un diminuto paquete

Una de las más pequeñas semillas
encierra al organismo vivo más grande
de la Tierra... el gigantesco árbol
secoya, o secuoya. Éste alcanza una
talla de más de 90 metros (300 pies). A
poco más de un metro sobre el terreno
su diámetro puede ser de 11 metros
(36 pies). Un solo árbol puede
contener suficiente madera como para
construir 50 casas de seis habitaciones
cada una. La corteza de poco más de
medio metro (dos pies) de espesor
tiene un sabor —comunicado por el
tanino— que es repelente a los
insectos, y su estructura esponjosa,
fibrosa, lo hace casi tan ininflamable
como el amianto. Sus raíces pueden
extenderse por una hectárea o por
hectárea y media (tres o cuatro acres).
Vive más de 3.000 años.

Sin embargo, las semillas que una
secuoya deja llover por millones no
son más grandes que la cabeza de un
alfiler rodeada de alas pequeñas.
Un hombre que, reducido a la
insignificancia, se sitúe a la base de
una secuoya no puede hacer otra cosa
sino levantar la vista hacia arriba, en
respetuoso silencio ante la masiva
grandeza del árbol. ¿Tiene sentido
creer que la formación de este
majestuoso gigante y la de la semillita
que lo encierra no fueron cosas hechas
por diseño?

149

Virtuosos de la música

El sinsonte es famoso como imitador. Uno de ellos imitó a otras 55 aves en una sola hora. Pero son las composiciones originales de expresiones melódicas del sinsonte las que mantienen embelesados a los que lo escuchan. Indudablemente van más allá de las pocas notas sencillas que se necesitan para declarar límites territoriales. ¿Hacen esto para su placer... y el nuestro?

Unos troglodítidos de la América del Sur no son menos asombrosos. Las parejas que se han apareado cantan a dúo, como lo hacen otras parejas de aves tropicales. Sus ejecuciones son singulares, como dice cierto libro de consulta: "La hembra y el macho cantan las mismas canciones *juntos,* o diferentes canciones, o diferentes partes de la misma canción *en alternación;* pueden ajustarse tan exactamente en cuanto a tiempo que la canción total suene como si hubiera sido proferida por un solo pájaro"[a]. ¡Cuán hermosos son estos delicados diálogos musicales mientras los troglodítidos apareados se comunican entre sí! ¿Es esto algo que simplemente haya sucedido por accidente?

del Sol, dióxido de carbono del aire, y agua de las raíces de la planta para elaborar azúcar y despedir oxígeno. Este proceso se llama fotosíntesis, y sucede en estructuras celulares llamadas cloroplastos... tan pequeñas que 400.000 pueden caber en el punto al fin de esta oración. Los científicos no entienden este proceso completamente. "Hay unas setenta diferentes reacciones químicas implicadas en la fotosíntesis —dijo un biólogo—. Verdaderamente es un acontecimiento milagroso[12]." Las plantas verdes han sido llamadas las "fábricas" de la naturaleza... hermosas, silenciosas, sin producir contaminación, produciendo oxígeno, contribuyendo al ciclo del agua y alimentando al mundo. ¿Se presentaron solo por accidente, al azar? ¿Se puede realmente creer eso?

[21] Para algunos de los más famosos científicos del mundo ha sido difícil creer eso. Ven inteligencia en el mundo natural. Un ganador del premio Nobel, el físico Robert A. Millikan, aunque cree en la evolución, sí dijo en una reunión de la Sociedad Física Estadounidense: "Hay una Divinidad que da forma a nuestros fines [...] Una filosofía puramente materialista me parece la cumbre de la falta de inteligencia. Los sabios de todas las edades siempre han visto suficiente como para por lo menos hacerse reverentes". En su discurso, citó las notables palabras de Albert Einstein, en que Einstein dijo que en realidad 'había tratado humildemente de comprender siquiera una parte infinitésima de la inteligencia manifiesta en la naturaleza'[13].

[22] La prueba de que ha habido diseño nos rodea, en variedad interminable y en complejidad asombrosa, e indica la existencia de una inteligencia superior. Esta conclusión también está expresada en la Biblia, donde el diseño se atribuye a un Creador cuyas "cualidades invisibles se ven claramente desde la creación del mundo en adelante, porque se perciben por medio de las cosas hechas, hasta su poder sempiterno y Divinidad, de modo que son inexcusables". (Romanos 1:20.)

[23] Cuando se considera la mucha prueba de diseño que hay en la vida que nos rodea, ciertamente parecen "inexcusables" las declaraciones de que lo que está tras ello es el azar sin dirección. Por eso, en verdad no es irrazonable que el salmista diera la honra a un Creador inteligente: "¡Cuántas son tus obras, oh Jehová! Con sabiduría las has hecho todas. La tierra está llena de tus producciones. En cuanto a este mar tan grande y ancho, allí hay cosas movientes sin número, criaturas vivientes, pequeñas así como grandes". (Salmo 104:24, 25.)

"[Hay] setenta diferentes reacciones químicas implicadas en la fotosíntesis. Verdaderamente es un acontecimiento milagroso"

21, 22. a) ¿Qué dijeron dos famosos científicos como testimonio de la inteligencia que se manifiesta en el mundo natural? b) ¿Cómo razona en cuanto a este asunto la Biblia?
23. ¿Qué conclusión razonable expresa el salmista?

Capítulo 12

¿Quién lo hizo primero?

El copiar lo que se ve en los organismos vivos es tan general que ha recibido su propio nombre

"SOSPECHO —dijo un biólogo— que no somos tan innovadores como nos imaginamos; simplemente somos repetidores"[1]. Muchas veces los inventores humanos solamente repiten lo que las plantas y los animales han estado haciendo por miles de años. Esta práctica de copiar lo que se ve en los organismos vivos es tan general que ha recibido su propio nombre... *biónica*.

[2] Otro científico dice que casi todas las áreas fundamentales de la tecnología humana "han sido abiertas y utilizadas provechosamente por los organismos vivos [...] antes que la mente humana aprendiera a entender y dominar sus funciones". Es interesante este comentario que añade: "En muchas áreas, la tecnología humana

1. ¿Qué dijo un biólogo acerca de los inventores humanos?
2. ¿Qué comparación hizo otro científico entre la tecnología humana y la de la naturaleza?

todavía está muy retrasada en comparación con lo que hay en la naturaleza"[2].

[3] A medida que usted reflexiona sobre estas complejas aptitudes de las criaturas vivientes que los inventores humanos han intentado copiar, ¿le parece razonable creer que estas hayan llegado a existir simplemente al azar? ¿Y que eso hubiera sucedido, no solamente una vez, sino muchas veces en criaturas no relacionadas entre sí? ¿No pertenecen estos diseños a los tipos de diseños intrincados que la experiencia nos enseña que únicamente pueden ser producto de un diseñador brillante? ¿Cree usted realmente que el azar por sí solo pudiera haber creado aquello para copiar lo cual posteriormente se necesitó a hombres extraordinariamente talentosos? Tenga presente esas preguntas mientras considera los siguientes ejemplos:

[4] CLIMATIZACIÓN. La tecnología moderna climatiza o acondiciona muchas viviendas. Pero mucho tiempo antes, los termes o comejenes también climatizaban las suyas, y todavía lo hacen. El nido de estos se halla en el centro de un montículo de considerable tamaño. Desde el nido el aire caliente sube a una red de conductos para el aire cerca de la superficie. Allí el aire viciado sale en difusión por los lados porosos, y aire fresco y refrigerante entra y desciende a una cámara para el aire al pie del montículo. Desde allí circula al nido. Algunos montículos tienen en el fondo aberturas por las cuales entra aire fresco, y, cuando el tiempo es caluroso, el agua subterránea que sube se evapora, y así refrigera o refresca el aire. ¿Cómo coordinan sus esfuerzos millones de obreras ciegas para construir estructuras de tan ingenioso diseño? El biólogo Lewis Thomas responde: "La realidad escueta de que manifiestan algo que se asemeja a una inteligencia colectiva es un misterio"[3].

[5] AVIONES. A través de los años el diseño de las alas de los aviones ha experimentado constante mejora debido al estudio de las alas de las aves. La curvatura del ala del pájaro da la sustentación que se necesita para vencer la fuerza de la gravedad. Pero cuando se hace que el ala se incline en demasía hacia arriba, se presenta el peligro de perder velocidad. Para evitar esto, en los bordes an-

Nido enfriado por evaporación

Aire viciado

Aire del exterior

Agua subterránea

3. ¿Qué preguntas debemos tener presentes a medida que consideramos ejemplos de biónica?
4. a) ¿Cómo acondicionan sus hogares los termes o comejenes?
b) ¿Qué pregunta no pueden contestar los científicos?
5-8. ¿Qué han aprendido de las alas de las aves los diseñadores de aviones?

153

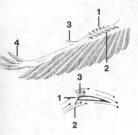

teriores de sus alas el ave tiene ciertas filas de plumas que, funcionando como alerones, se levantan mientras la inclinación del ala aumenta (1, 2). Estas mantienen la sustentación al impedir que la corriente principal del aire se separe de la superficie del ala.

[6] Otro rasgo para controlar la turbulencia y evitar seria pérdida de velocidad que pudiera detener el vuelo es el álula (3), un grupito de plumas que el ave puede levantar como si fueran un dedo pulgar.

[7] En las puntas de las alas de las aves y de los aviones se forman torbellinos, y estos presentan resistencia al avance. Las aves minimizan esto de dos maneras. Algunas, como el vencejo y el albatros, tienen alas largas y delgadas que terminan en puntas pequeñas, y este diseño elimina la mayor parte de los torbellinos. Otras aves, como las grandes rapaces y buitres, tienen alas anchas que pudieran causar grandes torbellinos, pero esto se evita cuando estos pájaros abren, como si fueran dedos, unas plumas de los extremos de sus alas. Esto transforma estos extremos despuntados en varias puntas estrechas que reducen los torbellinos y la resistencia al avance (4).

[8] Los diseñadores de aviones han adoptado muchos de estos rasgos. La curvatura de las alas da sustentación. Varios alerones y proyecciones sirven para controlar el flujo de aire o sirven como mecanismos de freno. Algunos aviones pequeños combaten la resistencia al avance en la punta de las alas mediante colocar láminas planas a ángulos rectos con la superficie del ala. Sin embargo, las alas de los aviones todavía quedan muy atrás en comparación con las maravillas de ingeniería que se hallan en las alas de las aves.

[9] ANTICONGELANTES. Los humanos usan glicol como anticongelante en los radiadores de los automóviles. Pero ciertas plantas microscópicas usan el glicerol, que, químicamente, es similar, para no helarse en los lagos antárticos. Esta sustancia también se halla en insectos que sobreviven en temperaturas de 20 grados bajo cero Celsius (4 grados bajo cero Fahrenheit). Hay peces que producen su propio anticongelante, por lo cual pueden vivir en las heladas aguas de la Antártida. Algunos árboles sobreviven en medio de temperaturas de 40 grados bajo cero Celsius (40 grados bajo cero Fahrenheit) debido a que contienen "agua muy pura, sin polvo

9. ¿Qué animales y plantas precedieron al hombre en el uso de anticongelantes, y cuán eficaces son esos anticongelantes?

154

ni partículas de polvo sobre los cuales puedan formarse cristales de hielo"[4].

[10] RESPIRACIÓN SUBACUÁTICA. Hay personas que se atan depósitos cilíndricos llenos de aire a las espaldas y permanecen hasta una hora bajo el agua. Ciertos insectos llamados ditiscos ejecutan una acción similar más sencillamente, y permanecen más tiempo bajo el agua. El insecto se apodera de una burbuja de aire y se sumerge. La burbuja sirve como pulmón. Toma el dióxido de carbono del insecto y lo difunde en el agua, y toma oxígeno diluido en el agua para que el insecto lo utilice.

—Burbuja de aire

[11] RELOJES. Mucho antes que el hombre usara relojes de sol, en los organismos vivos había relojes que llevaban cuenta del tiempo con exactitud. Cuando la marea baja, unas plantas microscópicas llamadas diatomeas suben a la superficie de la arena húmeda de la playa. Cuando la marea sube, las diatomeas bajan de nuevo y se meten en la arena. Sin embargo, puestas en arena en el laboratorio, donde no hay reflujo ni flujo de la marea, sus relojes todavía las hacen subir y bajar al paso de las mareas. El cangrejo violín adquiere un color más oscuro y sale durante la marea baja, y palidece y regresa a su hoyo durante la marea alta. En el laboratorio, lejos del océano, los cangrejos todavía marcan el tiempo según el cambio de las mareas, haciéndose oscuros y claros según el reflujo y flujo de la marea. Hay aves que pueden navegar por el Sol y las estrellas, que cambian de posición a medida que el tiempo pasa. Estas aves tienen que tener relojes internos para compensar por estos cambios (Jeremías 8:7). En muchas formas de vida, desde plantas microscópicas hasta la gente, millones de relojes internos siguen marcando el tiempo.

[12] BRÚJULAS. Para el siglo XIII de la era común los hombres empezaron a dar uso a una aguja magnética que flotaba en una fuente llena de agua... una ruda brújula. Pero aquello no era nada nuevo. Hay bacterias que contienen hileras de partículas de magnetita que son precisamente del tamaño correcto para funcionar como una brújula. Estas las guían a sus ambientes preferidos. La magnetita se ha hallado en muchos otros organismos... aves, abejas, mariposas, delfines, moluscos y otros. Los

10. ¿Cómo hacen y utilizan aparatos de respiración subacuática ciertos insectos llamados ditiscos?
11. ¿Cuán numerosos son los relojes biológicos en la naturaleza, y cuáles son algunos ejemplos de estos?
12. ¿Cuándo empezaron los hombres a emplear brújulas rudas, pero cómo se daba uso a brújulas mucho antes de eso?

experimentos indican que las palomas mensajeras pueden regresar a sus palomares mediante percibir el campo magnético de la Tierra. Ahora se acepta, por lo general, que una de las maneras como las aves migratorias hallan su camino es mediante las brújulas magnéticas que llevan en la cabeza.

[13] DESALACIÓN. Los hombres construyen enormes fábricas para desalar el agua de mar. Las plantas llamadas mangles tienen raíces que absorben el agua de mar, pero la filtran por membranas que remueven la sal. Una especie de mangle, *Avicennia,* utiliza glándulas del envés de sus hojas para librarse de la sal sobrante. Aves marinas, tales como las gaviotas, los pelícanos, los cuervos marinos, los albatros y los petreles beben agua de mar y mediante glándulas en la cabeza remueven el exceso de sal que penetra en su sangre. También los pingüinos o pájaros bobos, las tortugas de mar y las iguanas marinas beben agua salada, pero remueven el exceso de sal.

[14] ELECTRICIDAD. Unas 500 variedades de peces eléctricos tienen baterías. El siluro eléctrico africano, o raad, puede producir 350 voltios. La raya eléctrica gigantesca del Atlántico del Norte produce pulsaciones de 60 voltios con intensidad de 50 amperios. Las sacudidas producidas por una anguila eléctrica sudamericana se han medido hasta en 886 voltios. "Se sabe de once diferentes familias de peces en que hay especies que tienen órganos eléctricos", dice un químico[5].

[15] AGRICULTURA Y GANADERÍA. Desde mucho tiempo atrás los hombres han cultivado el terreno y atendido ganado. Pero mucho antes de eso las hormigas parasol atendían huertos. Como alimento, cultivaban hongos en un abono que habían hecho de hojas y de su propio excremento. Algunas hormigas tienen áfidos o pulgones como ganado, los "ordeñan" para obtener de ellos una exudación dulce, y hasta construyen graneros para protegerlos. Las hormigas graneras almacenan semillas en graneros subterráneos (Proverbios 6:6-8). Un escarabajo poda o escamonda las mimosas. Tanto las picas, o liebres silbadoras, como las marmotas cortan, curan y almacenan paja.

13. a) ¿Cómo pueden los mangles vivir en agua salada? b) ¿Qué animales pueden beber agua salada, y cómo es posible eso?
14. ¿Cuáles son algunos ejemplos de criaturas que generan electricidad?
15. ¿Qué diversas actividades de agricultura y ganadería ejecutan ciertos animales?

¹⁶ INCUBADORAS. El hombre hace incubadoras para incubar huevos, pero en esto no ha sido el primero. Las tortugas de mar y algunas aves ponen sus huevos en la arena caliente para que incuben. Otras aves ponen sus huevos en las cenizas cálidas de los volcanes con el mismo propósito. A veces los caimanes cubren sus huevos con materia vegetal en descomposición, para producir calor. Pero en esto el macho de un ave llamada leipoa es el perito. Él cava un hoyo grande, lo llena de materia vegetal y lo cubre de arena. La vegetación que se va fermentando calienta el montículo, la leipoa hembra pone un huevo en él cada semana por un espacio de tiempo que puede ascender a seis meses, y durante todo ese tiempo el macho investiga la temperatura metiendo el pico en el montículo. Mediante añadir o quitar arena, hasta en condiciones del tiempo que varían desde debajo del punto de congelación hasta muy calientes, él mantiene su incubadora precisamente a 33 grados Celsius (92 grados Fahrenheit).

¹⁷ PROPULSIÓN A CHORRO. Hoy, cuando uno viaja en avión, probablemente lo hace en un avión impelido por reacción o propulsión a chorro. Muchos animales también son impelidos por propulsión a chorro, y lo han sido por milenios. Tanto el pulpo como el calamar excelen en esto. Absorben agua que pasa a una cámara especial y entonces, con poderosos músculos, la expelen, lo cual los impele hacia delante. Otras formas que usan la propulsión a chorro son: el nautilo, las vieiras, las aguamares, las larvas de las libélulas y hasta algún plancton oceánico.

¹⁸ ILUMINACIÓN. A Thomas Edison se atribuye la invención de la bombilla eléctrica. Pero esta no es muy eficaz, puesto que pierde energía en forma de calor. Las luciérnagas logran algo mejor que eso cuando encienden y apagan sus luces. Producen luz fría que no pierde energía. Muchas esponjas, hongos, bacterias y gusanos resplandecen brillantemente. Un gusano, la larva del género *Phrixothrix,* es como un tren en miniatura que estuviera moviéndose con su "farol" rojo al frente y

16. a) ¿Cómo incuban sus huevos las tortugas de mar, algunas aves y los caimanes? b) ¿Por qué es la labor de la leipoa macho un gran reto, y cómo la efectúa?
17. ¿Cómo usan la propulsión a chorro el pulpo y el calamar, y qué otros animales no relacionados con ellos también la utilizan?
18. ¿Cuáles son algunos de las muchas plantas y los muchos animales que tienen luces, y en qué sentido son más eficaces que las del hombre las luces de estos?

11 pares de "ventanas" blancas o de color verde pálido. Muchos peces tienen luces... los anomalópidos, los del género *Himantolophus,* los mictófidos, los gonostomátidos y un pez que algunos llaman descriptivamente "constelación", para mencionar algunos. Microorganismos en la resaca oceánica se encienden y brillan por millones.

 ¹⁹ PAPEL. Miles de años atrás los egipcios elaboraron el papel. Con todo, no se adelantaron a las avispas ni a los avispones. Estos trabajadores alados mascan madera deteriorada por la intemperie y producen un papel gris con el cual construyen sus lugares de habitación. Los avispones cuelgan de un árbol sus grandes nidos redondos. La cubierta exterior está compuesta de muchas capas de papel resistente, separadas por espacios cerrados, sin ventilación. Esto aísla del calor y del frío al nido tan eficazmente como lo haría una pared de ladrillo de 41 centímetros (16 pulgadas) de espesor.

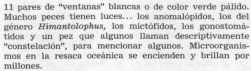

²⁰ MOTOR GIRATORIO. Las bacterias microscópicas precedieron al hombre por miles de años en lo que se refiere a la producción de un motor giratorio. Una bacteria tiene extensiones semejantes a pelos retorcidas en forma de una espiral firme, como un tirabuzón. La bacteria da vuelta a este tirabuzón como si fuera la hélice de un barco, y se impulsa adelante. ¡Hasta puede dar marcha atrás con su "motor"! Pero no se entiende completamente cómo funciona este. Un informe asegura que la bacteria puede lograr velocidades que equivalen a 48 kilómetros (30 millas) por hora, y dice que "en efecto, la naturaleza había inventado la rueda"[6]. Un investigador llegó a esta conclusión: "Uno de los más fantásticos conceptos de la biología se ha realizado: La naturaleza en realidad ha producido un motor giratorio, completo con acoplamiento, eje giratorio, cojinetes y transmisión giratoria de energía"[7].

²¹ SONAR. El sonar de los murciélagos y de los delfines es superior a la copia de él que el hombre tiene. En un cuarto oscuro, cruzado por alambres finos extendidos de lado a lado, los murciélagos vuelan sin jamás tocar los alambres. Sus señales sonoras supersónicas rebotan de

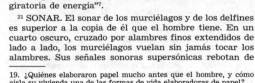

19. ¿Quiénes elaboraron papel mucho antes que el hombre, y cómo aísla su vivienda una de las formas de vida elaboradoras de papel?
20. ¿Qué medio de locomoción usa cierto tipo de bacteria, y cómo han reaccionado unos científicos ante esto?
21. ¿Cómo usan sonar varios animales entre los cuales no hay ninguna relación?

158

estos objetos y vuelven a los murciélagos, que entonces utilizan ecolocación, u orientación mediante ecos, para evitarlos. Las marsopas y las ballenas hacen lo mismo en el agua. Los guácharos emplean ecolocación tanto al entrar como al salir de las oscuras cavernas donde anidan, emitiendo sonidos agudos para guiarse.

[22] SUBMARINOS. Hubo muchos submarinos en existencia antes que el hombre inventara los suyos. Los radiolarios, organismos microscópicos, tienen en su protoplasma gotas de aceite mediante las cuales regulan su peso y así suben o bajan en el océano. Los peces difunden gas hacia dentro o hacia fuera de sus vejigas natatorias, y alteran su flotabilidad. El nautilo tiene dentro de su caparazón cámaras de flotación. Al alterar las proporciones de agua y de gas en estas cámaras, regula la profundidad a que se halla. El jibión (el caparazón calizo interno) de la jibia tiene muchas cavidades. Para controlar la flotabilidad, esta criatura parecida a un pulpo bombea agua hacia fuera desde su esqueleto y permite que la cavidad vaciada se llene de gas. Así, las cavidades del jibión funcionan precisamente como los tanques de agua de un submarino.

Sección transversal del nautilo

[23] TERMÓMETROS. Desde el siglo XVII en adelante los hombres han perfeccionado los termómetros, pero estos son instrumentos rudos al compararlos con algunos que se hallan en la naturaleza. Las antenas del mosquito pueden percibir un cambio de 1/300 de un grado Fahrenheit. La serpiente de cascabel tiene a cada lado de su cabeza ciertas fosetas con las cuales puede percibir un cambio de 1/600 de un grado Fahrenheit. Una boa constrictor responde en 35 milisegundos a un cambio de calor de una fracción de un grado. Los picos de las aves leipoa y talégalo pueden distinguir diferencias de temperatura de hasta un grado Fahrenheit.

[24] Todo este copiar de los animales por parte de humanos nos recuerda lo que la Biblia sugiere: "Pregunta a las bestias, y te instruirán; y a las aves del cielo, y te informarán; a los reptiles del suelo, y te darán lecciones; te lo contarán los peces del mar". (Job 12:7, 8, *Nueva Biblia Española*.)

---

22. ¿Cómo funciona en diversos animales no relacionados el principio de compartimientos reguladores de la flotabilidad, que se usa en los submarinos?
23. ¿Qué animales usan órganos que perciben el calor, y con cuánta precisión funcionan éstos?
24. ¿De qué expresión nos recuerdan estos ejemplos?

Capítulo 13

El instinto... sabiduría programada antes del nacimiento

Darwin: "No tengo nada que ver con el origen de las facultades mentales"

"MUCHOS instintos son tan maravillosos que, para el lector, el desarrollo de ellos probablemente parezca ser una dificultad que baste para derribar toda mi teoría", escribió Darwin. Obviamente él pensaba que el instinto era una dificultad para la cual no había respuesta, pues su declaración siguiente fue: "Aquí quiero sentar la premisa de que no tengo nada que ver con el origen de las facultades mentales, tal como no tengo nada que ver con el de la vida misma"[1].

[2] Hoy día los científicos no se hallan más cerca de poder explicar el instinto de lo que lo estuvo Darwin. Cierto evolucionista dice: "La pura verdad es que el mecanismo genético no muestra la más ligera señal de poder comunicar patrones de comportamiento específicos. [...] Cuando nos preguntamos cómo surgió originalmente *y llegó a estar fijado hereditariamente* algún patrón de comportamiento instintivo, no se nos da respuesta"[2].

En cuanto a cómo surgió y llegó a ser hereditario el instinto, "no se nos da respuesta"

[3] Sin embargo, a diferencia de Darwin y otros evolucionistas, cierto libro de amplia distribución acerca de las aves no ve ninguna dificultad en dar cuenta de uno de los más misteriosos instintos... el que tiene que ver con la migración. Dice: "No hay duda de que el proceso ha sido evolutivo: aves que se originaron en climas cálidos probablemente viajaron al exterior en busca de alimento"[3].

---

1. ¿Qué comentarios hizo Darwin acerca del instinto?
2. ¿Cómo ven hoy día el instinto algunos científicos?
3, 4. ¿Qué dice un libro acerca de lo que dio principio al instinto migratorio, y de qué manera falla tal explicación?

160

⁴ ¿Puede una respuesta tan simplista explicar las asombrosas hazañas de muchas formas migratorias? Los científicos saben que viajes de experimentación de ese tipo, y los comportamientos aprendidos, no son incorporados en el código genético, y por lo tanto no son heredados por la prole. Se reconoce que la migración es instintiva e "independiente de la experiencia pasada"⁴. Considere unos cuantos ejemplos.

El charrán ártico hace un viaje migratorio de 35.400 kilómetros (22.000 millas) cada año

Imponentes logros migratorios

⁵ Los campeones de viajes de larga distancia son los charranes árticos. Estas aves, que anidan al norte del círculo polar ártico, al fin del verano vuelan al sur para pasar el verano de la Antártida sobre la banquisa de hielo cerca del polo sur. Puede que den vuelta a todo el continente de Antártida antes de dirigirse hacia el norte para regresar a las tierras árticas. Así, completan una migración anual de unos 35.400 kilómetros (22.000 millas). En ambas regiones polares hay ricas fuentes de alimento, de modo que un científico presenta la pregunta: "¿Cómo pudieron alguna vez descubrir que existían tales fuentes a tan gran distancia una de la otra?"⁵. La evolución no tiene respuesta.

⁶ Igual de inexplicable para la evolución es la migración de un ave cantora de la familia de los parúlidos, *Dendroica striata*. Solo pesa poco más de 20 gramos (tres cuartas partes de una onza). Sin embargo, en el otoño viaja desde Alaska hasta la costa oriental del Canadá o de Nueva Inglaterra, consume grandes cantidades de alimento, almacena grasa en el cuerpo, y espera hasta que llega un frente frío. Cuando este llega, esta avecilla comienza su viaje. Su destino final es la América del Sur, pero ella vuela primero hacia África. Ya sobre el océano Atlántico, mientras vuela a unos 6.100 metros (20.000 pies) de altura, se encuentra con un viento predominante que le da vuelta hacia la América del Sur.

⁷ ¿Cómo sabe esta ave que debe esperar el frente frío, y que este significa buen tiempo y viento de cola? ¿Cómo sabe que debe subir a alturas cada vez mayores, donde el aire es enrarecido y frío, y tiene cincuenta por ciento menos oxígeno? ¿Cómo sabe que es solo a tal altura donde

¿Cómo sabe tanto acerca de las condiciones del tiempo y la navegación esta ave cantora que tiene un cerebro del tamaño de un guisante?

5. ¿Qué migraciones hacen que los charranes árticos sean los campeones de los viajes de larga distancia, y qué pregunta presenta un científico?
6, 7. ¿Qué aspecto de la migración de la *Dendroica striata* parece extraño, y qué preguntas nos llevan a darnos cuenta de la magnitud de lo que hace?

En su migración, este colibrí bate las alas hasta 75 veces por segundo durante 25 horas

sopla el viento de costado que la llevará a la América del Sur? ¿Cómo sabe que tiene que volar hacia África en compensación por la corriente hacia el sudoeste que viene de este viento? El ave no tiene conocimiento consciente de ninguna de estas cosas. En este viaje de unos 3.900 kilómetros (2.400 millas), sobre mares sin señales distintivas, volando durante tres o cuatro días y noches, está regida únicamente por instinto.

[8] Las cigüeñas blancas pasan el verano en Europa, pero vuelan 12.875 kilómetros (8.000 millas) para pasar el invierno en África del Sur. El chorlito dorado chico viaja desde la tundra ártica hasta las pampas de Argentina. En su migración, ciertos escolopácidos viajan unos 1.500 kilómetros (1.000 millas) más allá de las pampas, a la punta de América del Sur. El zarapito del Pacífico vuela desde Alaska hasta Tahití y otras islas, cubriendo hasta 9.650 kilómetros (6.000 millas) sobre pleno océano. El colibrí gorrirrubí hace un vuelo mucho más corto —pero igual de notable cuando se considera el tamaño de esta avecilla, que pesa aproximadamente tres gramos (la décima parte de una onza)—, un vuelo migratorio de más de 965 kilómetros (600 millas) en que cruza el golfo de México, batiendo sus alitas hasta 75 veces por segundo durante 25 horas. ¡Más de seis millones de aletazos sin cesar!

[9] Muchas migraciones son efectuadas por primera vez por aves jóvenes sin la compañía de aves adultas. Aves jóvenes del género *Eudynamys*, de Nueva Zelanda, viajan 6.400 kilómetros (4.000 millas) a unas islas del Pacífico y se unen a sus padres, que las han antecedido en el viaje. Las pardelas pichonetas efectúan su migración desde Gales hasta el Brasil, dejando atrás a sus polluelos, que las siguen tan pronto como pueden volar. Una de estas aves hizo el viaje en 16 días, con un promedio de 740 kilómetros (460 millas) por día. Una pardela pichoneta fue llevada desde Gales hasta Boston, muy lejos de su ruta migratoria normal. Sin embargo, regresó en doce días y medio a su lugar de origen en Gales, a unos 5.150 kilómetros (3.200 millas) de distancia. Palomas mensajeras, llevadas a una distancia de unos 1.005 kilómetros (625 millas) en cualquier dirección, han vuelto a sus palomares en un solo día.

Nacidas con un "mapa" en la cabeza, las aves migratorias saben dónde están y a dónde van

8. ¿Qué otras hazañas migratorias se mencionan aquí?
9. a) ¿Cómo queda demostrado que las aptitudes relacionadas con la migración no se aprenden, sino que tienen que estar programadas antes del nacimiento? b) ¿Qué experimentos efectuados con una pardela pichoneta y con palomas mensajeras muestran que estas aves son navegantes versátiles?

¹⁰ Un ejemplo final: aves que no vuelan, sino que andan y nadan. Considere los pingüinos o pájaros bobos de Adelia. En cierta ocasión en que algunos fueron llevados a una distancia de 1.900 kilómetros (1.200 millas) de sus criaderos y luego fueron puestos en libertad, rápidamente se orientaron y empezaron a viajar en línea recta... no hacia el criadero original desde el cual habían sido tomados, sino hacia alta mar y el alimento que los esperaba allí. Desde el mar, con el tiempo regresaron al criadero. Pasan en el mar los inviernos, que son casi totalmente oscuros. Pero ¿cómo permanecen orientados los pájaros bobos durante el invierno oscuro? Nadie sabe.

¹¹ ¿Cómo ejecutan estas hazañas de navegación las aves? Los experimentos indican que quizás se guíen por el Sol y las estrellas. Parece que tienen relojes internos que compensan por el movimiento de estos cuerpos celestes. Pero ¿qué hay si el cielo está nublado? Por lo menos algunas aves tienen incorporadas en sí brújulas magnéticas que utilizan entonces. Pero se necesita más que solamente una dirección de brújula. Necesitan un "mapa" en la cabeza, que indique tanto su punto de comienzo como el de destino. Y en el mapa tiene que estar marcada la ruta, puesto que rara vez es una línea recta. *¡Pero nada de esto ayuda a menos que las aves sepan dónde están ubicadas en el mapa!* La pardela pichoneta tenía que saber dónde estaba cuando fue puesta en libertad en Boston, de modo que supiera la dirección que tenía que tomar hacia Gales. La paloma mensajera tenía que saber adónde la habían llevado, antes que pudiera determinar el camino hacia su palomar.

¹² Hasta para el tiempo de la Edad Media, muchos disputaban el hecho de que la migración de las aves fuera un fenómeno general, pero la Biblia habló de ello en el siglo sexto antes de la era común: "La cigüeña en el cielo conoce su estación; la tórtola, la golondrina y la grulla guardan los tiempos de sus migraciones". Para este tiempo se ha aprendido mucho, pero todavía es un misterio gran parte de lo que sucede. Sea esto del agrado de uno o no, lo que la Biblia dice es verdad: "Ha puesto [...] en su corazón [el del hombre] la idea de la perduración, sin que pueda el hombre descubrir la obra de Dios desde el principio hasta

Los pájaros bobos pueden pasar meses en el mar en oscuridad casi total, y entonces emigrar infaliblemente de regreso a sus criaderos

---

10. ¿Qué experimento mostró los poderes de navegación de los pájaros bobos de Adelia?
11. ¿Qué se requiere para que las aves puedan ejecutar tan asombrosas hazañas de navegación?
12. a) ¿Qué dijo Jeremías acerca de la migración, cuándo lo dijo, y por qué es sorprendente esto? b) ¿Por qué quizás nunca conozcamos todos los detalles acerca de la migración?

La construcción de nidos, y el instinto

"No hay la más leve indicación —dice acerca de la maquinaria genética el escritor sobre asuntos científicos G. R. Taylor— de que esta pueda transmitir un programa de comportamiento de clase específica, tal como la secuencia de acciones implicada en construir nidos"[a]. No obstante, la sabiduría instintiva de construir nidos *sí* se transmite a la prole; no se enseña. Considere unos cuantos ejemplos.

Los cálaos de África y Asia. La hembra lleva lodo y tapia la abertura a una cavidad de un árbol hueco hasta que apenas puede meterse dentro. El macho le lleva más lodo y ella cierra el agujero hasta que solo queda abierta una rendija. Por esta, el macho la alimenta, y, con el tiempo, a la cría que sale de los huevos. Cuando ya el macho no puede llevar suficiente alimento, la hembra se abre camino hacia fuera. Esta vez los polluelos cierran debidamente el agujero, y ambos padres les llevan alimento. Varias semanas después la cría rompe la pared y sale del nido. De paso, ¿no es indicación de diseño con propósito el que la hembra, mientras está encerrada y sin volar, efectúe una muda completa y salga con una nueva cubierta de plumas?

Los vencejos. Una especie emplea saliva para construir sus nidos. Antes del comienzo de la temporada de crianza sus glándulas salivales se hinchan y producen una secreción viscosa, mucosa. Cuando empieza la secreción, llega la sabiduría instintiva de saber qué hacer con ella. La untan sobre la superficie de una roca; a medida que la secreción se endurece, añaden más capas, y finalmente se completa un nido de forma de taza. Otra especie de vencejo hace nidos que no son mayores que una cucharilla, los pega a hojas de palmera, y entonces pega los huevos al nido.

El pájaro bobo emperador lleva incorporado en sí un nido: En el invierno de la Antártida la hembra pone un huevo y se va a pescar por dos o tres meses. El macho coloca el huevo sobre sus pies, que están abundantemente suplidos de vasos sanguíneos, y cubre el huevo con una bolsa para empollar que cuelga de su abdomen. La madre no olvida al padre ni a la cría. Poco después que el polluelo sale del huevo, la madre regresa con un estómago lleno de alimento y regurgita el alimento para ellos. Entonces el macho se va a pescar mientras la madre coloca a la cría sobre sus pies y la cubre con su bolsa de empollar.

Las aves tejedoras de África utilizan hierbas y otras fibras para construir sus nidos colgantes. Instintivamente emplean una variedad de patrones de tejido y varias clases de nudos. Las aves tejedoras sociales edifican viviendas que pudieran asemejarse a casas de apartamentos, pues levantan una techumbre de paja de unos cuatro metros y medio (15 pies) de diámetro en fuertes ramas de árboles, y de la parte inferior de esto muchos pares de aves cuelgan sus nidos. Se siguen añadiendo nuevos nidos hasta que, con el tiempo, puede haber más de cien nidos abrigados bajo el mismo techo.

El pájaro sastre del Asia meridional elabora hilo de fibras de algodón o corteza de árboles y telaraña, pegando los pedazos cortos unos a otros para hacerlos más largos. Con el pico hace agujeros a lo largo de los dos bordes de una hoja grande. Entonces, utilizando su pico como aguja, con el hilo hace que se acerquen las dos orillas de la hoja, tal como nosotros hacemos al atarnos los cordones de los zapatos. Cuando llega al fin del hilo, o hace un nudo en él para que se mantenga firme, o pega un nuevo pedazo y continúa cosiendo. De este modo, el pájaro sastre convierte en una copa la gran hoja, y en ella hace el nido.

El pájaro moscón o pendulino construye un nido colgante que llega a ser casi como fieltro, porque utiliza pedazos de material vegetal suave así como hierbas. La estructura básica del nido se hace mediante tejer las fibras de hierba más largas en una dirección y entonces en la contraria. El pájaro empuja hacia dentro de la trama, con el pico, los extremos de las fibras. Entonces toma las fibras más cortas de material suave y las empuja hacia dentro del tejido. El proceso se parece algo a la técnica de tejedores de alfombras orientales. Estos nidos son tan fuertes y suaves que han sido usados como carteras o hasta como zapatillas para niños.

La gallareta cornuda suele construir su nido en una isla pequeña y plana. Sin embargo, donde esta ave vive este tipo de isla es muy raro. Por eso, ¡la gallareta edifica su propia isla! Selecciona un lugar apropiado en el agua y entonces empieza a llevar piedras allí en el pico. Apila las piedras en agua de 60 centímetros a un metro (dos o tres pies) de profundidad, hasta que se forma una isla. La base pudiera tener hasta más de cuatro metros (13 pies) de diámetro, y el apilamiento de piedras puede pesar más de una tonelada. Sobre esta isla la gallareta entonces coloca vegetación que trae para construir su gran nido.

el fin". (Jeremías 8:7; Eclesiastés 3:11, *Sagrada Biblia,* versión Nácar-Colunga, 1972.)

Otros navegantes

[13] El caribú de Alaska hace un viaje migratorio de unos 1.290 kilómetros (800 millas) hacia el sur en el invierno. Muchas ballenas viajan más de 9.600 kilómetros (6.000 millas) desde el océano Ártico y de regreso. Ciertos osos marinos, fuentes de pieles deseadas, efectúan su migración entre las islas Pribilof y el sur de California, lugares separados por una distancia de 4.800 kilómetros (3.000 millas). Tortugas marinas verdes navegan en viajes de ida y vuelta entre la costa del Brasil y la pequeñísima isla de la Ascensión, a 2.250 kilómetros (1.400 millas) de distancia en el océano Atlántico, y luego regresan. Algunos cangrejos efectúan una migración de 240 kilómetros (150 millas) sobre el suelo oceánico. Los salmones abandonan las corrientes donde han comenzado la vida y pasan unos cuantos años en alta mar, y después regresan en un viaje de cientos de kilómetros a los mismísimos ríos donde empezó su vida. Anguilas jóvenes cuya vida comienza en el mar de los Sargazos, en el Atlántico, pasan la mayor parte de su vida en ríos de agua dulce en los Estados Unidos y en Europa, pero regresan al mar de los Sargazos para desovar.

[14] Las mariposas monarcas salen del Canadá en el otoño, y muchas de ellas pasan el invierno en California o México. Algunos vuelos de estas mariposas cubren más de 3.200 kilómetros (2.000 millas). Una mariposa cubrió 129 kilómetros (80 millas) en un día. Se establecen en árboles resguardados... en las mismas arboledas, hasta en los mismos árboles, año tras año. ¡Pero no las mismas mariposas! En el viaje de regreso, en la primavera, las monarcas depositan huevos en la planta llamada algodoncillo. Las nuevas mariposas producidas así continúan la migración hacia el norte, y el otoño siguiente efectúan el mismo viaje que sus padres efectuaron —un viaje de 3.200 kilómetros (2.000 millas) hacia el sur—, y cubren como un manto las mismas arboledas. El libro *The Story of Pollination* (La historia de la polinización) comenta: "Las mariposas que vienen al sur en el otoño son una generación nueva que nunca antes ha visto los lugares de hibernación. Lo que hace posible que hallen estos lugares sigue siendo uno de esos misterios de la Naturaleza que no se han podido resolver"[6].

Después de su viaje de 3.200 kilómetros (2.000 millas) hacia el sur, las mariposas monarcas reposan en los lugares donde pasan el invierno

13. Además de las aves, ¿cuáles son otros animales que emigran?
14. ¿Qué nos asombra acerca de la migración de las mariposas monarcas, y qué misterio queda sin resolver?

166

¹⁵ La sabiduría instintiva no se limita a la migración. Unas muestras sencillas prueban este punto.

¿Cómo pueden millones de termes ciegos sincronizar su labor para construir y climatizar las complejas estructuras que levantan? Por *instinto*.

¿Cómo sabe la polilla pronuba los varios pasos que ha de dar para la polinización cruzada de la flor de la yuca, un procedimiento mediante el cual se pueden formar tanto nuevas plantas de yuca como nuevas polillas? Por *instinto*.

¿Cómo puede saber la araña que vive en su "campana de buzo" subacuática que cuando el oxígeno se ha agotado ella tiene que hacer un agujero en su campana subacuática, dejar que el aire viciado salga, reparar el agujero y traer abajo un nuevo abastecimiento de aire fresco? Por *instinto*.

¿Cómo sabe el escarabajo que pone sus huevos en la mimosa que tiene que ponerlos debajo de la corteza de una rama de mimosa, acercarse hasta unos 30 centímetros del tronco y cortar la corteza todo en derredor para matar la rama, porque sus huevos no incuban en madera viva? Por *instinto*.

¿Cómo sabe el canguro recién nacido —del tamaño de una habichuela—, que nace ciego y carente de desarrollo, que para sobrevivir tiene que subir afanosamente sin ayuda por la piel peluda de su madre hasta el abdomen de esta y meterse en la bolsa que ella tiene allí y adherirse a una de sus tetillas? Por *instinto*.

¿De qué manera comunica una abeja que danza a las demás abejas dónde está el néctar, cuánto hay, a qué distancia se halla, en qué dirección está y en qué clase de flor se encuentra? Por *instinto*.

"Son instintivamente sabias"

¹⁶ Preguntas como esas en cuanto a diversas formas de vida pudieran continuar, y llenar un libro, pero todas las preguntas tendrían la misma respuesta: "Son instintivamente sabias" (Proverbios 30:24). "¿Cómo fue posible —pregunta cierto investigador— que conocimiento instintivo tan complicado como ese se desarrollara y fuera pasado a generaciones sucesivas?"⁷ Los hombres no pueden explicarlo. La evolución no puede dar cuenta de ello. Pero tal inteligencia todavía exige una fuente inteligente. Tal sabiduría todavía pide una fuente sabia. Pide la existencia de un Creador inteligente, sabio.

¹⁷ No obstante, muchas personas que creen en la evolución rechazan automáticamente como ajena al asunto toda prueba de esa índole que favorece a la creación, diciendo que no es asunto para consideración científica. Sin embargo, no deje usted que ese estrecho punto de vista impida que usted pese la evidencia. Hay más en el capítulo siguiente.

---

15. ¿Con qué sola palabra se pueden contestar varias preguntas sobre la sabiduría de los animales?
16. ¿Qué exige toda la sabiduría que hay tras el comportamiento animal?
17. ¿Qué razonamiento de muchos evolucionistas es prudente evitar?

Capítulo 14

El milagro humano

DE TODAS las cosas maravillosas que hay en la Tierra, ninguna es más sorprendente que el cerebro humano. Por ejemplo, cada segundo el cerebro es inundado por unos cien millones de datos informativos procedentes de los varios sentidos. Pero ¿cómo puede el cerebro evitar que se le entierre sin remedio bajo este alud? Si solo podemos pensar en una cosa a la vez, ¿cómo se enfrenta la mente a estos millones de mensajes simultáneos? Es obvio que la mente no solo sobrevive a esta descarga de información, sino que también la maneja con facilidad.

[2] La manera como lo hace es solo una de las muchas maravillas del cerebro humano. Hay dos factores implicados. Primero, en el bulbo raquídeo o médula oblongada hay una red de nervios del tamaño del meñique de una persona. A esta red se llama la formación reticular. Esta red actúa a manera de centro de control del tráfico, y examina los millones de mensajes que entran en el cerebro, elimina lo que es de mínima importancia y selecciona lo esencial para que la corteza cerebral le dé atención. Cada segundo, esta pequeña red de nervios

¿Cómo puede hacer frente el cerebro a cien millones de mensajes que lo inundan cada segundo?

1. ¿Qué hecho acerca del cerebro parecería presentar un problema de magnitud para tal órgano?
2, 3. ¿De qué dos maneras se enfrenta a este problema el cerebro?

168

permite que, a lo más, solo unos cuantos centenares de mensajes entren en la mente consciente.

[3] Segundo, parece que un enfoque adicional de nuestra atención se realiza mediante ondas que barren por el cerebro de 8 a 12 veces por segundo. Estas ondas causan períodos de alta sensibilidad, durante los cuales el cerebro nota las señales más fuertes y toma acción respecto a ellas. Se cree que por medio de estas ondas el cerebro se explora a sí mismo, y de este modo enfoca los asuntos esenciales. Así pues, ¡en nuestra cabeza se efectúa una asombrosa abundancia de rápida actividad cada segundo!

El cerebro se explora a sí mismo aproximadamente cada décima parte de segundo, para enfocar en los asuntos esenciales

Una cosa "maravillosa"

[4] En los últimos años los científicos han logrado tremendos adelantos en sus estudios del cerebro. Con todo, lo que han aprendido no es nada en comparación con lo que permanece desconocido. Cierto investigador dijo que, después de miles de años de examen superficial y décadas recientes de intensa investigación científica, nuestro cerebro, junto con el universo, permanece "esencialmente misterioso"[1]. Ciertamente el cerebro humano es, por mucho, la parte más misteriosa del milagro —pues "milagro" significa "cosa maravillosa"— humano.

[5] La maravilla empieza en la matriz. Tres semanas después de la concepción comienzan a formarse las células cerebrales. Se desarrollan en momentos de intensa actividad, y a veces hasta se producen 250.000 células por minuto. Después del nacimiento, el cerebro continúa creciendo y formando su red de conexiones. La laguna o vacío que separa al cerebro humano del de cualquier animal se manifiesta prontamente: "El cerebro del infante humano, a diferencia del de cualquier otro animal, se triplica en tamaño durante su primer año", declara el libro *The Universe Within* (El universo interno)[2]. Con el tiempo, unos 100.000 millones de células nerviosas, llamadas neuronas, así como células de otros tipos, forman el apretado conjunto celular del cerebro humano, aunque el peso de este es solamente dos por ciento del peso de todo el cuerpo.

Nuestro cerebro sigue siendo "esencialmente misterioso"

---

4. A pesar de intensa investigación científica para entender el cerebro, ¿qué hecho sigue siendo cierto todavía?
5. ¿Qué hecho acerca del desarrollo del cerebro humano en un niñito en crecimiento muestra la laguna que existe entre el cerebro humano y los cerebros de los animales?

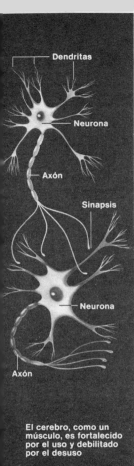

Dendritas

Neurona

Axón

Sinapsis

Neurona

Axón

El cerebro, como un músculo, es fortalecido por el uso y debilitado por el desuso

⁶ Las células cerebrales clave —las neuronas— en realidad no se tocan unas a otras. Están separadas por sinapsis, pequeños espacios de menos de 25 millonésimas de milímetro (una millonésima de pulgada). Estos espacios son salvados por sustancias químicas llamadas neurotransmisoras, 30 de las cuales son conocidas, pero puede que el cerebro posea muchas más. Estas señales químicas son recibidas en un extremo de la neurona por un conjunto ramificado de filamentos pequeños llamados dendritas. Entonces las señales se transmiten por el otro extremo de la neurona mediante una fibra nerviosa llamada un axón. En las neuronas las señales son eléctricas, pero a través de los espacios que separan a estas son químicas. Por eso, la transmisión de las señales nerviosas es de naturaleza electroquímica. Cada impulso tiene la misma fuerza, pero la intensidad de la señal depende de la frecuencia de los impulsos, que puede ser hasta de mil por segundo.

⁷ No se sabe con seguridad precisamente qué cambios fisiológicos ocurren en el cerebro cuando aprendemos. Pero la indicación experimental sugiere que a medida que aprendemos, especialmente en los primeros años de la vida, mejores conexiones se forman, y mayor cantidad se produce de las sustancias químicas que salvan los espacios que hay entre las neuronas. El uso continuo fortalece las conexiones, y así se refuerza el proceso de aprender. "Las sendas que suelen activarse juntas se fortalecen de alguna manera", informa la revista *Scientific American*[3]. Sobre este punto, es interesante el comentario de la Biblia en el sentido de que los asuntos más profundos son más entendibles a las personas maduras, las "que por medio del *uso* tienen sus facultades perceptivas entrenadas" (Hebreos 5:14). La investigación ha revelado que las aptitudes mentales que no reciben uso se desvanecen. Así, el cerebro, como un músculo, es fortalecido por el uso y debilitado por el desuso.

⁸ Las grandes cantidades de fibras nerviosas microscópicas que efectúan estas conexiones dentro del cerebro suelen ser llamadas por algunos el "sistema alámbrico"

6. ¿Cómo fluyen las señales nerviosas de neurona a neurona?
7. ¿Sobre qué rasgo del cerebro ha comentado la Biblia, y qué han aprendido los científicos que concuerda con esto?
8. ¿Cuál es una de las grandes cuestiones sin solución respecto al cerebro?

EL CEREBRO HUMANO

"El cerebro humano es el objeto más maravilloso y misterioso de todo el universo." (Henry F. Osborn[a], antropólogo.)

"¿Cómo produce pensamientos el cerebro? Esa es la cuestión central, y todavía no tenemos respuesta a ella." (Charles Sherrington[b], fisiólogo.)

"A pesar de la constante acumulación de conocimiento detallado, el funcionamiento del cerebro humano todavía es profundamente misterioso." (Francis Crick[c], biólogo.)

"El que dice que una computadora es un 'cerebro electrónico' nunca ha visto un cerebro." (Dr. Irving S. Bengelsdorf[d], redactor de artículos científicos.)

"Nuestras memorias activas tienen varios miles de millones de veces la información que contiene un ordenador grande de investigación de nuestros tiempos." (Morton Hunt[e], escritor de artículos sobre ciencia.)

"Puesto que en comparación con cualquier otra cosa del universo conocido el cerebro es diferente e inconmensurablemente más complejo, quizás tengamos que cambiar algunas de las ideas que más celosamente hemos sostenido, antes que podamos comprender la misteriosa estructura del cerebro." (Richard M. Restak[f], neurólogo.)

En cuanto a la enorme laguna que existe entre los humanos y los animales, Alfred R. Wallace, el 'codescubridor de la evolución', escribió a Darwin: "La selección natural solo pudiera haber dotado al salvaje de un cerebro poco superior al del antropoide, pero él posee uno que es muy poco inferior al de un miembro común de nuestra ilustrada sociedad". Darwin, perturbado por esta admisión, respondió: "Espero que usted no haya asesinado completamente la criatura suya y mía"[g]

El decir que el cerebro humano evolucionó del de algún animal es resistir a la razón y los hechos. Mucho más lógica es esta conclusión: "No me queda más remedio que reconocer la existencia de un Intelecto Superior, responsable del diseño y desarrollo de la increíble relación entre el cerebro y la mente... algo que está mucho más allá de lo que el hombre puede entender. [...] Tengo que creer que todo esto tuvo un principio inteligente, que Alguien hizo que sucediera". (Dr. Robert J. White[h], neurocirujano.)

¿Un 'misterio no resuelto'?

del cerebro. Estas fibras están colocadas en lugares precisos dentro de un laberinto de tremenda complejidad. Pero es un misterio cómo llegan a estar colocadas precisamente en los puntos que exigen los "diagramas del sistema alámbrico". "Indudablemente la cuestión de mayor importancia que todavía no ha sido resuelta respecto al desarrollo del cerebro —dijo un científico— es la cuestión de cómo las neuronas producen patrones específicos de conexiones. [...] Según parece, la mayoría de las conexiones son establecidas con precisión en una etapa temprana del desarrollo"[4]. Otro investigador añade que estas áreas específicamente organizadas del cerebro "son comunes por todo el sistema nervioso, y sigue siendo uno de los grandes problemas no resueltos cómo se tiende este preciso sistema alámbrico"[5].

9 ¡La cantidad de estas conexiones es astronómica! Cada neurona puede tener miles de conexiones con otras neuronas. No solo hay conexiones entre neuronas, sino que también hay microcircuitos que se establecen directamente entre las dendritas mismas. "Estos 'microcircuitos' —dice un neurólogo— añaden una dimensión totalmente nueva a nuestra concepción, ya tremendamente complicada, de cómo funciona el cerebro"[6]. Algunos investigadores creen que los "muchos billones de células nerviosas del cerebro humano establecen quizás hasta mil billones de conexiones"[7]. ¿Y qué capacidad nos da eso? Carl Sagan declara que el cerebro pudiera contener información que "llenaría unos veinte millones de volúmenes, tantos como en las bibliotecas más grandes del mundo"[8].

10 Es la parte del cerebro llamada la corteza cerebral lo que, por mucho, separa de todo animal al hombre. Esta corteza es de poco más de medio centímetro de espesor, tiene una profunda depresión o cisura central, y está estrechamente ajustada al cráneo. Si esta corteza fuera extendida sobre una superficie plana, mediría algo menos de la cuarta parte de un metro cuadrado (dos y medio pies cuadrados), con unos 980 kilómetros de fibras conectivas por centímetro cúbico (10.000 millas por pulgada cúbica). La corteza cerebral humana no solo es

El cerebro podría contener información que "llenaría unos veinte millones de volúmenes"

9. ¿Cuántas conexiones calculan los científicos que existen dentro del cerebro, y qué dice una autoridad en cuanto a la capacidad de este?
10. a) ¿De qué maneras difiere la corteza cerebral del hombre de la de los animales, y qué ventajas resultan de esto para el hombre?
b) ¿Qué dijo acerca de esto un investigador?

172

mucho mayor que la de cualquier animal, sino que también tiene una zona no comprometida mucho mayor. Es decir, esa zona no está comprometida para encargarse de funciones físicas del cuerpo, sino que se halla libre para los procesos mentales superiores que separan de los animales a la gente. "No somos simplemente unos antropoides más sesudos", dijo un investigador. Nuestra mente "nos hace cualitativamente diferentes de toda otra forma de vida"[9].

Estamos mucho mejor capacitados

[11] "Lo que distingue al cerebro humano —dijo un científico— es la variedad de actividades más especializadas que puede aprender"[10]. La ciencia de las computadoras o los ordenadores usa el término inglés *hardwired* (de incorporación fija) para referirse a características incorporadas en una computadora que se basan en circuitos fijos, en contraste con las funciones que introduce en la computadora el programador. "Aplicado a los seres humanos —escribe una autoridad— la incorporación fija se refiere a aptitudes innatas o, por lo menos, a predisposiciones"[11]. Las personas tienen incorporadas en sí muchas capacidades que les permiten aprender, pero no tienen ya grabada en sí la aptitud misma implicada. En contraste con eso, los animales tienen sabiduría instintiva de incorporación fija, pero capacidades limitadas en cuanto a aprender cosas nuevas.

[12] El libro *The Universe Within* (El universo interno) señala que el animal más inteligente "jamás desarrolla una mente como la del ser humano. Porque le falta lo que nosotros tenemos: preprogramación de nuestro equipo neural que nos capacita para formar conceptos de lo que vemos, idioma de lo que oímos, y pensamientos de nuestras experiencias". Pero tenemos que programar el cerebro, mediante la entrada de información desde nuestro entorno, porque si no, como el libro declara: "No se desarrollaría nada que se asemejara a la mente humana [...] Sin esa inmensa infusión de experiencia, escasamente aparecería indicio del intelecto"[12]. Así, pues, la capacidad incorporada en el cerebro humano nos permite

"No somos simplemente unos antropoides más sesudos." Nuestra mente "nos hace cualitativamente diferentes de toda otra forma de vida"

11. ¿Cómo da el cerebro humano al hombre una flexibilidad para aprender que no se halla en los animales?
12. En contraste con los animales, ¿con qué capacidad están preprogramados los cerebros humanos, y qué libertad otorga esto a las personas?

El cerebro del humano de tierna edad está preprogramado para el rápido aprendizaje de lenguajes complicados, pero "los chimpancés no pueden expresarse siquiera en las formas más rudimentarias del lenguaje humano"

construir el intelecto humano. Y, a diferencia de los animales, tenemos el libre albedrío que hace posible que programemos nuestro intelecto como escojamos hacerlo, basándonos en nuestro propio conocimiento, nuestros valores y nuestras oportunidades y metas.

El lenguaje, singularidad humana

[13] Un ejemplo sobresaliente de capacidades de incorporación fija con gran flexibilidad para programación por nosotros es el del lenguaje. Los especialistas concuerdan en que "el cerebro humano está programado genéticamente para expresión mediante lenguaje"[13], y en que el habla "puede explicarse únicamente sobre la base de que tenemos dentro del cerebro una capacidad innata para procesar lenguajes"[14]. Sin embargo, a diferencia de la rigidez que se despliega en el comportamiento instintivo de los animales, hay tremenda flexibilidad en el uso que el humano da a esta capacidad de incorporación fija para expresarse en lenguaje.

[14] En nuestro cerebro no hay arreglo de incorporación fija para algún lenguaje específico, sino que estamos preprogramados con la capacidad de aprender idiomas. Si en un hogar se hablan dos idiomas, un niño de ese hogar puede aprender ambos. Si se expone al niño a un tercer idioma, el niño puede aprenderlo también. Cierta jovencita fue expuesta a varios idiomas desde su tierna

13, 14. a) ¿Qué ejemplo de preprogramación deja gran flexibilidad para que la gente programe en su intelecto lo que escoja? b) En vista de esto, ¿qué dijo un conocido lingüista acerca de los animales y el lenguaje?

174

infancia. Para cuando tenía cinco años, hablaba ocho con fluidez. En vista de estas aptitudes innatas, no es sorprendente el que un lingüista dijera que los experimentos para enseñar lenguaje de señas a los chimpancés "en realidad prueban que los chimpancés no pueden expresarse siquiera en las formas más rudimentarias del lenguaje humano"[15].

[15] ¿Pudiera ser que tan asombrosa aptitud hubiera evolucionado de los gruñidos y sonidos roncos de los animales? Los estudios de los idiomas más antiguos eliminan por completo la posibilidad de tal evolución del lenguaje. Cierto especialista dijo que "no hay idiomas primitivos"[16]. Ashley Montagu, antropólogo, concuerda en que los lenguajes llamados primitivos "suelen ser mucho más complejos y más eficaces que los lenguajes de las llamadas civilizaciones superiores"[17].

[16] Un neurólogo llega a esta conclusión: "Mientras más tratamos de investigar el mecanismo del lenguaje, más misterioso se nos hace tal proceso"[18]. Otro investigador dice: "En la actualidad el origen del habla sintáctica sigue siendo un misterio"[19]. Y otro declara: "La facultad del habla, que pone en movimiento a hombres y naciones como no lo hace ninguna otra fuerza, separa singularmente a los humanos de los animales. Sin embargo, los orígenes del lenguaje siguen siendo uno de los más desconcertantes misterios del cerebro"[20]. Sin embargo, esto no es ningún misterio para los que ven en él la mano de un Creador que incorporó de modo fijo en áreas del cerebro capacidades relacionadas con el habla.

Cosas que solo la creación puede explicar

[17] La *Encyclopædia Britannica* declara que el cerebro del hombre "está dotado de una potencialidad considerablemente mayor de la que se puede utilizar durante la vida de una persona"[21]. También se ha declarado que el cerebro humano podría encargarse de cualquier carga de enseñanza y memoria que se le impusiera ahora, ¡y mil millones de veces más! Pero ¿por qué habría de producir tal exceso la evolución? "Este es, en realidad, el único

> "Los orígenes del lenguaje siguen siendo uno de los más desconcertantes misterios del cerebro"

> El desarrollo del cerebro humano "sigue siendo el aspecto más inexplicable de la evolución"

---

15. ¿Qué muestra la ciencia con relación a los idiomas más antiguos?
16. ¿Qué dicen algunos investigadores acerca del origen del lenguaje, pero para quiénes no es un misterio su origen?
17. a) ¿Qué hecho acerca de la evolución pone ante la evolución un problema inexplicable? b) ¿Qué explicación lógica habría para que el hombre tuviera tan tremenda capacidad cerebral?

175

Los humanos tienen capacidades que superan por mucho las de cualquier animal

ejemplo en existencia de que a una especie se le haya suministrado un órgano que todavía no ha aprendido a usar", admitió cierto científico. Entonces preguntó: "¿Cómo puede conciliarse esto con la tesis más fundamental de la evolución: La selección natural adelanta a pasos pequeños, cada uno de los cuales debe otorgar a su portador una ventaja mínima, aunque mensurable?". Añadió que el desarrollo del cerebro humano "sigue siendo el aspecto más inexplicable de la evolución"[22]. Puesto que el proceso evolutivo no produciría ni transmitiría a generaciones futuras tal capacidad cerebral excesiva que nunca habría de usarse, ¿no es más razonable llegar a la conclusión de que el hombre, con capacidad para seguir aprendiendo para siempre, fue diseñado para vivir eternamente?

[18] Carl Sagan, asombrado de que el cerebro humano pudiera contener información que "llenaría unos veinte millones de volúmenes", declaró: "El cerebro es un lugar grandísimo encerrado en un espacio muy reducido"[23]. Y lo que sucede en este espacio reducido es un desafío al entendimiento humano. Por ejemplo, imagínese lo que debe estar sucediendo en el cerebro de un pianista cuyos dedos vuelan sobre el teclado mientras él toca una difícil composición musical. ¡Qué sorprendente sentido de movimiento tiene que tener su cerebro, de modo que dé a los dedos la orden de herir las teclas apropiadas al tiempo debido con la fuerza precisa de modo que el sonido case con las notas musicales que él visualiza en la mente! Y si toca una nota equivocada, ¡inmediatamente el cerebro se lo deja saber! Toda esta operación increíblemente compleja ha sido programada en su cerebro por años de práctica. Pero únicamente es posible debido a que, desde el nacimiento, en el cerebro humano estaba preprogramada la capacidad musical.

[19] Ningún cerebro animal ha concebido alguna vez cosas como estas, y mucho menos puede hacerlas. Tampoco hay teoría evolucionista alguna que suministre una explicación. ¿No es patente que las cualidades intelectuales del hombre son un reflejo de las de un Intelecto Supremo? Esto armoniza con Génesis 1:27, que declara:

18. ¿Cómo resumió cierto científico lo que el cerebro humano es, y qué ejemplo de las capacidades del cerebro se da?
19. ¿Qué explicación hay para las cualidades intelectuales y otras maravillosas aptitudes que posee el cerebro humano?

"Procedió Dios a crear al hombre a su imagen". Los animales no fueron creados a la imagen de Dios. Por eso no tienen las capacidades que tiene el hombre. Aunque los animales hacen cosas asombrosas por instintos predeterminados, rígidos, de ninguna manera alcanzan la flexibilidad humana en el pensar y actuar y en continuamente poder basarse, para progresar, en el conocimiento ya adquirido.

[20] La capacidad humana de mostrar altruismo —el dar sin propósito egoísta— crea otro problema para la evolución. Como señaló un evolucionista: "Todo cuanto ha evolucionado mediante selección natural debería ser egoísta". Y, por supuesto, muchos humanos son egoístas. Pero como reconoció posteriormente ese partidario de la evolución: "Es posible que otra cualidad singular del hombre sea la capacidad de ejercer altruismo genuino, desinteresado, verdadero"[24]. Otro científico añadió: "El altruismo es parte de nuestra estructura"[25]. Solo entre los humanos se practica el altruismo con conciencia de lo que quizás se tenga que pagar, o sacrificar, por ello.

Aprecio del milagro humano

[21] Considérese esto: El hombre da origen a pensamientos abstractos, a conciencia se fija metas, se traza planes para alcanzarlas, inicia el esfuerzo que se necesita para llevar a cabo los planes, y queda satisfecho con el logro de estos. Creado con ojo para la belleza, oído para la música, aptitud para el arte, deseo de aprender, curiosidad insaciable y una imaginación que inventa y crea... el hombre halla gozo y satisfacción en el ejercicio de estos dones. Surgen problemas que le presentan retos, y él se deleita en usar sus facultades mentales y poderes físicos para resolverlos. Un sentido moral para determinar lo que es correcto y lo que es incorrecto, y una conciencia que le duele cuando se desvía de lo recto... el hombre manifiesta estas cualidades también. El dar le ocasiona felicidad, y en el amar y ser amado halla gozo. Todas estas actividades acrecientan el placer que halla en vivir, y dan propósito y significado a su vida.

El imponente cerebro humano lleva la "imagen" de Aquel que hizo al hombre

---

20. ¿De qué modo no concuerda con la evolución el altruismo del hombre?
21. ¿Qué aptitudes y cualidades del hombre lo ponen mucho más allá de lo que un animal pudiera alcanzar?

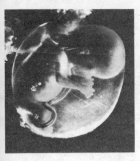

"En tu libro todas sus partes estaban escritas"

22 El humano puede considerar contemplativamente las plantas y los animales, lo majestuoso de las montañas y los océanos en su derredor, lo vasto de los cielos estrellados que se extienden sobre él, y sentirse pequeño. Tiene un sentido del tiempo y de la eternidad, se pregunta cómo llegó a la existencia y a dónde va, y busca a tientas para entender lo que se halla detrás de todo esto. Ningún animal tiene pensamientos de esta índole. Pero el humano busca el cómo y el porqué de las cosas. Todo esto es resultado de que haya sido dotado de un cerebro imponente y de que lleve la "imagen" de Aquel que lo hizo.

23 Con asombrosa perspicacia, David el salmista de la antigüedad atribuyó honra a Aquel que diseñó el cerebro, a quien él consideraba responsable del milagro del nacimiento humano. Dijo: "Te elogiaré porque de manera que inspira temor estoy hecho maravillosamente. Tus obras son maravillosas, como muy bien se da cuenta mi alma. Mis huesos no estuvieron escondidos de ti cuando fui hecho en secreto, cuando fui tejido en las partes más bajas de la tierra. Tus ojos vieron hasta mi embrión, y en tu libro todas sus partes estaban escritas". (Salmo 139:14-16.)

24 En verdad se puede decir que el óvulo fertilizado en la matriz de la madre contiene "escritas" todas las partes del cuerpo humano que se va formando. El corazón, los pulmones, los riñones, los ojos y los oídos, los brazos y las piernas, y el imponente cerebro... estas partes del cuerpo, y todas las demás, estaban "escritas" en el código genético del óvulo fertilizado en la matriz de la madre. Entre el contenido de este código hay horarios internos que marcan el tiempo para la aparición de estas partes, cada una en su propio orden. ¡Este hecho fue registrado en la Biblia casi tres mil años antes que la ciencia moderna hubiera descubierto el código genético!

25 ¿No es realmente un milagro, cosa maravillosa, la existencia del hombre con su asombroso cerebro? ¿No queda patente también que tal milagro solo puede explicarse por creación, y no por evolución?

22. ¿Qué contemplaciones dan al hombre un sentido de su pequeñez y lo llevan a buscar a tientas entendimiento?
23. ¿De qué modo dio honra por su origen David, y qué dijo acerca de cuando fue formado en la matriz?
24. ¿Qué descubrimientos científicos realzan lo asombroso de las palabras de David?
25. ¿A qué conclusión conduce todo esto?

Capítulo 15

¿Qué lleva a muchos a aceptar la evolución?

COMO hemos visto, la prueba en apoyo de la creación es enorme. Entonces, ¿qué lleva a muchas personas a rechazar la creación y, en su lugar, aceptar la evolución? Una razón para ello es lo que se ha enseñado a esas personas en las escuelas. Los libros de texto escolares sobre asuntos científicos casi siempre promueven el punto de vista evolucionista. Rara vez, si acaso alguna, presentan al estudiante los argumentos contrarios. De hecho, por lo general se impide que los argumentos contra la evolución aparezcan en los libros de texto escolares.

Rara vez se dan a conocer al estudiante los argumentos contrarios

[2] En la revista *American Laboratory* cierto bioquímico escribió lo siguiente acerca de la enseñanza escolar que recibían sus hijos: "Al niño no se le presenta la evolución como teoría. Desde tan temprano como en el segundo grado escolar (basándome en mi lectura de los libros de texto de mis hijos) se hacen declaraciones sutiles en los textos científicos. La evolución es

1, 2. ¿Cuál es una de las razones por las cuales muchas personas creen en la evolución?

presentada como realidad, no como un concepto que pueda ser puesto en tela de juicio. Entonces la autoridad del sistema educativo obliga a aceptar tal creencia". En cuanto a la enseñanza evolucionista en grados escolares más avanzados, dijo: "No se permite que el estudiante tenga creencias personales ni las declare: si el estudiante lo hace, el instructor somete al joven, o a la joven, a burla y crítica. A menudo el estudiante corre el riesgo de salir perdiendo en sentido académico porque sus puntos de vista no son 'correctos', y recibe una calificación o nota más baja"[1].

La enseñanza evolucionista está esparcida en toda ciencia y en otros campos

[3] Los puntos de vista evolucionistas no solo se hallan esparcidos en las escuelas, sino en todo campo de la ciencia, así como en otros, tales como la historia y la filosofía. Libros, artículos de revistas, películas y programas de televisión tratan la evolución como si fuera hecho establecido. Con frecuencia oímos o leemos frases como: 'Cuando el hombre evolucionó desde los animales inferiores', o: 'Millones de años atrás, cuando la vida evolucionó en los océanos'. Así, se condiciona a la gente para que acepte la evolución como un hecho, y la prueba que apoya lo contrario queda sin ser notada.

El peso de la autoridad

[4] Cuando educadores y científicos prominentes aseguran que la evolución es un hecho, y dan a entender que solo los ignorantes rehúsan aceptarla, ¿cuántos legos van a contradecirlos? Este peso de la autoridad arrojado a favor de la evolución es una de las razones principales por las cuales la aceptan grandes cantidades de personas.

Muchos educadores y científicos dicen, o dan a entender, que solo los ignorantes rechazan la evolución

[5] Un ejemplo típico de puntos de vista que suelen intimidar a los legos es esta afirmación por Richard Dawkins: "La teoría de Darwin está apoyada ahora por toda la prueba pertinente disponible, y ningún serio biólogo moderno duda de su veracidad"[2]. Pero ¿es esa la realidad? De ninguna manera. Un poco de investigación revela que muchos científicos, incluso 'serios biólogos modernos', no solo dudan de la evolución, sino que no

---

3. ¿Cómo se condiciona a algunas personas para que acepten la evolución?
4. ¿Cómo se arroja el peso de la autoridad a favor de la evolución?
5. a) ¿Qué ejemplo muestra cómo los científicos suelen usar su peso de autoridad? b) ¿Por qué están equivocadas tales afirmaciones?

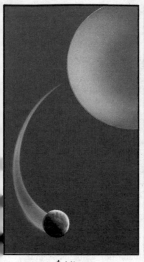

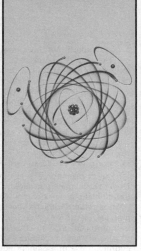

| Órbita | Agua | Gravedad |

creen en ella[3]. Ellos creen que, por mucho, la prueba a favor de la creación es más vigorosa. Por eso, declaraciones generales y abarcadoras como la de Dawkins están equivocadas. Pero son típicas de los intentos que se hacen por enterrar a la oposición mediante tal clase de habla. Un observador que tomó nota de esto escribió lo siguiente en la revista *New Scientist:* "¿Tan poca fe tiene Richard Dawkins en la prueba a favor de la evolución que tiene que hacer generalizaciones abarcadoras para poner a un lado a los que se oponen a sus creencias?"[4].

⁶ De manera similar, el libro *A View of Life* (Una vista de la vida), por los evolucionistas Luria, Gould y Singer, declara que "la evolución es un hecho real", y asegura: "[De no aceptarla,] bien podríamos dudar que la Tierra dé vueltas alrededor del Sol, o que el agua esté compuesta de hidrógeno y oxígeno"[5]. También declara que la evolución es realidad al mismo grado que lo es la existencia de la fuerza de gravedad. Pero se puede

¿Hay todavía debates acerca de si la Tierra describe una órbita alrededor del Sol, o de si el agua está compuesta de hidrógeno y oxígeno, o acerca de la existencia de la fuerza de gravedad?

6. ¿De qué manera es contrario al método científico aceptado el dogmatismo evolucionista?

probar experimentalmente que la Tierra gira alrededor del Sol, que el agua está compuesta de hidrógeno y oxígeno y que la fuerza de gravedad existe. La evolución no puede ser probada experimentalmente. De hecho, estos mismos evolucionistas confiesan que "hay enconado debate en cuanto a teorías de evolución"[6]. Pero ¿hay enconados debates todavía acerca de que la Tierra gire alrededor del Sol, acerca de que el agua esté compuesta de hidrógeno y oxígeno, acerca de la existencia de la fuerza de gravedad? No. Entonces, ¿cuán razonable es decir que la evolución es una realidad al mismo grado que lo son estos hechos?

[7] En un prólogo para el libro de John Reader *Missing Links* (Eslabones perdidos), David Pilbeam muestra que los científicos no siempre fundan sus conclusiones en hechos reales. Pilbeam dice que una razón para esto es que los científicos "también son gente, y porque hay mucho en juego, pues hay premios resplandecientes en forma de fama y publicidad". El libro reconoce que la evolución es "una ciencia activada por ambiciones individuales y, por eso, expuesta a la influencia de creencias preconcebidas". Como ejemplo de esto señala lo siguiente: "Cuando lo preconcebido es [...] tan entusiásticamente aceptado y por tanto tiempo acogido como en el caso del Hombre de Piltdown, la ciencia revela una perturbadora predisposición hacia creer antes de investigar". Ese autor añade: "No hay menos probabilidad de que los [evolucionistas] modernos se apeguen a información errónea que apoye sus preconcepciones que investigadores anteriores [...] [que] pusieron a un lado el juicio objetivo y favorecieron las nociones que deseaban creer"[7]. Por eso, por haberse comprometido ya a sostener la evolución, y por un deseo de dar adelanto a sus carreras, algunos científicos no quieren admitir la posibilidad de que haya equivocación. En vez de eso, procuran justificar ideas preconcebidas más bien que reconocer hechos que posiblemente les resultaran perjudiciales.

[8] En su prólogo a la edición centenaria de la obra de Darwin *El origen de las especies,* W. R. Thompson

---

"La ciencia [evolucionista] revela una perturbadora predisposición hacia creer antes de investigar"

"Los hechos y las interpretaciones en que confió Darwin han cesado de ser convincentes ahora"

---

7. ¿Por qué no fundan siempre sus conclusiones en hechos los científicos?

8. ¿Por qué se lamentó W. R. Thompson de la conversión general a creer en la evolución?

182

señaló a esta actitud no científica y se lamentó por ella. Thompson dijo: "Si los argumentos no pueden resistir con éxito el análisis, no se debe dar asentimiento, y una conversión general que se deba a un argumento mal fundado debe considerarse como deplorable". Dijo: "Los hechos y las interpretaciones en que confió Darwin han cesado de ser convincentes ahora. Las investigaciones que por mucho tiempo han continuado con relación a la herencia y la variación han socavado la posición darwiniana"[8].

[9] Thompson también dijo: "Un efecto de larga duración, y lamentable, del éxito del *Origen* fue la adicción de los biólogos al razonamiento superficial que no puede ser verificado. [...] El éxito del darwinismo fue acompañado por una decadencia en la integridad científica". Llegó a esta conclusión: "Esta situación, de hombres de ciencia que acuden en defensa de una doctrina que no pueden definir científicamente, y mucho menos demostrar con rigor científico, en un esfuerzo por mantener la honra de ésta ante el público mediante suprimir la crítica y echar a un lado las dificultades, es anormal e indeseable en la ciencia"[9].

"Suprimir la crítica [...] es anormal e indeseable en la ciencia"

[10] De modo similar, Anthony Ostric, profesor de antropología, criticó a sus colegas científicos por declarar "como hecho" que el hombre ha descendido de criaturas simiescas. Dijo que "a lo más es solo una hipótesis, y, además, una que no tiene buen apoyo". Señaló que "no hay prueba de que el hombre no haya permanecido esencialmente igual desde la primera indicación de su aparecimiento". Este antropólogo dijo que la mayoría, por mucho, de los profesionales se han alineado con los que promueven la evolución "por temor de que no se les declare doctos de forma o de que se les rechace de los círculos académicos distinguidos"[10]. A este respecto, Hoyle y Wickramasinghe también comentan: "O uno cree tales conceptos, o inevitablemente se le tilda de hereje"[11]. Un resultado de esto ha sido que muchos científicos se han mostrado maldispuestos a investigar sin prejuicio el punto de vista de que ha habido creación. Como se declaró en una carta al redactor de la

---

9. ¿Qué dijo Thompson acerca de que científicos suprimieran la crítica sobre la evolución?
10. ¿Qué hace que muchos científicos acepten la evolución como "hecho"?

El que el clero haya apoyado tanto a un lado como al otro en las guerras, y la intolerancia, y las enseñanzas falsas tales como las de un infierno de fuego, alejan a muchos

publicación *Hospital Practice:* "La ciencia siempre se ha enorgullecido de su objetividad, pero temo que aumentan los casos en que nosotros los científicos estamos llegando a ser, rápidamente, víctimas del pensamiento estrecho y manchado por el prejuicio que por tanto tiempo hemos odiado"[12].

El fracaso de la religión

[11] Otra razón por la cual se acepta la evolución es el fracaso de la religión convencional tanto en cuanto a lo que enseña como en cuanto a lo que hace, así como el hecho de que no representa debidamente el relato bíblico de la creación. Las personas informadas están bien al tanto del registro religioso de hipocresía, opresión e inquisiciones. Han observado que el clero ha dado apoyo a dictadores asesinos. Saben que personas de la misma religión se han matado unas a otras por millones en las guerras, mientras el clero ha apoyado a cada lado de la contienda. Por eso, no hallan razón para tomar en consideración al Dios a quien estas religiones supuestamente representan. Además, las doctrinas absurdas y

---

11. ¿De qué manera ha sido un factor en la aceptación de la evolución el fracaso de la religión?

antibíblicas contribuyen a este alejamiento. Ideas como las del tormento eterno —que Dios ha de asar para siempre en un infierno de fuego literal a la gente— son repugnantes a las personas que razonan.

[12] Sin embargo, tales enseñanzas y acciones religiosas no solo repugnan a las personas razonantes, sino que, según lo que la Biblia indica, también repugnan a Dios. Ciertamente la Biblia denuncia con franqueza la hipocresía de ciertos líderes religiosos. Por ejemplo, dice de ellos: "Ustedes también, por fuera realmente, parecen justos a los hombres, pero por dentro están llenos de hipocresía y de desafuero" (Mateo 23:28). Jesús dijo a la gente común que el clero de ellos estaba compuesto de "guías ciegos" que enseñaban, no lo que viene de Dios, sino mandatos contrarios, "mandatos de hombres como doctrinas" (Mateo 15:9, 14). De manera parecida, la Biblia condena a los religiosos que "declaran públicamente que conocen a Dios, pero [que] por sus obras lo repudian" (Tito 1:16). Así, a pesar de lo que afirman, las religiones que han promovido o aprobado tácitamente la hipocresía y el derramamiento de sangre no provienen de Dios, ni lo representan. En vez de eso, a tales sistemas se les llama "falsos profetas", y se les compara con árboles que producen "fruto inservible". (Mateo 7:15-20; Juan 8:44; 13:35; 1 Juan 3:10-12.)

[13] Además, muchas religiones han capitulado en lo que se refiere a la evolución, y así han dejado sin alternativa a sus seguidores. Por ejemplo, la *New Catholic Encyclopedia* declara: "La evolución general, hasta del cuerpo del hombre, parece ser el más probable relato científico de los orígenes"[13]. En una reunión en el Vaticano, 12 doctos que representaban al más encumbrado cuerpo científico de la Iglesia Católica concordaron en esta conclusión: "Estamos convencidos de que cantidades masivas de prueba ponen más allá de disputa seria la aplicación del concepto de la evolución al hombre y a otros primates"[14]. Con tal apoyo religioso, ¿es probable que miembros no informados de tal iglesia opongan resistencia, aunque en realidad "cantidades masivas de prueba" no apoyan la evolución, sino, al contrario, realmente apoyan la creación?

El vacío causado por el error religioso suele resultar en que se acepte la evolución

---

12. ¿Qué muestra, realmente, el fracaso de las religiones de este mundo?
13. ¿Qué falta de guía se hace patente en la religión?

La existencia de un
Creador se evidencia por
"sus obras"

¹⁴ El vacío que esto crea suele ser llenado por el agnosticismo y el ateísmo. La gente, al dejar de creer en Dios, acepta la evolución como la alternativa. Hoy día, en varios países el ateísmo basado en la evolución es hasta la política oficial del Estado. Por mucha de esta descreencia se puede responsabilizar a las religiones de este mundo.

¹⁵ A lo dicho se puede añadir que algunas doctrinas religiosas hacen que la gente crea que la Biblia enseña cosas que contradicen la realidad científica, y por eso la gente rechaza al Dios de la Biblia. Por ejemplo, como ya se señaló en un capítulo anterior, hay quienes alegan, erróneamente, que la Biblia enseña que la Tierra fue creada en seis días literales de 24 horas, y que solo tiene 6.000 años de existencia. Pero la Biblia no enseña estas cosas.

'Ver es creer'

¹⁶ Hay personas que sinceramente rechazan el concepto de un Creador porque piensan que, como se ha dicho, 'ver es creer'. Si algo no puede ser visto ni medido de alguna manera, entonces esas personas quizás piensen que no existe. Es verdad que en la vida diaria reconocen la existencia de muchas cosas que no pueden ser vistas, como la electricidad, el magnetismo, las ondas de radio o televisión, y la fuerza de gravedad. Sin embargo, esto no altera su punto de vista, porque todas estas cosas todavía pueden ser medidas o percibidas por otros medios físicos. Pero no hay manera física de ver ni medir a un Creador, o Dios.

¹⁷ No obstante, como hemos visto en capítulos anteriores, hay razón sólida para creer que un Creador invisible sí existe, porque podemos observar la prueba, los resultados físicos de su actividad. Notamos esto en la perfección y complejidad técnicas de la estructura atómica, en el universo magníficamente organizado, en el singular planeta Tierra, en los asombrosos diseños de

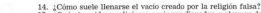

14. ¿Cómo suele llenarse el vacío creado por la religión falsa?
15. ¿Qué otras ideas religiosas erróneas disuaden a algunos de creer en Dios y en la Biblia?
16. ¿Por qué rechazan ciertas personas el concepto de un Creador?
17, 18. a) ¿Qué prueba visible a nosotros verifica la existencia de un Creador invisible? b) ¿Por qué no deberíamos esperar ver a Dios?

los organismos vivos, y en el imponente cerebro humano. Estos son efectos que tienen que haber tenido una causa adecuada que dé cuenta de su existencia. Hasta los materialistas aceptan esta ley de causa y efecto en todos los demás asuntos. ¿Por qué no aceptarla también en cuanto al universo físico mismo?

[18] Sobre este punto, nada es más diáfano que el argumento sencillo de la Biblia: "Desde que el mundo es mundo, lo invisible de [el Creador], es decir, su eterno poder y su divinidad, resulta visible para el que reflexiona sobre *sus obras*" (Romanos 1:20, *Nueva Biblia Española*). En otras palabras, la Biblia razona de efecto a causa. La creación visible, "sus obras" imponentes, son un efecto patente que tiene que haber tenido una causa inteligente. Esa causa invisible es Dios. Además, como Hacedor de todo el universo, el Creador indudablemente posee poder tan enorme que los humanos de carne y sangre no deberían esperar ver a Dios y sobrevivir. Como la Biblia comenta: "Ningún hombre puede ver [a Dios] y sin embargo vivir". (Éxodo 33:20.)

Otra razón de importancia por la cual no creen

[19] Hay otra razón de importancia por la cual muchas personas dejan de creer en Dios y aceptan la evolución. Esa razón es el mucho sufrimiento que existe. Por siglos ha habido muchísima injusticia, opresión, crimen, guerra, enfermedades y muerte. Muchas personas no entienden por qué le han sobrevenido todas estas penalidades a la familia humana. Les parece que un Creador todopoderoso no habría permitido tales cosas. Puesto que estas condiciones sí existen, esas personas piensan que Dios no pudiera existir. Así, cuando se les presenta la evolución, la aceptan como la única alternativa, muchas veces sin efectuar mucha investigación.

Debido a que existe el sufrimiento, muchos dejan de creer en Dios y aceptan la evolución

[20] Entonces, ¿por qué permitiría tanto sufrimiento un Creador todopoderoso? ¿Será para siempre así? Entender la respuesta a este problema permitirá que uno, en cambio, comprenda la razón más profunda, oculta a la vista, de por qué la teoría de la evolución se ha generalizado tanto en nuestro tiempo.

19. ¿Qué otra razón de importancia hay por la cual muchas personas aceptan la evolución?
20. ¿Qué preguntas necesitan respuesta?

187

Capítulo 16

¿Por qué habría de permitir Dios el sufrimiento?

Muchos preguntan: 'Si hay un Dios, ¿por qué permite todo esto?'

UNA razón común por la cual muchas personas dudan de la existencia de un Creador, según dicen, es la de que haya tanto sufrimiento en el mundo. A través de los siglos ha habido tanta crueldad, derramamiento de sangre y maldad manifiesta y directa que ha habido gran sufrimiento para millones de personas inocentes. Por eso, muchos preguntan: 'Si hay un Dios, ¿por qué permite todo esto?'. Puesto que, como hemos visto, el relato de la Biblia se ajusta mejor a los hechos en cuanto a la creación, ¿puede la Biblia también ayudarnos a entender por qué un Creador poderoso habría de permitir tanto sufrimiento por tan largo tiempo?

[2] Los capítulos de apertura de Génesis suministran los antecedentes para la respuesta a esta pregunta. Describen la creación de un mundo en que no había sufrimiento. El primer hombre y la primera mujer fueron colocados en un escenario paradisíaco, un hermoso hogar parecido a jardín que fue llamado Edén, y se les dio trabajo agradable y que era interesante por el reto que encerraba. En cuanto a la tierra, se les dijo que 'la cultivaran y la cuidaran'. También tenían la supervisión de "los peces del mar y las criaturas volátiles de los cielos y toda criatura viviente que se mueve sobre la tierra". (Génesis 1:28; 2:15.)

1. ¿Cuál es una razón común que dan muchas personas por la cual dudan de la existencia de un Creador?
2. ¿Cómo describe la Biblia la situación en que se colocó a la primera pareja humana?

³ Además, puesto que los primeros humanos fueron creados con cuerpos y mentes perfectos, no había defecto de ninguna clase en ellos. Por eso, no había razón para que alguna vez experimentaran enfermedad, vejez ni muerte. En vez de eso, tenían ante sí la perspectiva de un futuro sin fin en un paraíso terrestre. (Deuteronomio 32:4.)

⁴ A la primera pareja se le dijo también que 'fueran fructíferos y se hicieran muchos y llenaran la tierra'. A medida que tuvieran hijos, la familia humana aumentaría y extendería los límites del Paraíso de modo que este al fin abarcara toda la Tierra. Así, la raza humana sería una familia unida, y todos vivirían en salud perfecta sobre una Tierra que sería un Paraíso.

Necesario aceptar la gobernación de Dios

⁵ Sin embargo, para que esta armonía continuara, la primera pareja humana tenía que aceptar el derecho del Creador de gobernar los asuntos humanos. Es decir, tenían que aceptar la soberanía de Dios. ¿Por qué? Ante todo, porque aquello era apropiado. Ciertamente el ha-

Los primeros humanos tenían la perspectiva de vivir para siempre en una Tierra paradisíaca

3. ¿Qué perspectiva fue puesta ante Adán y Eva?
4. ¿Qué propósito tenía Dios para los humanos y para la Tierra misma?
5. ¿Por qué se requería que los humanos aceptaran la gobernación de Dios?

cedor de cualquier cosa tiene derecho a ejercer una medida de control sobre lo que ha hecho. Por siglos este principio se ha reflejado en leyes sobre la propiedad. Además, era necesario que los humanos aceptaran la dirección de su Hacedor debido a este hecho de crucial importancia: No habían sido diseñados con la capacidad de gobernarse a sí mismos con éxito en independencia de su Creador, tal como no podrían mantenerse vivos si no comían, bebían ni respiraban. La historia ha probado que la Biblia expresó lo correcto al decir: "Al hombre terrestre no le pertenece su camino. No le pertenece al hombre que está andando siquiera dirigir su paso" (Jeremías 10:23). Mientras los humanos se mantuvieran dentro de las pautas fijadas para ellos por su Creador, la vida sería continua, de buen éxito y feliz.

Los humanos no fueron creados para gobernarse con éxito en independencia de su Creador

⁶ Además, los humanos fueron creados con libre albedrío. No fueron hechos para que reaccionaran como robots, ni obligados a hacer ciertas cosas principalmente por instinto, como sucede en el caso de los animales o los insectos. Sin embargo, esta libertad había de ser *relativa,* no absoluta. Había de ejercerse con responsabilidad, dentro de los límites de las leyes de Dios, leyes que funcionaban para el bien común. Note cómo la Biblia expone este principio: "Sean como personas libres, y sin embargo teniendo su libertad, no como disfraz para la maldad, sino como esclavos de Dios" (1 Pedro 2:16). Sin ley que gobernara las interrelaciones humanas, habría anarquía, y esto tendría efecto adverso en la vida de toda persona.

La libertad había de ser *relativa,* no absoluta

⁷ Por eso, aunque la libertad relativa es deseable, el tener demasiada libertad no lo es. Si a un niño se le da demasiada libertad, eso pudiera llevarlo a jugar en una calle de mucho tránsito, o a colocar su mano sobre una estufa caliente. La libertad total para tomar todas nuestras propias decisiones sin considerar la dirección de nuestro Hacedor puede causar toda clase de problemas. Así sucedió en el caso de los primeros humanos. Ellos escogieron dar mal uso a su dádiva o don de libertad. Decidieron, equivocadamente, procurar independizarse de su Creador y así 'ser como Dios'. Pensaron que

_____

6, 7. a) ¿Qué clase de libertad otorgó Dios a los humanos, y por qué? b) ¿Qué mala selección hicieron los primeros humanos?

podían determinar para sí mismos lo que era correcto y lo que era incorrecto. (Génesis 3:5.)

[8] Cuando los primeros humanos se alejaron de la dirección de su Creador, lo que les sucedió fue similar a lo que sucede cuando se desenchufa un ventilador eléctrico. Mientras el ventilador esté enchufado a una fuente de energía, funciona. Pero cuando es desconectado, pierde velocidad y al fin cesa por completo de funcionar. Eso fue lo que sucedió cuando Adán y Eva se apartaron de su Creador, "la fuente de la vida" (Salmo 36:9). Puesto que escogieron voluntariamente un proceder de independencia respecto a su Hacedor, él dejó que ellos aprendieran el significado pleno del proceder que habían escogido, al dejar que se las arreglaran por sí mismos. Como declara un principio bíblico: "Si lo dejan [a Dios], él los dejará a ustedes" (2 Crónicas 15:2). Sin el poder sustentador de su Creador, empezaron a experimentar una desintegración gradual de mente y cuerpo. Con el tiempo, envejecieron y murieron. (Génesis 3:19; 5:5.)

Tal como un ventilador pierde velocidad y se detiene al ser desconectado, así Adán y Eva envejecieron y murieron después de haberse apartado de su fuente de vida

8. ¿Qué sucedió cuando Adán y Eva se apartaron de la gobernación de Dios?

⁹ Cuando Adán y Eva escogieron independizarse de su Hacedor, cayeron de la perfección. Esto sucedió antes que tuvieran hijos. Como resultado de esto, posteriormente, cuando tuvieron hijos, estos reflejaron lo que sus padres ahora eran... fueron imperfectos. De modo que los primeros humanos llegaron a ser como un patrón defectuoso. Todo lo que se produjo de ellos también fue defectuoso. Por tanto, todos nacemos imperfectos y heredamos las incapacidades de envejecer, enfermar y morir. Esta imperfección, junto con la condición de estar separados del Creador y de sus leyes, abrió las compuertas para el impetuoso fluir de la insensatez humana. Así, pues, la historia de la humanidad ha llegado a estar llena de sufrimiento, dolor, enfermedad y muerte. (Salmo 51:5; Romanos 5:12.)

El meditar sobre lo que es incorrecto puede hacer que uno haga lo incorrecto

¹⁰ ¿Quiere decir esto que la iniquidad surgió enteramente de los humanos? No; hubo más que eso envuelto en el asunto. La creación de criaturas inteligentes no se limitó a humanos. Ya Dios había creado innumerables criaturas espirituales en los cielos (Job 38:4, 7). Estas criaturas también tenían libre albedrío y también tenían libertad de selección respecto a aceptar la dirección de su Creador. Una de aquellas criaturas espirituales escogió concentrar su pensamiento en un deseo de alcanzar independencia. Su ambición creció a tal grado que lo impulsó a desafiar la autoridad de Dios. Dijo a Eva, la esposa de Adán, que ellos podían violar la ley de Dios y, no obstante, como le aseguró: "Positivamente no morirán" (Génesis 3:4; Santiago 1:13-15). Sus declaraciones dieron a entender que ellos no necesitaban a su Creador para continuar teniendo vida y felicidad. En realidad, dijo que el violar la ley mejoraría de hecho los asuntos para ellos, pues les permitiría ser como Dios. Así, cuestionó la validez de las leyes de Dios y arrojó dudas sobre el modo como Dios los gobernaba. Sí, arrojó dudas sobre el mismísimo *derecho* del Creador de ellos a gobernar. Debido a esta falsa representación se le llegó a llamar *Satanás,* que significa "resistidor", y *Diablo,* que significa "calumniador". Durante los pasados 6.000 años esta actitud de Satanás ha ejercido influencia en la humani-

---

9. ¿Qué efecto ha tenido en toda la humanidad la mala selección de los primeros humanos?
10. a) ¿Qué rebelión tuvo lugar en la región espiritual? b) ¿Cómo pudo suceder tal cosa?

dad, y ha dado adelanto a una norma de 'gobernar o destruir'. (Lucas 4:2-8; 1 Juan 5:19; Revelación 12:9.)

[11] Pero ¿por qué no destruyó Dios desde el principio a estos violadores de la ley, tanto a los humanos como al espiritual? La respuesta está en el hecho de que delante de toda la creación inteligente se habían planteado cuestiones de profunda importancia. Una de las cuestiones envolvía preguntas como estas: ¿Traería alguna vez beneficios duraderos el independizarse de la soberanía de Dios? ¿Sería mejor para la gente que Dios la dirigiera, o sería mejor que el hombre se dirigiera a sí mismo? ¿Pudieran los humanos gobernar este mundo con éxito en independencia de su Creador? En pocas palabras, ¿necesitaban realmente los humanos la guía de Dios? Estas preguntas exigían respuestas que solo se podrían suministrar con el pasar del tiempo.

¿Por qué tanto tiempo?

[12] No obstante, ¿por qué ha permitido Dios que haya pasado tanto tiempo antes de resolver estos asuntos... unos 6.000 años ya? ¿No pudieran haberse resuelto satisfactoriamente mucho tiempo atrás? Pues bien, si Dios hubiera intervenido mucho tiempo atrás, se pudiera haber presentado la acusación de que a los humanos no se les dio suficiente tiempo para que desarrollaran un gobierno que diera buen resultado, ni la tecnología necesaria para traer paz y prosperidad a todos. Por eso, en su sabiduría, Dios sabía que las cuestiones que se habían planteado requerirían tiempo para ser completamente resueltas. Permitió tal tiempo.

Las cuestiones que se hicieron surgir necesitarían tiempo para ser resueltas completamente

[13] A través de los siglos se ha hecho la prueba de todo tipo de gobierno, todo tipo de sistema social y todo tipo de sistema económico. Además, los humanos han tenido suficiente tiempo para efectuar muchos avances tecnológicos, incluso el dominar el átomo y viajar a la Luna. ¿Con qué resultado? ¿Ha producido todo esto la clase de mundo que sea una bendición verdadera a toda la familia humana?

[14] Lejos de ello. Nada de lo que los hombres han

11. ¿Por qué no acabó Dios con los rebeldes en el principio?
12. Si Dios hubiera intervenido al principio, ¿qué acusación pudiera haberse presentado contra él?
13, 14. ¿Qué resultados ha tenido el independizarse de Dios?

Después de todos estos siglos, las condiciones mundiales son más amenazadoras que nunca

intentado ha traído verdadera paz y felicidad para todos. En vez de eso, después de todo este tiempo las condiciones son más inestables que nunca. El delito, la guerra, la desintegración de la familia, la pobreza y el hambre causan estragos en una nación tras otra. La mismísima existencia de la humanidad ha sido puesta en peligro. Misiles nucleares de imponente poder destructivo pudieran aniquilar a casi toda la raza humana, si no a toda. Por eso, a pesar de miles de años de esfuerzo, a pesar de muchos siglos de experiencia humana sobre lo cual edificar, a pesar de haber alcanzado nuevos máximos de progreso tecnológico, la humanidad todavía lucha, sin éxito, con sus problemas más fundamentales.

[15] Hasta la misma Tierra ha experimentado efectos adversos. La avaricia y la negligencia humanas han convertido ciertas áreas en desiertos al haberse acabado con los bosques que las protegían. Desechos químicos y de otra índole han contaminado la tierra, el mar y el aire. Esta descripción bíblica —de 2.000 años atrás— de la condición de la vida en la Tierra es hasta más exacta hoy día: "Toda la creación sigue gimiendo juntamente y estando en dolor juntamente hasta ahora". (Romanos 8:22.)

"Toda la creación sigue gimiendo juntamente y estando en dolor juntamente hasta ahora"

¿Qué ha quedado probado?

[16] ¿Qué han probado, fuera de toda duda, los acontecimientos que han tenido lugar durante todo este tiempo? Que la gobernación humana en independencia del Crea-

---

15. Qué le ha sucedido a la Tierra como consecuencia de la rebelión del hombre?
16, 17. ¿Qué ha quedado probado con el pasar de tanto tiempo?

194

Al permitir suficiente tiempo para contestar las preguntas, Dios ha establecido un precedente para el futuro, como una decisión fundamental de un tribunal supremo

dor del hombre no es satisfactoria. Se ha demostrado claramente que es imposible administrar con buen éxito los asuntos de la Tierra sin contar con el Hacedor del hombre. La historia continúa confirmando la franca evaluación bíblica de los esfuerzos del hombre por gobernar cuando dice: "El hombre ha dominado al hombre para perjuicio suyo". (Eclesiastés 8:9.)

17 ¡Cuán desastrosos han resultado los esfuerzos humanos, en comparación con el orden y la precisión que se hallan en el universo guiado por las leyes de su Creador! Queda patente que los humanos también necesitan esta clase de guía para gobernar sus asuntos, porque el no tomar en cuenta la supervisión divina ha sido desastroso. Se ha demostrado claramente, para todo tiempo, que necesitamos la dirección de Dios tan seguramente como necesitamos aire, agua y alimento. (Mateo 4:4.)

18 Además, Dios, al permitir suficiente tiempo para resolver las cuestiones relacionadas con la gobernación humana, ha establecido un precedente permanente para el futuro. Esto se pudiera asemejar a un caso fundamental de un tribunal supremo. Para todo tiempo la cuestión ha sido resuelta: La gobernación humana en independencia de Dios no puede resultar en condiciones deseables en la Tierra. Por eso, en el futuro, si cualquier agente con libre albedrío desafiara el modo como Dios hace las cosas, no sería necesario permitir otros miles de años para que esa persona tratara de probar lo

18. ¿Cómo ha suministrado un precedente permanente para el futuro el que se haya permitido tiempo para resolver las cuestiones?

que alegara. Todo lo que tiene que probarse ha sido probado en este período de unos 6.000 años que Dios ha permitido. Por eso, durante la eternidad del tiempo futuro, jamás se permitirá de nuevo que un rebelde eche a perder la paz y felicidad de la vida en la Tierra, ni que interfiera con la soberanía de Dios en ningún otro lugar del universo. Como lo declara enfáticamente la Biblia: "La angustia no se levantará segunda vez". (Nahúm 1:9.)

La solución divina

[19] Así la Biblia suministra una explicación razonable para la existencia del sufrimiento en un mundo creado por Dios. También la Biblia muestra con claridad que se ha acercado el tiempo en que Dios utilizará su omnipotencia para eliminar de la existencia a los que causan el sufrimiento. Proverbios 2:21 y 22 declara: "Los rectos son los que residirán en la tierra, y los exentos de culpa son los que quedarán en ella. En cuanto a los inicuos, ellos serán cortados de la mismísima tierra; y en cuanto a los traicioneros, ellos serán arrancados de ella". Sí, Dios 'causará la ruina de los que están arruinando la tierra' (Revelación 11:18). Eso incluirá también, finalmente, la eliminación de Satanás el Diablo (Romanos 16:20). Dios no permitirá que los inicuos sigan afeando ni causando daño por mucho más tiempo a su hermosa creación, la Tierra. Cualesquiera que no se amolden a Sus leyes serán arrancados de raíz. Solo los que hagan la voluntad de Dios han de continuar viviendo (1 Juan 2:15-17). Usted no plantaría un jardín de flores en medio de un área llena de malas hierbas, ni colocaría pollitos y zorras en la misma jaula. Así, también, cuando Dios restaure el Paraíso para los humanos justos él no permitirá que a la misma vez anden a rienda suelta en él personas inclinadas a arruinarlo.

El Creador no permitirá que los inicuos afeen ni causen daño a su hermosa Tierra por mucho más tiempo

[20] Aunque el sufrimiento que ha habido por siglos ha sido muy doloroso para las personas que han sido sus víctimas, ha cumplido con un buen propósito. Esto pudiera compararse con permitir uno que su hijo fuera sometido a una dolorosa operación para corregir un

19. ¿Qué solución tiene Dios para el problema de la iniquidad?
20. ¿Cómo será borrado el sufrimiento del pasado?

grave problema de salud. Los beneficios de largo plazo sobrepasan por mucho el dolor temporal. Además, el futuro que Dios se ha propuesto para esta Tierra y los humanos sobre ella quitará de la memoria la carga del pasado: "Las cosas anteriores no serán recordadas, ni subirán al corazón" (Isaías 65:17). Por tanto, los sufrimientos que los humanos han experimentado serán con el tiempo borrados de la mente de los que vivan cuando la gobernación de Dios rija sobre toda la Tierra. En ese tiempo los gozos no dejarán lugar en la mente para los malos recuerdos, porque Dios "'limpiará toda lágrima de [los] ojos [de ellos], y la muerte no será más, ni existirá ya más lamento ni clamor ni dolor. Las cosas anteriores

Los sufrimientos que la gente haya experimentado antes serán borrados por los gozos del Nuevo Orden de Dios

han pasado.' Y El que estaba sentado sobre el trono dijo: '¡Mira! Estoy haciendo nuevas todas las cosas'". (Revelación 21:4, 5.)

21 Jesucristo llamó a este Nuevo Orden venidero "la re-creación" (Mateo 19:28). Las víctimas del sufrimiento y la muerte de tiempos pasados aprenderán entonces que Dios sí se interesa en ellas, porque en esa era también se verá la re-creación literal de los que están muertos en el sepulcro. Jesús dijo: "Todos los que están en las tumbas conmemorativas [...] saldrán" en una resurrección a la vida en la Tierra (Juan 5:28, 29). De este modo, los muertos también recibirán la oportunidad de someterse a la gobernación justa de Dios y adquirir el privilegio de vivir para siempre "en el Paraíso", como lo llamó Jesús. (Lucas 23:43.)

22 Hasta el reino animal estará en paz. La Biblia dice que "el lobo y el cordero mismos pacerán como uno solo, y el león comerá paja justamente como el toro", y hasta "un simple muchachito será guía sobre ellos". Los animales "no harán ningún daño ni causarán ninguna ruina" en el Nuevo Orden de Dios, ni unos a otros, ni a los humanos. (Isaías 11:6-9; 65:25.)

En todo sentido "la creación misma también será libertada de la esclavitud a la corrupción"

23 Así, en todo sentido, como declara Romanos 8:21, "la creación misma también será libertada de la esclavitud a la corrupción y tendrá la gloriosa libertad de los hijos de Dios". Con el tiempo, la Tierra llegará a ser un Paraíso, habitado por personas perfectas... libres de las enfermedades, el dolor y la muerte. El sufrimiento será para siempre una cosa del pasado. Todo aspecto de la creación terrestre de Dios llegará a estar en completa armonía con Su propósito, y así se habrá quitado la repugnante mancha que por miles de años ha afeado la belleza de Su universo.

24 Así explica la Biblia el que Dios haya permitido el sufrimiento, y lo que él hará para resolver este problema. Sin embargo, puede que algunos pregunten: '¿Cómo sé yo que realmente puedo confiar en lo que la Biblia dice?'.

---

21. ¿Qué oportunidad se dará hasta a personas que han muerto?
22. ¿Qué condición se restaurará al reino animal?
23. ¿En qué condición entrará toda la creación de Dios?
24. ¿Qué pregunta pudiera hacerse acerca de la Biblia?

Capítulo 17

¿Puede usted confiar en la Biblia?

PARA muchas personas, la Biblia es sencillamente un libro que fue escrito por hombres sabios de una época ya ida. Un profesor universitario, Gerald A. Larue, aseguró: "Los puntos de vista de los escritores como se expresan en la Biblia reflejan las ideas, creencias y conceptos que eran comunes en los propios tiempos de ellos, y están limitados por el grado de conocimiento que había en aquellos tiempos"[1]. Sin embargo, la Biblia afirma de sí misma que es un libro inspirado por Dios (2 Timoteo 3:16). Si esto es cierto, la Biblia ciertamente estaría libre de los puntos de vista equivocados que fueran comunes cuando sus diversas partes fueron escritas. ¿Puede la Biblia salir victoriosa al ser examinada a la luz del conocimiento actual?

[2] A medida que consideramos esta cuestión, tenga presente que, mientras el conocimiento va aumentando, los humanos se ven en la necesidad constante de seguir ajustando sus puntos de vista para amoldarlos a la nueva información y a los nuevos descubrimientos. La revista *Scientific Monthly* señaló en cierta ocasión lo siguiente: "Es pedir demasiado el esperar que artículos que en algunos casos se hubieran escrito tan [recientemente] como cinco años atrás pudieran ser aceptados ahora como representativos de lo último que se piensa en las áreas de la ciencia de que tratan"[2]. Sin embargo, la Biblia fue escrita y compilada durante un espacio de unos 1.600 años, y quedó completa hace aproximadamente 2.000 años. ¿Qué se puede decir hoy acerca de su exactitud?

La Biblia y la ciencia

[3] Durante el tiempo en que se estaba escribiendo la

1. a) ¿Qué punto de vista tienen muchos acerca de la Biblia, contrario a lo que la Biblia misma afirma de sí? b) ¿Qué pregunta surge?
2. ¿Qué efecto suele tener la información nueva en los escritos humanos sobre asuntos científicos?
3. ¿Qué puntos de vista tenía la gente de la antigüedad respecto a lo que servía de apoyo a la Tierra, pero que dice la Biblia?

De este modo creían algunos antiguos que la Tierra estaba sostenida

Biblia, entre los hombres había razonamientos infundados en cuanto a cómo estaba sostenida en el espacio la Tierra. Por ejemplo, algunos creían que la Tierra estaba sostenida por cuatro elefantes que estaban plantados sobre una enorme tortuga marina. Sin embargo, la Biblia, en vez de reflejar los puntos de vista imaginativos y no científicos que existían cuando estaba siendo escrita, sencillamente declaró: "[Dios] está extendiendo el norte sobre el lugar vacío, *colgando la tierra sobre nada*" (Job 26:7). Sí, más de 3.000 años atrás la Biblia señaló, correctamente, que la Tierra no tiene apoyo visible, un hecho que está en armonía con las leyes de la gravitación y la moción, que han sido entendidas en tiempos relativamente recientes. "El hecho de cómo supo Job la verdad —declaró cierto docto religioso— es una cuestión que no pueden resolver fácilmente los que niegan la inspiración de la Sagrada Escritura"[3].

⁴ En cuanto a la forma de la Tierra, *The Encyclopedia Americana* dice: "La más temprana imagen mental conocida de la Tierra entre los hombres era que esta era una plataforma plana y rígida en el centro del universo. [...] El concepto de una Tierra esférica no fue aceptado extensamente sino hasta el Renacimiento"[4]. ¡Navegantes del pasado hasta temían caerse junto con sus embarcaciones de vela desde el borde de la Tierra plana! Pero después la introducción de la brújula y de otras mejoras hicieron posible efectuar viajes oceánicos más largos. Estos "viajes de descubrimiento —explica

4, 5. a) ¿Qué solía creer la gente acerca de la forma de la Tierra, con qué temor resultante? b) ¿Qué dice la Biblia acerca de la forma de la Tierra?

otra enciclopedia— mostraron que el mundo era redondo, no plano como había creído la mayoría de la gente"[5].

[5] Sin embargo, mucho antes de tales viajes, en realidad unos 2.700 años atrás, la Biblia dijo: "Hay Uno que mora por encima del *círculo* de la tierra, los moradores de la cual son como saltamontes" (Isaías 40:22). La palabra hebrea *chugh,* traducida "círculo", también puede significar "esfera", como lo muestran obras de referencia como el *Analytical Hebrew and Chaldee Lexicon* (Léxico analítico hebreo y caldeo) de Davidson. Por tanto, otras traducciones dicen "el *globo* de la tierra" *(Franquesa-Solé),* y "el *orbe* terrestre" *(Biblia de Jerusalén).* Como se ve, la Biblia no estuvo bajo la influencia del concepto erróneo de una Tierra plana, que era el punto de vista general cuando la Biblia fue escrita. La Biblia fue exacta.

[6] Por mucho tiempo los humanos han notado que los ríos fluyen a los mares y a los océanos y sin embargo la profundidad de los mares y los océanos no aumenta. Algunos creían, hasta cuando se aprendió que la Tierra es esférica, que esto se debía a que desde los extremos de la Tierra se estaba derramando y perdiendo una cantidad igual de agua. Más tarde se aprendió que cada segundo el Sol eleva como por bombeo miles de millones de litros de agua desde los mares, en la forma de vapor de agua. Esto produce nubes que son llevadas por el viento sobre las zonas terrestres, donde la humedad se precipita como lluvia y nieve. El agua entonces se escurre hacia los ríos y fluye de nuevo a los mares.

Este ciclo del agua, por lo general desconocido en la antigüedad, se describe en la Biblia

---

6. ¿Qué maravilloso ciclo, por lo general no entendido en la antigüedad, describe la Biblia?

Este maravilloso ciclo, aunque por lo general era desconocido en la antigüedad, se menciona en la Biblia: "Los ríos desembocan en el mar y éste nunca se llena, y el agua vuelve a los ríos y nuevamente fluye hacia el mar". (Eclesiastés 1:7, *La Biblia al Día*.)

⁷ Respecto al origen del universo, la Biblia declara: "En el principio creó Dios los cielos y la tierra" (Génesis 1:1). Pero para muchos científicos esto no estaba en armonía con la ciencia, pues ellos decían que el universo no había tenido principio. Sin embargo, el astrónomo Robert Jastrow, señalando a información más reciente, explica: "La esencia de estos extraños descubrimientos es que el Universo tuvo, en algún sentido, un principio... que empezó en cierto momento en el tiempo". Jastrow aquí se refiere a una creencia comúnmente aceptada ahora, la teoría de "la gran explosión", como se ha señalado en el capítulo 9. Él añade: "Ahora vemos que la prueba procedente de la astronomía conduce a un punto de vista bíblico del origen del mundo. Los detalles difieren, pero los elementos esenciales en el relato astronómico y el relato bíblico de Génesis son iguales"⁶.

"El relato astronómico y el relato bíblico de Génesis son iguales"

⁸ ¿Qué reacción han causado tales descubrimientos? "El dato curioso es que los astrónomos están perturbados", escribe Jastrow. "Sus reacciones suministran una interesante demostración de la respuesta de la mente científica —supuestamente una mente muy objetiva— cuando la prueba descubierta por la ciencia misma conduce a un conflicto con los artículos de fe de nuestra profesión. Resulta que el científico se comporta como los demás de nosotros lo hacemos cuando nuestras creencias están en conflicto con la prueba. Nos irritamos, fingimos que el conflicto no existe, o lo cubrimos con frases que carecen de significado"⁷. Pero sigue en pie el hecho de que aunque la "prueba descubierta por la ciencia" no concordaba con lo que los científicos habían creído por mucho tiempo en cuanto al origen del universo, confirmaba lo que se había escrito en la Biblia milenios atrás.

7, 8. a) ¿Cómo ha quedado probada la exactitud de lo que la Biblia dice sobre el origen del universo? b) ¿Cómo han reaccionado algunos astrónomos a esta información más reciente, y por qué?

⁹ La Biblia dice que en los días de Noé un gran diluvio cubrió las más altas montañas de la Tierra y destruyó toda la vida humana que se hallaba fuera de la enorme arca construida por Noé (Génesis 7:1-24). Muchas personas se han mofado de este relato. Sin embargo, en elevadas montañas se hallan caparazones de organismos marinos. Y la gran cantidad de fósiles y cuerpos muertos depositados en lodo congelado es prueba adicional de que un diluvio de proporciones inmensas ocurrió en el pasado no muy distante. La publicación *The Saturday Evening Post* dijo: "Muchos de estos animales estaban perfectamente frescos, completos y sin daño, y todavía de pie o por lo menos levantados sobre las rodillas. [...] Aquí está un cuadro verdaderamente sacudidor... para la manera como pensábamos antes. Grandísimas manadas de bestias enormes y bien alimentadas que no estaban específicamente diseñadas para el frío extremo estaban alimentándose plácidamente en pastos soleados [...] De repente todas fueron muertas sin señal visible alguna de violencia y antes que pudieran siquiera tragarse un último bocado de alimento, y entonces fueron congeladas con tanta rapidez que cada célula de sus cuerpos está perfectamente conservada"⁸.

Un mamut solidificado por el frío, descubierto en Siberia. Después de miles de años, todavía tenía vegetación en la boca y en el estómago, y su carne podía comerse tras de ser descongelada

¹⁰ Esto encaja con lo que sucedió en el gran Diluvio. La Biblia lo describe de este modo: "Fueron rotos todos los manantiales de la vasta profundidad acuosa y las compuertas de los cielos fueron abiertas". La precipitación acuosa 'anegó abrumadoramente la tierra', e indudablemente estuvo acompañada de vientos helados en las regiones polares (Génesis 1:6-8; 7:11, 19). En esos lugares el cambio de temperatura sería el más rápido y drástico. Así fueron anegadas y conservadas en el lodo helado diversas formas de vida. Puede que una de estas haya sido el mamut que fue descubierto por los excavadores en Siberia, y que se ve en la ilustración acompañante. Todavía tenía vegetación en la boca y el estómago, y su carne hasta podría haberse comido después de ser descongelada.

9, 10. a) ¿Qué dice la Biblia acerca de un gran diluvio? b) ¿Qué prueba confirma ahora que lo que la Biblia dice es verdad?

¹¹ Mientras más cuidadosamente se examina la Biblia, más sorprendente es su notable exactitud. Como se ha señalado en las páginas 36 y 37 de este libro, la Biblia da las etapas de la creación en el mismo orden que la ciencia ahora confirma, un hecho difícil de explicar si la Biblia fuera sencillamente de origen humano. Este es otro ejemplo de los muchos detalles de la Biblia que han sido confirmados por el conocimiento que avanza. Con buena razón uno de los más grandes científicos de todo tiempo, Isaac Newton, dijo: "No hay ciencias mejor atestiguadas que la religión de la Biblia"[9].

La Biblia y la salud

¹² A través de los siglos ha habido gran ignorancia respecto a asuntos de la salud. Un médico hasta declaró: "Muchísimas personas todavía creen muchas supersticiones, como las de que una castaña en el bolsillo evita el reumatismo; que el tomar sapos en la mano causa verrugas; que el llevar franela roja alrededor del cuello sana una garganta irritada", y otras. Sin embargo, explicó: "En la Biblia no se encuentran declaraciones de esa índole. Esto en sí mismo es notable"[10].

La Biblia se halla notablemente libre de expresiones de superstición

¹³ También es notable el resultado de comparar con lo que la Biblia dice los peligrosos tratamientos médicos que se utilizaban en el pasado. Por ejemplo, el Papiro Ebers, un papiro médico de los egipcios antiguos, prescribía el uso de excremento para tratar diferentes condiciones. Decía que el excremento humano mezclado con leche fresca debía aplicarse como cataplasma en las lesiones que quedaran después de la caída de las costras. Y un remedio para sacar astillas dice: "Sangre de gusanos, cuézase y aplástese en aceite; topo, mátese, cuézase y déjese escurrir en aceite; excremento de asno, mézclese en leche fresca. Apliquese a la abertura"[11]. Ahora se sabe que tal tratamiento puede resultar en infecciones serias.

11. ¿Qué otro detalle de la Biblia ha sido confirmado por el avance del conocimiento, de modo que hasta algunos científicos han llegado a qué conclusión?
12. ¿Qué contraste señaló un médico entre las supersticiones comunes respecto a la salud y las declaraciones que se hallan en la Biblia?
13. ¿Qué tratamiento médico peligroso prescribían los egipcios antiguos?

¹⁴ ¿Qué dice la Biblia acerca del excremento? Dio estas direcciones: "Cuando te agaches fuera, entonces tienes que cavar un hoyo con [un instrumento de cavar] y volverte y cubrir tu excremento" (Deuteronomio 23:13). Así, lejos de prescribir excremento para tratamiento médico, la Biblia dio instrucciones de disponer apropiadamente de los desechos humanos. Hasta el siglo actual, por lo general no se conocía el peligro de dejar los excrementos expuestos a las moscas. Esto resultó en que se esparcieran graves enfermedades portadas por las moscas, y en la muerte de muchas personas. Sin embargo, el remedio sencillo estaba registrado en la Biblia durante todo ese tiempo, y los israelitas lo seguían más de 3.000 años atrás.

En el siglo pasado los médicos no siempre se lavaban las manos después de tocar a los muertos, y causaban otras muertes

¹⁵ Durante el siglo pasado, el personal médico pasaba directamente de estar manejando cadáveres en el cuarto de disección a la sala de maternidad para efectuar exámenes, y ni siquiera se lavaban las manos. Así se transferían infecciones de los muertos a los vivos, y muchas otras personas morían. Hasta cuando se demostró el valor de lavarse las manos, muchos miembros de la comunidad médica opusieron resistencia a estas medidas higiénicas. Indudablemente sin que lo supieran, estaban rechazando la sabiduría de la Biblia, puesto que la ley de Jehová a los israelitas decretaba que cualquier persona que tocara a un cadáver se hacía inmunda y tenía que lavarse y lavar su ropa. (Números 19:11-22.)

¹⁶ Como señal de un pacto con Abrahán, Jehová Dios

14. ¿Qué dice la Biblia acerca de disponer de los desechos, y cómo ha sido una protección esto?
15. Si se hubiera seguido el consejo bíblico relativo a tocar cadáveres, ¿qué práctica médica que resultó en muchas muertes se habría evitado?
16. ¿Cómo se manifestó una sabiduría superior al conocimiento humano en las instrucciones de que la circuncisión se efectuara en el octavo día?

dijo: "Todo varón de ustedes que tenga *ocho días de edad* tiene que ser circuncidado". Más tarde, este requisito fue repetido a la nación de Israel (Génesis 17:12; Levítico 12:2, 3). No se explicó por qué se había especificado el día *octavo,* pero ahora lo entendemos. La investigación médica ha descubierto que la vitamina K, un elemento coagulador de la sangre, sube a un nivel adecuado únicamente para entonces. Parece que otro elemento coagulador esencial, la protrombina, alcanza en el octavo día un nivel superior al de cualquier otro tiempo durante la vida del niño. Fundándose en esta evidencia, el Dr. S. I. McMillen llegó a esta conclusión: "El día perfecto para ejecutar una circuncisión es el *octavo* día"[12]. ¿Fue esto simple coincidencia? De ninguna manera. Fue conocimiento que comunicó un Dios que sabía lo implicado.

[17] Otro descubrimiento de la ciencia moderna es el grado a que la actitud mental y las emociones afectan la salud. Una enciclopedia explica: "Desde 1940 se ha hecho cada vez más claro que la función fisiológica de los órganos así como los sistemas de órganos están estrechamente relacionados con el estado mental del individuo, y que hasta pueden ocurrir cambios en los tejidos de un órgano que haya sido afectado de ese modo"[13]. Sin embargo, mucho tiempo atrás en la Biblia se hizo referencia a esta estrecha relación entre la actitud mental y la salud física. Por ejemplo, la Biblia dice: "Un corazón calmado es la vida del organismo de carne, pero los celos son podredumbre a los huesos". (Proverbios 14:30; 17:22.)

En la Biblia, mucho tiempo atrás, se hizo referencia a la estrecha relación que existe entre la actitud mental y la salud física

[18] Por eso la Biblia guía a la gente a apartarse de las emociones y las actitudes dañinas. "Andemos decentemente —amonesta—, no en contienda y celos." También aconseja: "Quítense de ustedes toda amargura maliciosa y cólera e ira y gritería y habla injuriosa junto con toda maldad. Mas háganse bondadosos los unos con los otros, tiernamente compasivos" (Romanos 13:13; Efesios 4:31, 32). La Biblia recomienda especialmente el amor. "Además de todas estas cosas —dice—, vístanse de amor." Jesús, en su condición del mayor

17. ¿Qué otro descubrimiento de la ciencia confirma a la Biblia?
18. ¿Cómo guía la Biblia a la gente a apartarse de las emociones dañinas y enfatiza el mostrar amor?

proponente del amor, dijo a sus discípulos: "Les doy un nuevo mandamiento: que se amen unos a otros; así como yo los he amado". En su Sermón del Monte hasta dijo: "Continúen amando a sus enemigos" (Colosenses 3:12-15; Juan 13:34; Mateo 5:44). Muchos quizás se burlen de esto, y lo llamen debilidad, pero a costa de algo. La ciencia ha aprendido que la falta de amor es un factor de importancia en muchas enfermedades mentales y otros problemas.

[19] La publicación médica británica *Lancet* dijo en cierta ocasión: "Por mucho, el descubrimiento más significativo de la ciencia mental es el poder del amor como fuerza protectora y restauradora para la mente"[14]. De manera similar, un conocido especialista en asuntos de tensión emocional o estrés, el Dr. Hans Selye, dijo: "No es la persona odiada ni el jefe que frustra quien llega a padecer úlceras, hipertensiones y enfermedades cardíacas. Es la persona que odia o que se permite sentirse frustrada. 'Ama a tu prójimo' está entre los más sabios consejos médicos que alguna vez se han dado"[15].

El énfasis que la Biblia da al amor armoniza con el sano consejo médico

[20] En verdad la sabiduría de la Biblia aventaja por mucho a los descubrimientos modernos. Como una vez escribió el doctor James T. Fisher: "Si se fuera a tomar la suma de todos los artículos autoritativos escritos por los más capacitados sicólogos y siquiatras en el asunto de la higiene mental —si se fuera a combinarlos, y refinarlos, y a echar fuera la verbosidad excesiva— si se tomara toda la carne y nada del perejil, y si estas porciones no adulteradas de conocimiento científico puro hubieran de ser concisamente expresadas por el más capacitado de los poetas vivientes, se tendría un resumen inadecuado e incompleto del Sermón del Monte"[16].

La Biblia y la historia

[21] Después que Darwin hubo publicado su teoría de la evolución, el registro histórico de la Biblia llegó a estar bajo extenso ataque. El arqueólogo Leonard Woolley

19. ¿Qué ha descubierto la ciencia moderna acerca del amor?
20. ¿Qué comparación estableció un médico entre las enseñanzas de Cristo en el Sermón del Monte y el consejo siquiátrico?
21. Hace aproximadamente cien años, ¿qué opinión tenían los críticos acerca del valor histórico de la Biblia?

explicó: "Surgió para finales del siglo XIX una escuela extremada de críticos que estuvo dispuesta a negar el fundamento histórico de casi todo lo que se relata en los primeros libros del Antiguo Testamento"[17]. De hecho, algunos críticos hasta alegaron que el escribir no entró en uso general sino hasta el tiempo de Salomón o después; y que, por tanto, no se podía confiar en las primeras narraciones bíblicas, puesto que estas no habrían sido puestas por escrito sino hasta siglos después de haber ocurrido los acontecimientos. Uno de los exponentes de esta teoría dijo, en 1892: "El tiempo, del cual tratan las narraciones de antes de Moisés, es suficiente prueba de su carácter legendario. Aquel tiempo precedió a todo conocimiento del arte de escribir"[18].

[22] Sin embargo, en los últimos tiempos se ha acumulado mucha prueba arqueológica que muestra que la escritura era común mucho antes del tiempo de Moisés. "De nuevo tenemos que enfatizar —explicó el arqueólogo William Foxwell Albright— que la escritura alfabética hebrea se empleó en Canaán y en los distritos vecinos desde la era patriarcal en adelante, y que la rapidez con que cambiaron las formas de los caracteres es prueba clara de que se empleaban comúnmente"[19]. Y otro prominente historiador y excavador señaló: "Ahora nos parece absurdo el que siquiera se pusiera en tela de juicio alguna vez el que Moisés hubiera sabido escribir"[20].

[23] Vez tras vez ha sido confirmado el registro histórico de la Biblia por el descubrimiento de nueva información. Por ejemplo, por mucho tiempo el rey asirio Sargón fue conocido únicamente por el relato bíblico de Isaías 20:1. De hecho, durante la primera parte del siglo pasado los críticos descontaron esta referencia bíblica a él como algo que no tenía valor histórico. Entonces las excavaciones arqueológicas pusieron al descubierto las ruinas del magnífico palacio de Sargón en Korsabad, junto con muchas inscripciones relaciona-

22. ¿Qué hemos aprendido acerca de si los pueblos primitivos podían escribir o no?
23. ¿Qué se descubrió en cuanto al rey Sargón, y en qué modificación de puntos de vista resultó esto?

das con su dominio. Como resultado de esto, Sargón es ahora uno de los más conocidos reyes asirios. El historiador israelí Moshe Pearlman escribió: "De súbito, escépticos que habían dudado de la autenticidad de hasta las partes históricas del Antiguo Testamento empezaron a modificar sus puntos de vista"[21].

[24] Una de las inscripciones de Sargón narra un episodio que antes había sido conocido únicamente por lo que la Biblia decía. La inscripción dice: "Sitié y conquisté a Samaria, me llevé como botín a 27.290 habitantes de ella"[22]. El relato bíblico de esto en 2 Reyes 17:6 dice: "En el año noveno de Oseas, el rey de Asiria tomó a Samaria y entonces condujo a Israel al destierro". En cuanto a la notable similitud de estos dos relatos, Pearlman señaló: "Aquí teníamos, pues, dos informes en los anales del conquistador y del vencido, y cada uno casi espeja al otro"[23].

Un relieve en piedra caliza del rey Sargón, a quien por mucho tiempo se conocía únicamente por el relato bíblico

[25] ¿Deberíamos esperar, pues, que los registros bíblicos y seglares concordaran en todo detalle? No; como hace notar Pearlman: "Esta clase de idéntico 'reportaje bélico' desde ambos lados era extraordinario en el Oriente Medio de la antigüedad (y a veces también lo es en tiempos modernos). Ocurría únicamente cuando los países en conflicto eran Israel y uno de sus vecinos, y solo cuando Israel era derrotado. *Cuando Israel ganaba, en las crónicas del enemigo no aparecía ningún registro de fracaso*"[24]. (Cursivas añadidas.) Por tanto, no sorprende el que los relatos asirios de la campaña militar que condujo en Israel el hijo de Sargón, Senaquerib, tengan una omisión de importancia. ¿Y cuál es esa?

[26] Se han descubierto relieves murales del palacio del rey Senaquerib que pintan escenas de su expedición en Israel. También se han hallado descripciones escritas de tal expedición. Una, un prisma de arcilla, dice: "En cuanto a Ezequías, el judío, él no se sometió a mi yugo,

24. ¿Hasta qué grado son similares cierto relato asirio de Sargón y el de la Biblia en cuanto a la conquista de Samaria?
25. ¿Por qué no deberíamos esperar que los registros bíblicos y los seglares concordaran en todo respecto?
26. ¿Qué comparación podemos hacer entre el relato de Senaquerib y el de la Biblia en cuanto a la expedición militar de Senaquerib en Israel?

Un relieve mural del palacio del rey Senaquerib en Nínive muestra al rey recibiendo botín de la ciudad de Laquis en Judá

Este prisma de arcilla del rey Senaquerib describe su expedición militar dentro de Israel

puse sitio a 46 de sus ciudades fuertes [...] A él mismo lo hice prisionero en Jerusalén, su residencia real, como a un pájaro en una jaula. [...] Subyugué su país, pero todavía aumenté el tributo y los regalos-*katrû* (debidos) a mí (como su) amo"[25]. Como se ve, la versión de Senaquerib coincide con la Biblia cuando se trata de las victorias asirias. Pero, como hubiera de esperarse, él omite la mención de que no pudo conquistar a Jerusalén, y de que se vio obligado a regresar a su país porque se había dado muerte a 185.000 de sus soldados en una sola noche. (2 Reyes 18:13–19:36; Isaías 36:1–37:37.)

[27] Considere el asesinato de Senaquerib, y lo que revela un descubrimiento reciente. La Biblia dice que *dos* de sus hijos, Adramelec y Sarezer, dieron muerte a Senaquerib (2 Reyes 19:36, 37). Sin embargo, tanto el relato que se atribuye al rey babilonio Nabonides como el del sacerdote babilonio Beroso, del tercer siglo a. de la E.C., mencionan *un solo* hijo implicado en aquella muerte. ¿Cuál relato era el correcto? Comentando sobre un descubrimiento hecho más recientemente, un prisma fragmentario de Esar-hadón, el hijo de Senaquerib que le sucedió como rey, el historiador Philip Biberfeld escribió: "Solo el relato bíblico resultó estar correcto. Fue confirmado en todo mínimo detalle por la inscripción de Esar-hadón, y resultó más exacto en cuanto a este acontecimiento de la historia babilonia y asiria que las mismas fuentes babilonias. Este es un hecho de gran importancia para la evaluación de hasta fuentes contemporáneas que no estén de acuerdo con la tradición bíblica"[26].

[28] Hubo un tiempo en que todas las fuentes antiguas conocidas diferían también de la Biblia respecto a Belsasar, o Baltasar. La Biblia presenta a Belsasar como

27. ¿Qué se nota al comparar el relato bíblico del asesinato de Senaquerib con lo que dicen relatos seglares antiguos acerca de tal suceso?
28. ¿Cómo ha quedado vindicada la Biblia respecto a lo que dice sobre Belsasar?

rey de Babilonia cuando esta cayó (Daniel 5:1-31). Sin embargo, los escritos seglares ni siquiera mencionaban a Belsasar, y decían que Nabonides era rey en aquel tiempo. Por eso, los críticos alegaban que Belsasar jamás había existido. Sin embargo, en tiempos más recientes se hallaron escritos antiguos que identificaban a Belsasar como hijo de Nabonides y corregente con su Padre en Babilonia. Por esta razón, patentemente, la Biblia dice que Belsasar ofreció a Daniel hacerlo el "tercer gobernante en el reino", puesto que Belsasar mismo era el segundo (Daniel 5:16, 29). Por eso, R. P. Dougherty, profesor de la Universidad de Yale, al comparar el libro bíblico de Daniel con otros escritos antiguos, dijo: "Se puede interpretar que el relato bíblico excele porque emplea el nombre Belsasar, porque atribuye poder de rey a Belsasar y porque reconoce que existía una gobernación binaria en el reino"[27].

El monumento de victoria de Esar-hadón, hijo de Senaquerib, amplifica 2 Reyes 19:37: "Y Esar-hadón su hijo empezó a reinar en lugar de él"

[29] Otro ejemplo de un descubrimiento que confirma lo histórico de una persona mencionada en la Biblia lo da Michael J. Howard, quien trabajó con la expedición a Cesarea, en Israel, en 1979. "Por 1.900 años —escribió él— Pilato existió únicamente en las páginas de los Evangelios y en los recuerdos vagos de historiadores romanos y judíos. No se conocía casi nada acerca de su vida. Algunos decían que ni siquiera había existido alguna vez. Pero en 1961 una expedición arqueológica italiana trabajaba en las ruinas del antiguo teatro romano de Cesarea. Un obrero dio vuelta a una piedra que había sido usada en una de las escaleras. En el reverso estaba la siguiente inscripción parcialmente oscurecida, en latín: 'Caesariensibus Tiberium Pontius Pilatus Praefectus Iudaeae' (Al pueblo de Cesarea Tiberio Poncio Pilato prefecto de Judea). Aquello fue un golpe mortífero a las dudas en cuanto a la existencia de Pilato. [...] Por primera vez hubo prueba epigráfica contemporánea de la vida del hombre que ordenó la crucifixión de Cristo"[28]. (Juan 19:13-16; Hechos 4:27.)

Esta inscripción, hallada en Cesarea, confirma que Poncio Pilato fue gobernador de Judea

[30] Los descubrimientos modernos hasta corroboran

29. ¿Qué confirmación se ha descubierto en cuanto a lo que la Biblia dice acerca de Poncio Pilato?
30. ¿Qué se ha descubierto acerca de que se diera uso a los camellos, en confirmación del registro bíblico?

Este relieve mural confirma el registro bíblico de la victoria de Sisac sobre Judá

La Estela Moabita registra la revuelta del rey Mesa, de Moab, contra Israel, descrita en la Biblia

detalles menores de los relatos bíblicos antiguos. Por ejemplo: contradiciendo a la Biblia, en 1964 Werner Keller escribió que los camellos no habían sido domesticados en fecha temprana, y, por tanto, la escena en que "nos encontramos con Rebeca por primera vez en su ciudad nativa de Nacor tiene que experimentar un cambio de accesorios de escenario. Los 'camellos' que pertenecían a su futuro suegro, Abrahán, a los cuales ella dio de beber en el pozo, eran... asnos"[29] (Génesis 24:10). Sin embargo, en 1978 Moshe Dayan, líder militar y arqueólogo israelí, señaló a la prueba de que los camellos "servían de medio de transporte" en aquellos tiempos remotos, y, por eso, de que el relato que la Biblia da es exacto. "Un relieve del siglo XVIII a. de J.C. hallado en Biblos, en Fenicia, pinta a un camello puesto de rodillas", explicó Dayan. "Y en sellos cilíndricos descubiertos recientemente en Mesopotamia, pertenecientes al período de los patriarcas, aparecen jinetes sobre camellos"[30].

[31] La prueba de la exactitud histórica de la Biblia ha incrementado irresistiblemente. Aunque es verdad que no se han hallado registros del desastre de Egipto en el mar Rojo, ni de otras derrotas parecidas, esto no es sorprendente, puesto que no era la costumbre de los gobernantes llevar registro de sus derrotas. Sin embargo, en los muros del templo de Karnak, en Egipto, se descubrió el registro de la invasión de Judá efectuada con éxito por el Faraón Sisac durante el reinado de Roboam, el hijo de Salomón. La Biblia menciona esto en 1 Reyes 14:25, 26. Además, se ha descubierto la versión que da el rey moabita Mesa de su revuelta contra Israel, registrada en lo que se llama la Estela Moabita. Este relato se puede leer también en la Biblia en 2 Reyes 3:4-27.

31. ¿Qué otra prueba hay de la exactitud histórica de la Biblia?

³² Los visitantes de muchos museos pueden ver relieves murales, inscripciones y estatuas que verifican los relatos bíblicos. Se menciona a reyes de Judá e Israel tales como Ezequías, Manasés, Omri, Acab, Peka, Menahén y Oseas en registros cuneiformes de gobernantes asirios. Se puede ver una representación del rey Jehú o uno de sus emisarios pagando tributo en el Obelisco Negro de Salmanasar. El ornato del palacio persa de Susán, o Susa, como lo conocían los personajes bíblicos Mardoqueo y Ester, ha sido recreado para ser observado hoy día. Los visitantes de los museos pueden ver también estatuas de los césares romanos de la antigüedad Augusto, Tiberio y Claudio, a quienes se menciona en los relatos bíblicos (Lucas 2:1; 3:1; Hechos 11:28; 18:2). Sí; se ha hallado una moneda de plata de un denario que lleva la imagen de Tiberio César... una moneda como la que Jesús pidió que le mostraran cuando estuvo considerando el asunto de los impuestos. (Mateo 22:19-21.)

El rey Jehú, o un emisario, pagando tributo al rey Salmanasar III

³³ El visitante moderno de Israel que esté familiarizado con la Biblia no puede evitar el quedar impresionado por el hecho de que la Biblia describe con gran exactitud aquella tierra y sus características. El doctor Ze'ev Shremer, quien condujo una expedición geológica en la península del Sinaí, dijo en cierta ocasión: "Por supuesto, tenemos nuestros propios mapas y planos de examen geodésico, pero en los casos en que la Biblia y los mapas se contradicen optamos a favor del Libro"³¹. He aquí un ejemplo de poder experimentar personalmente la historia que se presenta en la Biblia: En Jerusalén hoy día una persona puede recorrer un túnel de 533 metros (1.749 pies) de largo que fue abierto a través de roca sólida más de 2.700 años atrás. Fue abierto para proteger el suministro de agua de la ciudad mediante llevar agua desde el manantial oculto de Gihón, fuera de los muros de la ciudad, hasta el Estanque de Siloam (o Piscina de Siloé) dentro de la ciudad. La Biblia explica cómo Ezequías hizo que se constru-

Busto de mármol de Augusto, el César cuando Jesucristo nació

Un denario de plata con la inscripción de Tiberio César, como el que Cristo pidió que le mostraran

32. ¿Qué cosas pueden ver hoy en verificación de los relatos bíblicos los que visitan los museos?
33. ¿Cómo suministran prueba de que la Biblia es exacta la tierra de Israel y sus características?

Interior del túnel que el rey Ezequías hizo abrir en la piedra para suministrar agua a Jerusalén durante el sitio asirio

yera este conducto de agua con el fin de suministrar agua a la ciudad debido a que se esperaba que Senaquerib la sitiara. (2 Reyes 20:20; 2 Crónicas 32:30.)

[34] Estos son únicamente unos cuantos ejemplos que ilustran por qué no es prudente tener en menos la exactitud de la Biblia. Hay muchos, muchos más. Por eso, las dudas en cuanto a la confiabilidad de la Biblia por lo general no se basan en lo que ella dice, ni en prueba sólida, sino, más bien, en información errónea o en ignorancia. Frederic Kenyon, quien fue director del Museo Británico, escribió: "La arqueología no ha dicho todavía su última palabra; pero los resultados ya logrados confirman lo que la fe sugeriría, que la Biblia solo puede salir ganando por un aumento de conocimiento"[32]. Y Nelson Glueck, bien conocido arqueólogo, dijo: "Puede declararse categóricamente que ningún descubrimiento arqueológico ha contradicho alguna vez una referencia bíblica. Se han hecho veintenas de hallazgos arqueológicos que confirman en líneas generales claras o en detalle exacto declaraciones históricas que se hallan en la Biblia"[33].

Honradez y armonía

[35] Otro punto que identifica a la Biblia como obra que procede de Dios es la honradez de sus escritores. Es contrario a la naturaleza humana el confesar errores o fracasos, especialmente por escrito. La mayoría de los escritores antiguos informaban únicamente sus éxitos y virtudes. Sin embargo, Moisés escribió que él había 'actuado en desacato' y por eso había sido descalificado de introducir a Israel en la Tierra Prometida (Deuteronomio 32:50-52; Números 20:1-13). Jonás escribió acerca de su propia desobediencia (Jonás 1:1-3; 4:1). Pablo reconoce sus malos hechos del pasado (Hechos 22:19, 20; Tito 3:3). Y Mateo, un apóstol de Cristo, informó que a veces los apóstoles mostraron poca fe, que procuraron prominencia, y hasta abandonaron a Jesús

---

34. ¿Qué han dicho doctos respetados acerca de la exactitud de la Biblia?
35, 36. a) ¿Qué faltas personales reconocieron diversos escritores bíblicos? b) ¿Por qué añade peso a su alegación de que la Biblia procede de Dios la honradez de estos escritores?

cuando fue arrestado. (Mateo 17:18-20; 18:1-6; 20:20-28; 26:56.)

³⁶ Si los escritores de la Biblia hubieran tenido la intención de falsificar algo, ¿no habría de ser eso la información desfavorable acerca de sí mismos? No parecería probable que hubieran de revelar sus propias debilidades y entonces hacer declaraciones falsas acerca de otras cosas, ¿verdad? Por eso, pues, la honradez de los escritores de la Biblia añade peso a su alegación de que Dios los guió mientras escribían. (2 Timoteo 3:16.)

Es contrario a la naturaleza humana el confesar los errores o fracasos, especialmente por escrito

³⁷ La armonía interna alrededor de un tema central también da testimonio de la Autoría Divina de la Biblia. Es fácil declarar que los 66 libros de la Biblia fueron escritos durante un período de 16 siglos por unos 40 diferentes escritores. Pero ¡piense en lo notable que es ese hecho! Digamos que la escritura de un libro hubiera empezado durante el tiempo del Imperio Romano, que tal escritura hubiera continuado a través del período de las monarquías y hasta el de las repúblicas modernas, y que los escritores fueran personas tan diferentes como soldados, reyes, sacerdotes, pescadores y hasta un ganadero y un médico. ¿Esperaría usted que todas las partes de ese libro siguieran precisamente el mismo tema? Sin embargo, la Biblia fue escrita durante un espacio de tiempo similar, bajo diversos regímenes políticos, y por hombres de todas esas categorías. Y toda ella está en armonía. Su mensaje fundamental va en la misma dirección desde su comienzo hasta su final. ¿No da peso esto a la alegación de la Biblia de que estos "hombres hablaron de parte de Dios al ser llevados por espíritu santo"? (2 Pedro 1:20, 21.)

La Biblia es armoniosa de principio a fin

³⁸ ¿Puede usted confiar en la Biblia? Si realmente examina lo que ella dice, y no se limita a aceptar lo que ciertas personas afirman que ella dice, usted hallará razón para confiar en ella. Sin embargo, existe prueba más fuerte aún de que la Biblia realmente ha sido inspirada por Dios, y ese es el asunto que se considera en el siguiente capítulo.

---

37. ¿Por qué es tan fuerte prueba de que la Biblia es inspirada por Dios la armonía interna que manifiesta?
38. ¿Qué se requiere para que alguien confíe en la Biblia?

Capítulo 18

La Biblia... ¿ha sido realmente inspirada por Dios?

NINGÚN hombre puede predecir con exactitud de detalles el futuro. Eso está más allá de lo que los humanos pueden hacer. Sin embargo, el Creador del Universo posee todos los datos necesarios y hasta puede controlar los acontecimientos. Por eso, de él se puede decir que es Aquel que "declara desde el principio el final, y desde hace mucho las cosas que no se han hecho". (Isaías 46:10; 41:22, 23.)

Las profecías cumplidas crean confianza

2 La Biblia contiene centenares de profecías. ¿Se han cumplido estas con exactitud hasta ahora? Si así es, este hecho sería una notable indicación de que la Biblia ha sido "inspirada de Dios" (2 Timoteo 3:16, 17). Y crearía confianza en otras profecías acerca de acontecimientos que todavía hubieran de venir. Por tanto, será útil repasar algunas profecías que ya se han cumplido.

La caída de Tiro

3 Tiro era un prominente puerto marítimo de Fenicia que había sido traicionero en sus tratos con el antiguo Israel, la nación de adoradores de Jehová que era la vecina meridional de Tiro. Mediante un profeta llamado Ezequiel, Jehová predijo la destrucción completa de Tiro más de 250 años antes que tal suceso tuviera lugar. Jehová declaró: "Haré subir contra ti muchas naciones [...] Y ciertamente reducirán a ruinas los muros de Tiro y demolerán sus torres, y sí rasparé de ella su polvo y haré de ella una superficie brillante y pelada de peñasco. Un secadero para redes barrederas es lo que ella llegará a ser en medio del mar". Ezequiel también mencionó por anticipado a la primera nación

1. ¿Qué facultad, que los humanos no poseen, tiene el Creador?
2. ¿Qué evidencia notable indicaría que la Biblia es inspirada por Dios?
3. ¿Qué se predijo acerca de Tiro?

La construcción del terraplén para llegar a la ciudad insular de Tiro cumplió profecía bíblica

que pondría sitio a Tiro, y al líder de aquella nación: "Aquí estoy trayendo contra Tiro a Nabucodorosor el rey de Babilonia". (Ezequiel 26:3-5, 7.)

[4] Como se predijo, Nabucodorosor [Nabucodonosor] sí derribó posteriormente a la Tiro continental, y *The Encyclopædia Britannica* informa "un sitio de 13 años [...] por Nabucodorosor"[1]. Después del sitio se dio el informe de que él no se llevó despojos: "En cuanto a salario, no resultó haber ninguno [...] para él" (Ezequiel 29:18). ¿Por qué no? Porque parte de Tiro se hallaba en una isla al otro lado de un canal estrecho[2]. La mayoría de los tesoros de Tiro habían sido transferidos de la tierra continental a aquella parte insular de la ciudad, que no fue destruida.

[5] Pero la conquista de Nabucodorosor no 'raspó el polvo de Tiro e hizo de ella una superficie brillante y pelada' como había predicho Ezequiel. Tampoco se cumplió la profecía de Zacarías de que Tiro sería arrojada "al mar" (Zacarías 9:4). ¿Fueron inexactas estas profecías? De ningún modo. Más de 250 años después de la profecía de Ezequiel, y casi 200 años después de la de Zacarías, Tiro fue totalmente destruida por ejércitos griegos bajo Alejandro Magno, en 332 a. de la E.C. "Con las ruinas de la porción continental de la ciudad —explica la *Encyclopedia Americana*— en 332 él cons-

4. a) ¿Cómo se cumplió la profecía acerca de la conquista de Tiro por Babilonia? b) ¿Por qué no tomaron despojo los babilonios?
5, 6. ¿Cómo destruyó Alejandro Magno la ciudad insular de Tiro y cumplió en todo detalle lo que se había profetizado?

Con el desagüe del río
Éufrates se cumplió
profecía bíblica

truyó un enorme [terraplén] para unir la isla con la tierra continental. Después de un sitio de siete meses [...] capturó y destruyó a Tiro"[3].

⁶ Así, como lo habían predicho Ezequiel y Zacarías, el polvo y los escombros de Tiro sí terminaron en medio del agua. Tiro quedó en condición de un peñasco pelado, "un tendedero de redes", como señaló un visitante a aquel lugar[4]. De ese modo, ¡profecías expresadas centenares de años antes se cumplieron con exactitud de detalle!

Ciro y la caída de Babilonia

⁷ Son también notables las profecías que tienen que ver con los judíos y Babilonia. La historia tiene el registro de que Babilonia se llevó a los judíos al cautiverio. Sin embargo, unos 40 años antes que esto sucediera Jeremías lo había predicho. Isaías lo predijo unos 150 años antes que sucediera. También predijo que los judíos regresarían del cautiverio. Lo mismo hizo Jeremías, quien dijo que serían restaurados a su país después de 70 años. (Isaías 39:6, 7; 44:26; Jeremías 25: 8-12; 29:10.)

⁸ Este regreso fue hecho posible porque los medos y los persas derribaron a Babilonia en el año 539 a. de

7. ¿Qué predijo la Biblia acerca de los judíos y Babilonia?
8, 9. a) ¿Quién conquistó a Babilonia, y cómo? b) ¿Cómo verifica la historia la profecía acerca de Babilonia?

la E.C. Esto fue predicho por Isaías casi 200 años antes que sucediera, y por Jeremías unos 50 años antes de tal suceso. Jeremías dijo que los soldados de Babilonia no opondrían resistencia. Tanto Isaías como Jeremías predijeron que las aguas que servían de protección a Babilonia —el río Éufrates— "tienen que secarse". Isaías hasta dio el nombre del general conquistador persa, Ciro, y dijo que delante de él 'no estarían cerradas las puertas' de Babilonia. (Jeremías 50:38; 51:11, 30; Isaías 13:17-19; 44:27; 45:1.)

[9] Heródoto, historiador griego, explica que Ciro en efecto desvió la corriente del Éufrates y que "las aguas del río bajaron a tal grado que el lecho natural de la corriente se hizo vadeable"[5]. Así, durante la noche soldados enemigos marcharon por el lecho del río y entraron en la ciudad por puertas que, por descuido, habían quedado abiertas. "Si a los babilonios se les hubiera dado aviso de lo que Ciro se proponía hacer —continuó Heródoto—, habrían cerrado todas las puertas de calle que [estaban] sobre el río [...] Pero lo que sucedió fue que los persas cayeron sobre ellos por sorpresa y así tomaron la ciudad"[6]. En realidad, los babilonios estaban emborrachándose en un jolgorio, como la Biblia explica, y como confirma Heródoto[7] (Daniel 5:1-4, 30). Tanto Isaías como Jeremías predijeron que con el tiempo Babilonia se convertiría en ruinas sin habitantes. Y eso fue lo que sucedió. Hoy día Babilonia es una desolada acumulación de montículos. (Isaías 13:20-22; Jeremías 51:37, 41-43.)

Este Cilindro de Ciro, de arcilla, mostrado en posición vertical, informa que él devolvía los cautivos a sus lugares de origen

[10] Ciro también permitió que los judíos regresaran a su país. Más de dos siglos antes, Jehová había predicho lo siguiente acerca de Ciro: "Todo aquello en que me deleito él lo llevará a cabo por completo" (Isaías 44:28). Como la profecía lo predijo, después de 70 años Ciro devolvió los cautivos a su país, en 537 a. de la E.C. (Esdras 1:1-4). Se ha hallado una antigua inscripción persa, llamada el Cilindro de Ciro, que claramente expone la norma de Ciro de devolver los cautivos a sus países de origen. "En cuanto a los habitantes de Babilonia —está registrado que Ciro dijo—, (también) reco-

10. ¿Qué hallazgo suministra confirmación de que los judíos fueron puestos en libertad por Ciro?

gí a todos sus habitantes (anteriores) y devolví (a ellos) sus lugares de habitación"[8].

Medopersia y Grecia

[11] Mientras Babilonia todavía era potencia mundial, la Biblia predijo la conquista de esta mediante un simbólico carnero de dos cuernos, que representó a "los reyes de Media y Persia" (Daniel 8:20). Como se predijo, Medopersia llegó a ser la potencia mundial siguiente cuando venció a Babilonia en 539 a. de la E.C. Sin embargo, con el tiempo "un macho de las cabras", identificado como Grecia, "procedió a derribar al carnero y a quebrar sus dos cuernos" (Daniel 8:1-7). Esto sucedió en 332 a. de la E.C., cuando Grecia derrotó a Medopersia y llegó a ser la nueva potencia mundial.

Medalla de oro con la figura de Alejandro Magno, cuyas hazañas fueron predichas en la profecía

[12] Note lo que se predijo que vendría después: "Y el macho de las cabras, por su parte, se dio grandes ínfulas hasta el extremo; pero en cuanto se hizo poderoso, el gran cuerno fue quebrado, y procedieron a subir conspicuamente cuatro en lugar de él" (Daniel 8:8). ¿Qué significa esto? La Biblia explica: "El macho cabrío peludo representa al rey de Grecia; y en cuanto al gran cuerno que estaba entre sus ojos, representa al primer rey. Y puesto que ése fue quebrado, de modo que hubo cuatro que finalmente se levantaron en lugar de él, hay cuatro reinos de su nación que se pondrán de pie, pero no con su poder". (Daniel 8:21, 22.)

[13] La historia muestra que este "rey de Grecia" fue Alejandro Magno. Pero después de su muerte en 323 a. de la E.C., al pasar el tiempo su imperio fue dividido entre cuatro generales: Seleuco Nicátor, Casandro, Ptolomeo Lago y Lisímaco. Precisamente como la Biblia lo había predicho, "hubo cuatro que finalmente se levantaron en lugar de él". Sin embargo, como también se había predicho, ninguno de estos tuvo jamás el poder que poseyó Alejandro. Así, más de 200 años después de haber sido puesta por escrito esta profecía, empezó a

---

11. ¿Cómo predijo la Biblia que Medopersia subiría al poder y que caería ante Grecia?
12. ¿Qué dijo la Biblia acerca de la gobernación de Grecia?
13. ¿Cómo se cumplió la profecía acerca de Grecia más de 200 años después de haber sido puesta por escrito?

cumplirse... ¡otra notable confirmación de que la Biblia es inspirada!

Se predice al Mesías

[14] Son especialmente notables las veintenas de profecías acerca de Jesucristo. El profesor J. P. Free declaró: "Las probabilidades de que todas estas profecías se cumplieran en un solo hombre son tan arrolladoramente remotas que queda demostrado de modo muy impresionante que de ninguna manera pudieran ser las conjeturas astutas de simples humanos"[9].

[15] El cumplimiento de muchas de estas profecías estaba completamente fuera del control de Jesús. Por ejemplo, él no podría haber hecho arreglos para nacer como miembro de la tribu de Judá, o como descendiente de David (Génesis 49:10; Isaías 9:6, 7; 11:1, 10; Mateo 1:2-16). Tampoco pudiera haber dirigido los sucesos que resultaron en que él naciera en Belén (Miqueas 5:2; Lucas 2:1-7). Tampoco habría hecho arreglos él para ser traicionado por 30 piezas de plata (Zacarías 11:12; Mateo 26:15); ni para que sus enemigos escupieran contra él (Isaías 50:6; Mateo 26:67); ni para ser vituperado mientras colgaba del madero de ejecución (Salmo 22:7, 8; Mateo 27:39-43); ni para que se le atravesara con una lanza, pero que no se le quebrara ningún hueso de su cuerpo (Zacarías 12:10; Salmo 34:20; Juan 19:33-37); ni para que unos soldados echaran suertes por sus prendas de vestir (Salmo 22:18; Mateo 27:35). Estas son simplemente unas cuantas de

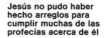

Jesús no pudo haber hecho arreglos para cumplir muchas de las profecías acerca de él

14. ¿Qué dijo cierto docto acerca de las muchas profecías que cumplió Jesucristo?
15. ¿Cuáles son algunas profecías que se cumplieron en Cristo y que estaban fuera de su control?

221

las muchas profecías que se cumplieron en el hombre Jesús.

La destrucción de Jerusalén

16 Jesús fue el más grande Profeta de Jehová. Primero, note lo que él dijo que le pasaría a Jerusalén: "Tus enemigos edificarán en derredor de ti una fortificación de estacas puntiagudas y te rodearán y te afligirán de todos lados, y te arrojarán al suelo a ti y a tus hijos dentro de ti, y no dejarán en ti piedra sobre piedra, porque no discerniste el tiempo en que se te inspeccionaba" (Lucas 19:43, 44). Jesús también dijo: "Cuando vean a Jerusalén cercada de ejércitos acampados, entonces sepan que la desolación de ella se ha acercado. Entonces los que estén en Judea echen a huir a las montañas". (Lucas 21:20, 21.)

17 Tal como la profecía lo había predicho, los ejércitos romanos bajo Cestio Galo marcharon contra Jerusalén en 66 E.C. Sin embargo —y este es un dato extraño—, él no siguió adelante con el sitio hasta completar su objetivo, sino que, como informó Flavio Josefo, historiador del primer siglo: "Levantó el sitio cuando más podía contar con el buen éxito"[10]. Habiendo sido retirado inesperadamente el asedio de la ciudad, se presentó la oportunidad para prestar atención a la instrucción de Jesús en cuanto a huir de Jerusalén. Eusebio, historiador de la antigüedad, informó que fueron los cristianos quienes huyeron[11].

La destrucción de Jerusalén fue predicha por Jesús

18 Menos de cuatro años después, en 70 E.C., los ejércitos romanos bajo el general Tito regresaron y rodearon a Jerusalén. Derribaron árboles por kilómetros en derredor y construyeron un muro que rodeó a la ciudad, "una fortificación de estacas puntiagudas". Josefo declaró que, como resultado de esto, "fuéles quitada a los judíos [...] la esperanza de [...] poder salvarse"[12]. Josefo notó que, después de un sitio de unos cinco meses, aparte de tres torres y una porción de un

16. ¿Qué profetizó Jesús acerca de Jerusalén?
17. ¿Cómo se cumplió la profecía de Jesús acerca de que Jerusalén sería rodeada por ejércitos, y cómo, pues, pudieron huir de la ciudad algunas personas?
18. a) ¿Qué sucedió en 70 E.C., menos de cuatro años después de haberse retirado de Jerusalén los ejércitos romanos? b) ¿Cuán extensa fue la destrucción de Jerusalén?

Este relieve mural dentro del Arco de Tito, que muestra el transporte de tesoros sacados de Jerusalén tras de su destrucción, es un recordatorio silencioso

muro, "de tal manera la allanaron toda, que cuantos a ella se llegasen, apenas creerían haber sido habitada en algún tiempo"[13].

[19] Aproximadamente 1.100.000 personas murieron durante el sitio, y 97.000 fueron llevadas al cautiverio[14]. Hasta el día de hoy, en Roma se puede ver un testimonio del cumplimiento de la profecía de Jesús. Allí está el Arco de Tito, erigido por los romanos en 81 E.C. para conmemorar la victoriosa captura de Jerusalén. Ese Arco sigue siendo un recordatorio silencioso de que el no prestar atención a las advertencias que hay en la profecía bíblica puede llevar al desastre.

Profecías que están cumpliéndose ahora

[20] Según la Biblia, se acerca un asombroso cambio de alcance mundial. Tal como Jesús predijo acontecimientos mediante los cuales personas del primer siglo pudieron estar al tanto de la destrucción inminente de Jerusalén, así también predijo acontecimientos mediante los cuales personas que viven hoy podrían saber que se acerca un cambio de alcance mundial. Jesús dio esta "señal" en respuesta a esta pregunta que le hicieron sus discípulos: "¿Qué será la señal de tu *presencia* y de la *conclusión del sistema de cosas?*". (Mateo 24:3.)

[21] Según la Biblia, esta "presencia" de Cristo no sería en forma humana; más bien, él sería un poderoso gobernante en el cielo que librará a la humanidad oprimida (Daniel 7:13, 14). Su "presencia" acontecería durante lo que él llamó "la conclusión del sistema de cosas". Pues bien, ¿qué fue, precisamente, la "señal" que Jesús

19. a) ¿Cuán grave fue la angustia que le sobrevino a Jerusalén? b) ¿De qué es un recordatorio silencioso ahora el Arco de Tito?
20. ¿En respuesta a qué pregunta dio Jesús la "señal" por la cual nosotros podríamos saber que se habría acercado un gran cambio mundial?
21. a) ¿Qué es la "presencia" de Cristo, y qué es "la conclusión del sistema de cosas"? b) ¿Dónde podemos leer acerca de la señal que Jesús dio?

dio para marcar el tiempo en que él estaría presente invisiblemente como gobernante y cuando el fin de este sistema de cosas se habría acercado? En la Biblia, en el capítulo 24 de Mateo, el capítulo 13 de Marcos y el capítulo 21 de Lucas, usted puede repasar los acontecimientos que, en conjunto, componen la señal. Algunos de los principales son los siguientes:

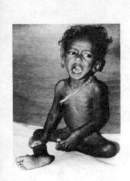

[22] GRANDES GUERRAS: *"Se levantará nación contra nación y reino contra reino"* (Mateo 24:7). Desde 1914 en adelante el cumplimiento de esto ha sido arrollador. La I Guerra Mundial, que empezó en 1914, introdujo el uso, en grandes cantidades, de ametralladoras, tanques, submarinos, aviones y también gases venenosos. Para cuando terminó, en 1918, unos 14.000.000 de soldados y ciudadanos comunes habían perdido la vida violentamente. Un historiador escribió: "La Primera Guerra Mundial fue la primera guerra 'total'"[15]. La II Guerra Mundial, desde 1939 hasta 1945, fue más destructiva aún, y las muertes militares y civiles ascendieron a unos 55.000.000. Y esta guerra presentó un horror totalmente nuevo... ¡las bombas atómicas! Desde entonces, ha pasado de 30.000.000 la cantidad de las personas que han muerto en veintenas de guerras, grandes y pequeñas. La revista noticiosa alemana *Der Spiegel* señala: "Desde 1945 no ha habido un solo día en que haya existido verdadera paz en el mundo"[16].

[23] ESCASECES DE ALIMENTO: *"Habrá escaseces de alimento"* (Mateo 24:7). La I Guerra Mundial fue seguida por hambre extensa. Después de la II Guerra Mundial el hambre fue peor. ¿Y hoy? "Hoy hay hambre en una escala totalmente nueva. [...] hasta 400.000.000 de personas viven constantemente al borde de la inanición", dice el periódico *Times* de Londres, Inglaterra[17]. El periódico *The Globe and Mail,* de Toronto, Canadá, declara: "Más de 800.000.000 de personas están subalimentadas"[18]. Y la Organización Mundial de la Salud informa que "cada año, 12.000.000 de

22. ¿Cómo han sido parte de la señal las guerras que ha habido desde 1914, y cuán destructivas fueron?
23. ¿Hasta qué grado han afligido al mundo desde 1914 las escaseces de alimento?

niños mueren antes de su primer cumpleaños" como resultado de la desnutrición[19].

[24] TERREMOTOS: *"Habrá grandes terremotos"* (Lucas 21:11). Un especialista en ingeniería de construcciones a prueba de terremotos, George W. Housner, dijo que el terremoto que hubo en Tangshan, China, en 1976, fue "el más grande desastre sísmico de la historia de la humanidad", uno que quitó centenares de miles de vidas[20]. El periódico italiano *Il Piccolo* informó: "Nuestra generación vive en un peligroso período de alta actividad sísmica, como lo muestran las estadísticas"[21]. Desde 1914, el promedio de las muertes causadas por los terremotos cada año ha sido diez veces mayor que en siglos anteriores.

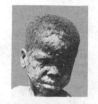

[25] ENFERMEDADES: *"En un lugar tras otro pestes"* (Lucas 21:11). La revista *Science Digest* informó: "La epidemia de la gripe española de 1918 pasó rápidamente sobre la Tierra [y] segó 21.000.000 de vidas". Añadió: "Nunca en toda la historia había habido una calamidad mortífera más severa ni más rápida. [...] si la epidemia hubiera continuado acelerando como iba, la humanidad habría sido erradicada en unos cuantos meses"[22]. Desde entonces, las enfermedades cardíacas, el cáncer, las enfermedades venéreas y muchas otras plagas han lisiado y matado a centenares de millones de personas.

[26] DELITO: *"Aumento del desafuero"* (Mateo 24:12). El asesinato, el robo, el ultraje sexual, el terrorismo, la corrupción... la lista es larga y bien conocida. En muchas áreas la gente teme andar por las calles. Una autoridad sobre el terrorismo confirma esta tendencia hacia el desafuero después de 1914 con la declaración: "El período hasta la primera Guerra Mundial era, en términos generales, más humano"[23].

[27] TEMOR: *"Habrá escenas espantosas"* (Lucas 21:11). El periódico *Die Welt,* de Hamburgo, llamó el tiempo en que vivimos "el siglo del temor"[24]. Amenazas completamente nuevas a la humanidad infunden temor

24. ¿Qué aumento ha habido en la cantidad de terremotos desde 1914?
25. ¿Qué epidemias calamitosas ha habido desde 1914 como cumplimiento de parte de la señal?
26. ¿Cómo ha aumentado el desafuero desde 1914?
27. ¿Cómo está cumpliéndose hoy día la profecía acerca del temor?

como nunca antes. Por primera vez en la historia, cosas como la aniquilación nuclear y la contaminación ambiental amenazan 'arruinar la tierra' (Revelación 11:18). Tremendos aumentos en el delito, la inflación, las armas nucleares, el hambre, las enfermedades y otros males han acrecentado el temor de la gente respecto a su seguridad y su propia vida.

¿Qué hace que la situación sea diferente?

Todo acontecimiento que compone la señal está siendo observado por una misma generación

28 Sin embargo, algunas personas dicen que muchas de estas cosas han sucedido en los siglos pasados. De modo que, ¿por qué considerar diferente el que ocurran ahora? Primero, *todo suceso* que es parte de la señal ha sido *observado por una misma generación* —la generación que estaba viviendo en 1914—, de la cual todavía sobreviven millones de personas. Jesús declaró que "esta generación no pasará de ningún modo hasta que sucedan todas las cosas" (Lucas 21:32). Segundo, los efectos de la señal se están *sintiendo por todo el mundo,* "en un lugar tras otro" (Mateo 24:3, 7, 9; 25:32). Tercero, las condiciones han *ido empeorando constantemente* durante este período: "Todas estas cosas son principio de dolores de aflicción"; "los hombres inicuos e impostores avanzarán de mal en peor" (Mateo 24:8; 2 Timoteo 3:13). Y, cuarto, todas estas cosas han sido acompañadas por el *cambio en las actitudes y acciones de la gente* como advirtió Jesús: "Se enfriará el amor de la mayor parte". (Mateo 24:12.)

29 Sí, una de las fuertes indicaciones de que ahora vivimos en el crucial tiempo del fin que se predijo se ve en el desplome moral que se observa entre la gente. Compare lo que usted observa en el mundo con estas palabras proféticas acerca de nuestro tiempo: "Debes saber que en los tiempos últimos vendrán días difíciles. Los hombres serán egoístas, amantes del dinero, orgullosos y vanidosos. Hablarán en contra de Dios, desobedecerán a sus padres, serán ingratos y no respetarán la religión. No tendrán cariño ni compasión, serán chis-

28. ¿Por qué identifican a nuestro tiempo como "la conclusión del sistema de cosas" los rasgos de la señal que se realizan ahora?
29. ¿Cómo corresponde la condición moral de la gente hoy día con la descripción que la Biblia da de "los tiempos últimos" de este mundo?

mosos, no podrán dominar sus pasiones, serán crueles y enemigos de todo lo bueno. Serán traidores y atrevidos, estarán llenos de vanidad y buscarán sus propios placeres en vez de buscar a Dios. Aparentarán ser muy religiosos, pero con sus hechos negarán el verdadero poder de la religión". (2 Timoteo 3:1-5, *Versión Popular.*)

1914... punto de viraje en la historia

[30] Desde el punto de vista humano, los problemas mundiales y las guerras de alcance mundial que se predijeron en la Biblia estaban lejos del pensamiento del mundo de antes de 1914. El estadista alemán Konrad Adenauer dijo: "Pensamientos y cuadros me vienen a la mente, [...] pensamientos de los años anteriores a 1914 cuando había verdadera paz, quietud y seguridad en esta Tierra... un tiempo en que no conocíamos el temor. [...] La seguridad y la quietud han desaparecido de la vida de los hombres desde 1914"[25]. Personas que vivían antes de 1914 pensaban que el futuro "mejoraría continuamente", informó el estadista británico Harold Macmillan[26]. El libro *1913: America Between Two Worlds* (1913: Los Estados Unidos entre dos mundos) hace notar lo siguiente: "El secretario de Estado, Bryan, dijo [en 1913] que 'las condiciones que prometen paz mundial nunca han sido más favorables que ahora'"[27].

'Antes de 1914 había verdadera paz, quietud y seguridad en esta Tierra'

[31] Se ve, pues, que hasta el mismo borde de la I Guerra Mundial los líderes mundiales estaban prediciendo una era de progreso social y esclarecimiento. Pero la Biblia había predicho lo contrario... que la guerra sin precedente de 1914 a 1918 destacaría el principio de "los últimos días" (2 Timoteo 3:1). La Biblia también suministró prueba cronológica de que 1914 marcaría el nacimiento del Reino celestial de Dios, algo que sería seguido por problemas y dificultades mundiales sin precedentes[28]. Pero, ¿vivía en aquel tiempo alguien que estuviera al tanto de que 1914 sería tal punto de viraje en la historia?

30, 31. a) ¿Cómo veían las condiciones mundiales personas que vivían antes de 1914, y qué pensaban que el futuro encerraba? b) Además de la señal, ¿qué más suministra la Biblia para mostrar que estamos en "los últimos días"?

1914
UN PUNTO DE VIRAJE EN LA HISTORIA

Hasta después de haber ocurrido una segunda guerra mundial, muchos hacen referencia a 1914 comó el gran punto de viraje de la historia moderna:

"Verdaderamente es el año 1914 más bien que el de Hiroshima el que marca el punto de viraje de nuestro tiempo." (René Albrecht-Carrié, *The Scientific Monthly*, julio de 1951.)

"Desde 1914, todo el que está consciente de las tendencias que se ven en el mundo ha estado profundamente preocupado por lo que ha parecido como una marcha marcada por el destino y predeterminada hacia cada vez mayor desastre. Muchas personas serias han llegado a creer que no se puede hacer nada para evitar la precipitación hacia la ruina. Como si se tratara del héroe de una tragedia griega, ven al género humano impulsado por dioses airados y sin ser ya amo de su destino." (Bertrand Russell, *The New York Times Magazine*, 27 de septiembre de 1953.)

"La era moderna [...] empezó en 1914, y nadie sabe cuándo ni cómo terminará. [...] Pudiera terminar en aniquilación en masa." *(The Seattle Times*, 1 de enero de 1959.)

"En el año 1914 el mundo, como se conocía y se aceptaba entonces, terminó." (James Cameron, *1914*, publicado en 1959.)

"El mundo entero realmente estalló para el tiempo de la I Guerra Mundial y todavía no sabemos por qué. [...] la Utopía estaba al alcance. Había paz y prosperidad. Entonces todo estalló. Desde entonces nos hemos hallado en un estado de interrupción de las funciones vitales." (Doctor Walker Percy, *American Medical News*, 21 de noviembre de 1977.)

"En 1914 el mundo perdió una coherencia que no ha podido recobrar desde entonces. [...] Este ha sido un tiempo de extraordinario desorden y violencia, tanto en el exterior de las fronteras nacionales como en el interior de ellas." *(The Economist*, Londres, 4 de agosto de 1979.)

"La civilización adquirió una enfermedad cruel y quizás mortal en 1914." (Frank Peters, *St. Louis Post-Dispatch*, 27 de enero de 1980.)

"Todo iba a mejorar y seguir mejorando. Ese era el mundo en el cual nací. [...] De repente, sin que nadie lo esperara, cierta mañana de 1914 todo aquello terminó." (Harold Macmillan, estadista británico, *The New York Times*, 23 de noviembre de 1980.)

[32] Décadas antes de aquella fecha había una organización compuesta de personas que estaban dando a conocer el significado e importancia de 1914. El periódico *World* de Nueva York del 30 de agosto de 1914 explica: "El tremendo estallido de guerra en Europa ha cumplido una profecía extraordinaria. Durante la pasada cuarta parte de un siglo, por medio de predicadores y por medio de la prensa, los 'Estudiantes Internacionales de la Biblia' [los testigos de Jehová] [...] han estado proclamando al mundo que el Día de la Ira profetizado en la Biblia amanecería en 1914. '¡Tenga cuidado con 1914!' ha sido el lema de los [...] evangelizadores"[29].

Un pueblo que cumple profecía

[33] La Biblia también predijo que "en la parte final de los días" gente de todas las naciones estaría yendo, figurativamente, "a la montaña de Jehová", donde él 'los instruiría acerca de sus caminos'. La profecía dice que uno de los resultados de tal instrucción sería que "tendrán que batir sus espadas en rejas de arado y sus lanzas en podaderas. [...] *ni aprenderán más la guerra*" (Isaías 2:2-4). El bien conocido proceder de los testigos de Jehová en cuanto a la guerra es un cumplimiento claro de esta profecía.

[34] Martin Niemöeller, líder protestante de Alemania antes y después de la II Guerra Mundial, llamó a los testigos de Jehová "escriturarios de forma, quienes por centenares y millares han ido a campos de concentración y han muerto porque se han negado a servir en la guerra y han rehusado hacer fuego contra seres humanos". Señalando a un contraste, escribió: "Las iglesias cristianas, a través de las edades, siempre han consentido en bendecir la guerra, las tropas y las armas, y [...] han orado de modo muy anticristiano por la aniquilación de su enemigo"[30]. Entonces, ¿quiénes se comportan a la altura de la marca identificadora dada por Jesús en cuanto a los cristianos verdaderos? Él dijo:

"Ni aprenderán más la guerra"

---

32. a) ¿Qué estuvieron diciendo por décadas antes de 1914 los que estaban familiarizados con la cronología bíblica? b) Según la tabla acompañante, ¿qué han dicho otras personas acerca de 1914?
33. ¿Qué otra parte de la señal están cumpliendo los testigos de Jehová?
34. ¿Qué prueba hay de que los testigos de Jehová han 'batido sus espadas en rejas de arado'?

Cuando este sistema termine, los sobrevivientes entrarán en un nuevo sistema en que habrá justicia

"En esto todos conocerán que ustedes son mis discípulos, si tienen *amor entre ustedes mismos*" (Juan 13:35). Como aclara 1 Juan 3:10-12, los siervos de Dios no se matan unos a otros. Los hijos de Satanás son los que hacen eso.

³⁵ Lo que unifica a los testigos de Jehová en una hermandad mundial es una lealtad en común al Reino de Dios y una adherencia fiel a los principios bíblicos. Ellos aceptan de lleno lo que la Biblia enseña: que el Reino es un verdadero gobierno con leyes y autoridad, y que pronto este gobierno regirá sobre la Tierra entera. Ya tiene en la Tierra millones de súbditos —y la cantidad sigue aumentando— que están recibiendo forma como el cimiento para la civilización que ha de venir. Respecto al Reino, el profeta Daniel escribió por inspiración: "El Dios del cielo establecerá un reino que nunca será reducido a ruinas. [...] Triturará y pondrá fin a todos estos reinos [que ahora existen], y él mismo subsistirá hasta tiempos indefinidos" (Daniel 2:44). Je-

35. a) ¿Qué unifica a los testigos de Jehová? b) ¿Está justificada bíblicamente su lealtad al Reino de Dios?

230

sús dio prioridad al Reino cuando dio esta instrucción: "Ustedes, pues, tienen que orar de esta manera: 'Padre nuestro que estás en los cielos [...] *Venga tu reino'*". (Mateo 6:9, 10.)

[36] Los muchos acontecimientos que han tenido lugar desde 1914 en cumplimiento de la profecía bíblica muestran que dentro de muy poco tiempo el Reino de Dios 'triturará y pondrá fin a todos los demás gobiernos'. Y Dios desea que este hecho reciba publicidad, como lo muestra esta parte importante de la señal: "Estas *buenas nuevas del reino* se predicarán en toda la tierra habitada para testimonio a todas las naciones; *y entonces vendrá el fin*" (Mateo 24:14). Millones de testigos de Jehová, una hermandad mundial, cumplen ahora esta profecía.

[37] Cuando el Reino haya sido predicado hasta el grado que Dios desea, entonces el mundo experimentará, dijo Jesús, "grande tribulación como la cual no ha sucedido una desde el principio del mundo hasta ahora, no, ni volverá a suceder". Esto culminará en la batalla de Armagedón, y pondrá fin a la malvada influencia de Satanás. Esta batalla limpiará a toda la Tierra de las naciones y los hombres inicuos, y abrirá el camino para el Paraíso que ha de venir, donde "la justicia habrá de morar". (Mateo 24:21; 2 Pedro 3:13; Revelación 16: 14-16; 12:7-12; 2 Corintios 4:4.)

La Biblia ha establecido su credibilidad como libro inspirado por el Creador

[38] La Biblia, que cuenta con tantas profecías ya cumplidas, ciertamente se ha establecido a sí misma como el libro 'inspirado por Dios'. (2 Timoteo 3:16). Acéptela, pues, "no como palabra de hombres, sino, como lo que verdaderamente es, como palabra de Dios" (1 Tesalonicenses 2:13). Además, puesto que el Autor de ella, Jehová Dios, es "Aquel que declara desde el principio el final", usted puede tener completa confianza en profecías que todavía se han de cumplir (Isaías 46:10). Y lo que ha de venir es verdaderamente maravilloso. Le fascinará leer acerca de ello en el capítulo siguiente.

---

36. a) ¿Qué quiere Dios que se publique? b) ¿Quiénes están haciendo eso?
37. ¿Por qué será buenas noticias el fin de este sistema de cosas en Armagedón?
38. a) ¿Qué ha quedado establecido por las numerosas profecías de la Biblia que se han cumplido? b) ¿De qué son dignas las profecías respecto al futuro?

Capítulo 19

Se aproxima
un paraíso terrestre

¿QUISIERA usted que su vida se extendiera indefinidamente... y fuera rica y satisfaciente? Su respuesta, indudablemente, es: Sí. Son muchísimas las actividades y labores absorbentes que se pudieran efectuar, incontables los lugares de interés cautivador que se pudieran ver, y abundantísimas las cosas nuevas que se pudieran aprender.

Los humanos no pueden lograr condiciones ideales, pero Dios puede

[2] Sin embargo, problemas aparentemente insolubles impiden que disfrutemos a plenitud de la vida. Por ejemplo, lo comparativamente corto de nuestra existencia en la actualidad. Además, la vida suele estar llena de enfermedades, dolor y otras difíciles circunstancias. Por eso, para que la gente disfrutara de la vida a plenitud, en toda posible dimensión, lo ideal sería tener: 1) *alrededores paradisíacos,* 2) *seguridad completa,* 3) *trabajo absorbente,* 4) *salud radiante* y 5) *vida sin fin.*

[3] Pero ¿es eso pedir demasiado? Desde el punto de vista humano, ciertamente lo es. La historia ha mostrado que, por sí solos, es totalmente imposible que los humanos conviertan en realidad tales condiciones ideales. Sin embargo, ¡desde el punto de vista de nuestro Creador esas cosas no solo son posibles, sino que son inevitables! ¿Por qué? Porque condiciones deseables como ésas eran parte del propósito original de Dios para esta Tierra. (Salmo 127:1; Mateo 19:26.)

1, 2. a) ¿Cuál es el deseo humano normal, pero qué cosas impiden la realización de este? b) ¿Qué condiciones serían ideales?
3. ¿Quién, únicamente, puede hacer que se realicen esas condiciones ideales?

232

Alrededores paradisíacos

Seguridad completa

Trabajo absorbente

Salud radiante

Vida sin fin

Restauración del Paraíso

Tales condiciones
ideales nos permitirían
disfrutar de lleno
de la vida

[4] Como hemos notado en capítulos anteriores, los primeros dos humanos no eran como animales. En vez de eso, fueron creados completamente humanos. Su hogar original, Edén, era "un paraíso de deleite" (Génesis 2:8, *Scío de San Miguel*). Ellos habían de 'cultivarlo y cuidarlo' (Génesis 2:15). Además, el papel de ellos en la Tierra incluía esta muy humana asignación administrativa: "Sean fructíferos y háganse muchos y llenen la tierra y sojúzguenla" (Génesis 1:28). A medida que la prole de ellos aumentara, tendrían la tarea de extender los límites de este hermoso jardín, y transformar toda la Tierra en un paraíso. ¿Cuánto tiempo habría de durar este paraíso? La Biblia señala consecuentemente que la Tierra habría de permanecer 'has-

4. ¿Qué propósito tenía Dios originalmente para esta Tierra?

233

Los que eligen ser independientes del Creador serán cortados de la existencia

ta tiempo indefinido, o para siempre' (Salmo 104:5; Eclesiastés 1:4). Por eso, la Tierra paradisíaca habría de servir permanentemente como hogar deleitoso para los humanos perfectos, que vivirían en ella para siempre. (Isaías 45:11, 12, 18.)

⁵ Aunque la rebelión que hubo en Edén interrumpió temporalmente el cumplimiento del propósito de Dios, no ha alterado ese propósito. Dios ha introducido el medio de detener el daño y restaurar el Paraíso. El medio que se utiliza para efectuar esto es el Reino de Dios, el gobierno celestial que Jesús hizo parte tan prominente de su mensaje a la humanidad (Mateo 6: 10, 33). Y podemos estar seguros de que el propósito original de Dios se realizará. El omnipotente Creador que apoya ese propósito nos asegura lo siguiente: "Así resultará ser mi palabra que sale de mi boca. No volverá a mí sin resultados, sino que ciertamente hará aquello en que me he deleitado, y tendrá éxito seguro en aquello para lo cual la he enviado". (Isaías 55:11.)

⁶ En nuestro día es animador ver que los acontecimientos mundiales cumplen "la señal" de "los últimos días" (Mateo 24:3-14; 2 Timoteo 3:1-5). Esto indica

---

5. ¿Por qué podemos confiar en que el propósito de Dios se ha de realizar?
6, 7. a) ¿Cómo sabemos que nos acercamos a la restauración del Paraíso? b) ¿Quiénes serán conservados con vida a través del fin de este sistema de cosas, y quiénes no?

"Los que esperan en Jehová" sobrevivirán

que se ha acercado el tiempo en que la "palabra" de Dios "tendrá éxito seguro". Este éxito es seguro debido a que el Dios que todo lo puede intervendrá en los asuntos humanos para encargarse de que Sus propósitos se realicen (Jeremías 25:31-33). Podemos esperar ver dentro de muy poco tiempo el cumplimiento del salmo profético que dice: "Los malhechores mismos serán cortados, pero los que esperan en Jehová son los que poseerán la tierra. Y solo un poco más de tiempo, y el inicuo ya no será [...] Los justos mismos poseerán la tierra, *y residirán para siempre sobre ella*". (Salmo 37:9-11, 29; Mateo 5:5.)

⁷ Así, los que optan por ser independientes del Creador serán "cortados" o quitados de la existencia. Los que "esperan en Jehová" vivirán a través del fin de este sistema y comenzarán la restauración del Paraíso. Gradualmente el Paraíso se extenderá hasta abarcar la Tierra entera. Tan seguro es que este Paraíso vendrá,

235

que con confianza completa Jesús pudo prometer al ladrón que fue ejecutado al lado de él: "Verdaderamente te digo hoy: Estarás conmigo en el Paraíso". (Lucas 23:43.)

Transformación de la Tierra

8 La descripción bíblica del Paraíso es verdaderamente arrobadora. Por ejemplo, la Biblia anuncia un dramático cambio en la condición de la Tierra misma. Usted recordará que cuando los primeros humanos fueron expulsados de Edén se les dijo que el suelo produciría espinos y cardos, y solo por el sudor de su frente podrían cultivar alimento del terreno (Génesis 3:17-19). Desde entonces hasta ahora, frecuentemente ha habido una lucha constante contra los desiertos que crecen, el mal suelo, las sequías, las malas hierbas, los

Habrá un cambio dramático en la Tierra misma

8, 9. ¿Qué cambio completo de condiciones tendrá lugar respecto a la Tierra literal?

La humanidad tendrá
la agradable tarea de
transformar la Tierra
en un paraíso

insectos, las enfermedades de las plantas y el fracaso de las cosechas. Demasiadas han sido las ocasiones en que la vencedora ha sido el hambre.

⁹ Sin embargo, esta situación ha de ser cambiada por completo: "El desierto y la región árida se alborozarán, y la llanura desértica estará gozosa y florecerá como el azafrán. [...] Pues en el desierto habrán brotado aguas, y torrentes en la llanura desértica. Y el suelo abrasado por el calor se habrá puesto como un estanque lleno de cañas, y el suelo sediento como manantiales de agua". "En vez del matorral de espinas subirá el enebro. En vez de la ortiga que causa comezón subirá el mirto" (Isaías 35:1, 6, 7; 55:13). Por eso, el cumplimiento del propósito de Dios significa que la humani-

237

Habrá seguridad económica para todos

dad tendrá la tarea muy placentera de transformar la Tierra en un lugar de belleza que para siempre deleitará a sus habitantes. Pero eso significará más que simplemente belleza.

Fin de la pobreza

[10] La transformación de enormes desiertos y de zonas afectadas por sequías significará un enorme aumento en la cantidad de tierra productiva. Con la superintendencia del Creador, los esfuerzos del hombre tendrán buen éxito en hacer que el terreno sea más fructífero que nunca: "Jehová, por su parte, dará lo que es bueno, y nuestra propia tierra dará su fruto" (Salmo 85:12). Ese 'dar fruto' traerá "abundancia de grano en la tierra; en la cima de las montañas habrá sobreabundancia" (Salmo 72:16). Nunca más morirán de hambre millones de personas. (Isaías 25:6.)

[11] Además, el desempleo será cosa del pasado; habrá sido eliminado para siempre. Y toda persona disfrutará del fruto de su propia labor: "Ciertamente plantarán viñas y comerán su fruto. [...] no plantarán y otro lo comerá" (Isaías 65:21, 22). Todo esto traerá la clase de

10, 11. ¿Cómo eliminará Jehová el hambre?

seguridad económica que se describe en Ezequiel 34:27: "El árbol del campo tendrá que dar su fruto, y la tierra misma dará su producto, y realmente resultarán estar en su suelo *en seguridad*".

El Paraíso no será afeado por incapacidades físicas ni enfermedades ni la muerte

¹² Pero los humanos también tienen el deseo inherente de poseer un buen hogar y algún terreno para plantar flores, árboles y huertos. ¿Es tener buena vivienda el que millones de personas se hallen atestadas en enormes edificios de apartamentos o en barriadas ruinosas, o vivan en las calles? Nada de eso existirá en el Paraíso venidero, porque Dios tiene este propósito: "Ciertamente edificarán casas, y las ocuparán [...] No edificarán y otro lo ocupará". Ese programa de construcción por todo el mundo tendrá éxito completo, y duradero: "La obra de sus propias manos mis escogidos usarán a grado cabal. No será para nada que se afanarán" (Isaías 65:21-23). Así, pues, la buena vivienda no será el privilegio de solo una minoría acaudalada, sino que será algo de que disfrutarán todos los que se sometan a la gobernación de Dios.

No habrá más enfermedades ni muerte

¹³ La Palabra de Dios también nos asegura que las condiciones satisfactorias del Paraíso no serán afeadas por incapacidades físicas ni las enfermedades, ni acortadas por la muerte: "Ningún residente dirá: 'Estoy enfermo'" (Isaías 33:24). "[Dios] limpiará toda lágrima

12. ¿Quiénes disfrutarán de buena vivienda en el Paraíso?
13, 14. ¿Qué sucederá en cuanto a las enfermedades, las incapacidades físicas, y hasta la muerte?

239

"Que su carne se haga más fresca que en la juventud; que vuelva a los días de su vigor juvenil." (Job 33:25.)

de [los] ojos [de ellos], y la muerte no será más, ni existirá ya más lamento ni clamor ni dolor. Las cosas anteriores han pasado." (Revelación 21:4.)

¹⁴ ¡Imagínese un mundo en que todas las enfermedades y las desventajas físicas sean sanadas! La Palabra de Dios dice: "En aquel tiempo los ojos de los ciegos serán abiertos, y los oídos mismos de los sordos serán destapados. En aquel tiempo el cojo trepará justamente como lo hace el ciervo, y la lengua del mudo clamará con alegría" (Isaías 35:5, 6). ¡Qué maravillosa transformación! E imagínese, también, la maravillosa perspectiva, desde entonces en adelante, de vivir por tanto tiempo como Dios vive... ¡eternamente! Nunca más afligirá la muerte a la humanidad, porque Dios "realmente se tragará a la muerte *para siempre*". (Isaías 25:8.)

¹⁵ Pero ¿qué hay de los que sean sobrevivientes del fin de este sistema y ya se hallen en la vejez? ¿Tendrán simplemente buena salud en su vejez y se quedarán en la vejez para siempre? No, porque Dios tiene poder para dar marcha atrás al proceso de envejecimiento, y dará uso a ese poder. Como la Biblia lo describe: "Que su carne se haga más fresca que en la

15. ¿Qué les sucederá a las personas de edad avanzada que sobrevivan al fin de este sistema?

240

juventud; que vuelva a los días de su vigor juvenil" (Job 33:25). Gradualmente, las personas de edad avanzada regresarán a la condición de hombres y mujeres perfectos de que Adán y Eva disfrutaron en Edén. Este proceso será uno de los resultados de la "re-creación" de que habló Jesús. (Mateo 19:28.)

Paz duradera por toda la Tierra

No habrá guerra ni violencia en el Paraíso. Todas las armas serán destruidas. (Ezequiel 39:9, 10.)

[16] ¿Será perturbado alguna vez el orden del Paraíso por una guerra, o por la violencia? No cuando "los rectos son los que residirán en la tierra, y los exentos de culpa son los que quedarán en ella. En cuanto a los inicuos, ellos serán cortados de la mismísima tierra; y en cuanto a los traicioneros, ellos serán arrancados de ella" (Proverbios 2:21, 22). No puede haber guerra ni violencia cuando los quebrantadores de la paz ya no existen.

[17] ¿Por qué se llama "rectos" y "exentos de culpa" a 'los que quedan' después que Dios corta de la existencia a los inicuos y traicioneros? Porque estos ya habían sido educados en las normas divinas de vivir en paz y se habían amoldado a tales normas. Ese conocimiento de Dios, y someterse a Sus leyes, es la clave a la paz en el Paraíso, porque la Biblia declara: "No harán ningún daño ni causarán ninguna ruina [...] porque la tierra ciertamente estará *llena del conocimiento de Jehová* como las aguas están cubriendo el mismísimo mar" (Isaías 11:9). Jesús también dijo: "Todos ellos serán enseñados por Jehová", y que los que aceptan esta enseñanza y viven en armonía con ella tendrán "vida eterna". (Juan 6:45-47.)

[18] Felizmente, esta educación orientada hacia Dios por todo el globo resultará en un mundo totalmente pacífico y armonioso, libre del delito, del prejuicio y del odio, libre de las divisiones políticas y de la guerra. Ya el valor de esta educación está demostrándose entre millones de testigos de Jehová por toda la Tierra. Ellos forman una hermandad internacional fundada en el amor y en el respeto mutuo (Juan 13:34, 35). La paz

---

16, 17. ¿Por qué no será perturbado el Paraíso por la guerra ni la violencia?
18. ¿Quiénes, hoy día, ya están siendo educados para vivir en paz en el Paraíso?

y la unidad de que disfrutan por todo el globo son inquebrantables. Ni siquiera la persecución ni las guerras mundiales pueden hacer que ellos tomen las armas contra su prójimo en ningún lugar del mundo. Puesto que tal paz y unidad global puede existir hasta en el mundo dividido de hoy, de seguro será mucho más fácil el que este patrón de comportamiento continúe bajo la gobernación de Dios en el Paraíso. (Mateo 26:52; 1 Juan 3:10-12.)

[19] Al mismo principio de la restauración del Paraíso, pues, habrá paz por toda la Tierra. Y los sobrevivientes de la guerra global de Dios, Armagedón, continuarán adhiriéndose a las palabras de la profecía que ellos están cumpliendo en este mismo momento: "No alzarán espada, nación contra nación, *ni aprenderán más la guerra*". Por eso la profecía puede añadir: "Realmente se sentarán, cada uno debajo de su vid y debajo de su higuera, y *no habrá nadie que los haga temblar*" (Miqueas 4:3, 4). ¿Por cuánto tiempo? La promesa alentadora es: "De la paz no habrá fin". (Isaías 9:7.)

[20] Es cierto que hoy día las naciones militarizadas han almacenado sus armamentos como nunca antes. Pero todo eso carece de significado para Aquel cuyo poder creó el universo. Él nos dice lo que pronto hará respecto a las armas militares de las naciones: "Vengan, contemplen las actividades de Jehová, cómo ha establecido acontecimientos pasmosos en la tierra. Está haciendo cesar las guerras hasta la extremidad de la tierra. Quiebra el arco y verdaderamente corta en pedazos la lanza; quema los carruajes en el fuego" (Salmo 46:8, 9). El aplastamiento de las naciones y de su poderío militar preparará el camino para paz global duradera en el Paraíso. (Daniel 2:44; Revelación 19:11-21.)

El aplastamiento de las naciones y de su poderío militar preparará el camino para la paz global

Paz con el reino animal

[21] Para completar la paz global del Paraíso, se restaurará también la armonía que existía entre los hu-

19. ¿Qué cumplimiento de profecía que ya está en progreso continuará en el Paraíso?
20. ¿Cómo tratará Jehová con las naciones y el equipo militar de estas?
21, 22. ¿Qué relación será restaurada entre los humanos y los animales?

manos y los animales en Edén (Génesis 1:26-31). Hoy día el hombre teme a muchos animales y, a la vez, es una amenaza para ellos. Pero así no sucederá en el Paraíso. Como fuera que Dios mantuvo la armonía entre el hombre y la bestia en Edén, así también la mantendrá en el Paraíso. De este modo, de nuevo será una realidad el dominio amoroso de los animales por el hombre.

²² A este respecto el Creador declara: "Para ellos ciertamente celebraré un pacto en aquel día en conexión con la bestia salvaje del campo y con la criatura volátil de los cielos y la cosa que se arrastra del suelo" (Oseas 2:18). ¿Y qué resultado tendrá esto? "Ciertamente celebraré con ellas *un pacto de paz,* y de veras haré que la bestia salvaje dañina cese de la tierra, y realmente morarán en el desierto en seguridad y dormirán en los bosques." (Ezequiel 34:25.)

²³ La paz que existirá entre los humanos, y entre los humanos y los animales, también se reflejará *dentro del reino animal:* "El lobo realmente morará por un tiempo con el cordero, y el leopardo mismo se echará

Se restaurará la armonía entre los humanos y los animales

_____
23. ¿Qué cambio profundo que ha de tener lugar dentro del reino animal predice Isaías?

243

con el cabrito, y el becerro y el leoncillo crinado y el animal bien alimentado todos juntos; y un simple muchachito será guía sobre ellos. Y la vaca y la osa mismas pacerán; sus crías se echarán juntas. Y hasta el león comerá paja justamente como el toro. Y el niño de pecho ciertamente jugará sobre el agujero de la cobra; y sobre la abertura para la luz de una culebra venenosa realmente pondrá su propia mano un niño destetado. No harán ningún daño ni causarán ninguna ruina en toda mi santa montaña". (Isaías 11:6-9.)

Hallarán "deleite exquisito en la abundancia de paz"

²⁴ ¡Qué hermosa descripción da la Biblia de la paz total que existirá en el Paraíso! No es extraño que Salmo 37:11 diga lo siguiente acerca de la vida en ese nuevo sistema: "Los mansos mismos poseerán la tierra, y verdaderamente hallarán su *deleite exquisito en la abundancia de paz*".

Regresan los muertos

²⁵ Los beneficios que vendrán en el Paraíso no fluirán únicamente a los que sean sobrevivientes del fin del sistema de cosas actual. Bajo la gobernación del Reino celestial de Dios tendrá lugar una muy sorprendente victoria... una victoria total sobre la muerte. Pues no solo será vencida la muerte heredada, ¡sino que los que ya están muertos regresarán a la vida y recibirán la oportunidad de vivir en el Paraíso! La Palabra de Dios da esta garantía: "Va a haber resurrección así de justos como de injustos" (Hechos 24:15). ¡Qué ocasión gozosa será aquella, a medida que, generación tras generación, se haga volver del sepulcro a seres amados! (Lucas 7:11-16; 8:40-56; Juan 11: 38-45.)

²⁶ Jesús dijo: "Viene la hora en que todos los que están en las tumbas conmemorativas oirán su voz y saldrán, los que hicieron cosas buenas a una resurrección de vida, los que practicaron cosas viles a una resurrección de juicio" (Juan 5:28, 29). Sí, las personas que estén en la memoria de Dios serán restauradas a

24. ¿Cómo describe el Salmo 37 la paz que existirá en el Paraíso?
25, 26. a) ¿Qué promesa hace la Palabra de Dios respecto a los muertos? b) ¿Por qué no significa ningún problema para el Creador el recordar a todos los que han muerto?

¡Los muertos volverán a la vida y recibirán la oportunidad de vivir en el Paraíso! La Palabra de Dios da esta garantía: "Va a haber resurrección así de justos como de injustos"

la vida. Y no debemos pensar que esto sea una tarea demasiado grande para Dios. Recuerde: él creó centenares de miles de millones, sí, billones de estrellas. Y la Biblia dice que a todas ellas él las llama "por nombre" (Isaías 40:26). La cantidad de las personas que han vivido y muerto es solo una fracción de eso. Por tanto, ellas y sus patrones de vida pueden ser fácilmente acomodados en la memoria de Dios.

[27] Todos los que sean resucitados recibirán educación en las normas justas de Dios en un ambiente paradisíaco. No tendrán el estorbo de la iniquidad ni del sufrimiento y la injusticia que los estorbaron en su vida pasada. Si aceptan la gobernación de Dios y se amoldan a Sus normas, serán juzgados dignos de continuar viviendo (Efesios 4:22-24). Por eso, para que el ladrón que fue fijado en un madero al lado de Jesús permanezca en el Paraíso tendrá que cambiar de ser ladrón a ser honrado. Pero a los que se rebelen contra la gobernación justa de Dios no se les permitirá continuar viviendo para que echen a perder la paz y el gozo de otras personas. Recibirán juicio adverso. Así, a toda persona se dará oportunidad completa y justa de demostrar si realmente aprecia la vida en una Tierra paradisíaca donde "la justicia habrá de morar". (2 Pedro 3:13.)

Directamente ante nosotros se abre una maravillosa nueva era

[28] Junto con los sobrevivientes del Armagedón, los muertos resucitados disfrutarán entonces de una vida que para siempre les será intensamente interesante. El cerebro humano perfecto, con una vasta potencialidad de adquirir conocimiento, podrá absorber información para siempre. ¡Piense en lo que aprenderemos acerca de la Tierra y del imponente universo con sus miles de millones de galaxias! ¡Considere el trabajo estimulante y satisfaciente que haremos en construcción, hermoseo de terrenos, jardinería, enseñanza, arte, música y muchos otros campos! Por eso, la vida no será aburrida ni improductiva. En vez de eso, como predice la Biblia, cada día en el Paraíso será un "deleite exquisito" (Salmo 37:11). Como vemos, directamente ante nosotros está el principio de una maravillosa nueva era.

27. ¿Qué oportunidad tendrán todos en el Paraíso?
28. Entonces, ¿qué hay directamente ante nosotros?

Capítulo 20

¿Qué escogerá usted?

NOTICIAS del Paraíso que vendrá bajo el Reino de Dios son la clase de noticias que la humanidad necesita. Y Jesús profetizó que el anunciar a la gente por toda la Tierra "estas buenas nuevas del Reino" sería un rasgo del período que se presentaría precisamente 'antes que venga el fin' (Mateo 24:14). Hoy, millones de testigos de Jehová están haciendo precisamente tal anuncio. Están compartiendo estas buenas nuevas con otros millones de personas que responden mediante estudiar la Biblia y asociarse con ellos.

² En la Biblia se predijo esta extensa labor docente mundial que está recogiendo como en cosecha a personas de todas las naciones. La profecía de Isaías dijo acerca de estos últimos días: 'La adoración de Jehová llegará a estar firmemente establecida, y a ella tendrán que afluir personas de todas las naciones. Y Jehová las instruirá en cuanto a sus caminos, y ellas andarán en las sendas de él'. (Isaías 2:2-4; véase también Isaías 60:22; Zacarías 8:20-23.)

³ La declaración del Reino por todo el mundo está resultando en una clara separación entre la gente. En lenguaje ilustrativo, Jesús predijo para nuestro día lo siguiente: "Todas las naciones serán juntadas delante de él, y separará a la gente unos de otros, así como el pastor separa las ovejas de las cabras". Se identifica

Millones de personas están acudiendo a la adoración verdadera de Jehová

1, 2. a) ¿Qué efecto están teniendo las "buenas nuevas" en millones de personas hoy día? b) ¿Cómo se predijo esta cosecha mundial de personas?
3. ¿En qué separación resulta el mensaje del Reino?

como personas semejantes a ovejas a las que cooperan con los propósitos del Creador. De las que permanecen independientes se dice que son como cabras. En cuanto al destino de unas y otras, Jesús dijo que las "ovejas" segarán "vida eterna", pero las "cabras" experimentarán "cortamiento [de la existencia] eterno". (Mateo 25:32-46.)

No se debe 'cambiar la verdad por una mentira'

⁴ El poner nuestra vida en armonía con los propósitos de Dios es vital para nuestro futuro, puesto que con él está "la fuente de la vida" (Salmo 36:9). Por eso, no debemos caer en el lazo de filosofías que son contrarias a la realidad. Romanos 1:25 habla de "los que cambiaron la verdad de Dios por la mentira y veneraron y rindieron servicio sagrado a la creación más bien que a Aquel que creó". Como hemos visto, la teoría de la evolución es contraria a la realidad, sí, efectivamente una "mentira". El cambiar las realidades acerca del Dios de la Creación por tal "mentira" es, como declara Romanos 1:20, 'inexcusable' en vista de la evidencia.

⁵ No se sorprenda de que la teoría de la evolución se haya esparcido tan extensamente en tiempos modernos a pesar de la evidencia que hay contra ella. El verdadero mensaje de esta creencia es que no hay ningún Dios, que Dios es innecesario. ¿De dónde procedería una mentira tan monumental? Jesús identificó a la fuente cuando dijo: "El Diablo [...] es mentiroso y el padre de la mentira". (Juan 8:44.)

⁶ Tenemos que enfrentarnos al hecho de que la teoría de la evolución es útil para los propósitos de Satanás. Él desea que la gente imite su proceder, y el de Adán y Eva, de rebelarse contra Dios. Especialmente desea eso ahora, puesto que al Diablo le queda solo "un corto período de tiempo" (Revelación 12:9-12). Por eso, el creer en la evolución significaría promover los intereses de él y cegarse uno a los maravillosos propósitos del Creador. Entonces, ¿cómo deberíamos reaccionar ante esto? Nos indignamos contra los que tratan de defrau-

¿Qué origen tiene, realmente, la idea de la evolución?

---

4. a) Si queremos seguir viviendo, ¿qué es vital? b) En conformidad con la Biblia, ¿cómo tiene que ser clasificada la teoría de la evolución?
5, 6. a) ¿Qué origen tiene, realmente, la creencia de la evolución? b) ¿Por qué se ha esparcido tan extensamente en nuestro tiempo? c) ¿Cómo deberíamos reaccionar respecto a este asunto?

darnos para quitarnos dinero, o hasta unas cuantas posesiones materiales. Debemos indignarnos con más vigor respecto a la doctrina de la evolución y a su originador, puesto que lo que se quiere hacer es defraudarnos de la vida eterna. (1 Pedro 5:8.)

'Todos tendrán que saber'

Pronto toda persona sabrá que hay un Creador

⁷ Pronto, toda persona sabrá que en realidad hay un Creador. Él declara: "Y ciertamente santificaré mi gran nombre, que estaba siendo profanado entre las naciones, [...] *y las naciones tendrán que saber que yo soy Jehová*" (Ezequiel 36:23). Sí, toda persona tendrá que saber que "Jehová es Dios. Es él quien nos ha hecho, y no nosotros mismos". (Salmo 100:3.)

⁸ Las naciones llegarán a saber que Jehová es el Dios de la Creación cuando, dentro de poco, él les haga frente. Eso sucederá cuando él ponga fin al miserable experimento de los hombres de tratar de ser independientes de Dios. En ese tiempo acontecerá esto: "A causa de su indignación la tierra se mecerá, y ninguna de las naciones podrá sostenerse bajo su denunciación". "Los dioses que no hicieron los mismísimos cielos y la tierra son los que perecerán de la tierra y de debajo de estos cielos." (Jeremías 10:10, 11; véase también Revelación 19:11-21.)

⁹ Así, pues, en el Paraíso venidero ya no existirán las naciones ni sus sistemas educativos ni sus medios de comunicación. Por eso, entonces no se enseñará la evolución. En vez de eso, como muestra Isaías 11:9, "la tierra ciertamente estará *llena del conocimiento de Jehová* como las aguas están cubriendo el mismísimo mar". Toda persona recibirá la educación que la llevará a conocer al Creador íntimamente. Se maravillarán ante la manera como él ha realizado sus propósitos en el pasado. Con intensa emoción verán las obras futuras que él ejecutará en el Paraíso. Y entre esas imponentes obras estará la resurrección. Esta demostrará conclusivamente que Dios sí creó a los humanos. ¿Por qué?

La resurrección probará que Dios sí creó a los humanos

---

7. ¿Qué dice el Creador que hará en cuanto a su existencia y su nombre?
8. ¿Cómo hará frente dentro de poco Jehová a las naciones?
9. a) ¿Por qué no se enseñará la evolución en el Paraíso? b) ¿Qué imponente despliegue de lo que Jehová puede hacer probará que él creó a los humanos?

Porque el que él pueda crear de nuevo a miles de millones de personas que han muerto ciertamente probará que él pudo crear a la primera pareja humana.

Escoja

El futuro ya ha sido determinado

10 No, el futuro no será determinado por algún proceso evolutivo que funcione al azar. El futuro ya ha sido determinado por el Creador. Son *sus* propósitos los que se realizarán, no los de algún humano o un Diablo (Isaías 46:9-11). En vista de esto, las preguntas que cada uno de nosotros tiene que contestar son: ¿Cuál es mi postura al respecto? ¿Deseo vivir para siempre en un Paraíso justo? Si así es, ¿estoy satisfaciendo los requisitos de Dios para sobrevivir?

11 Si queremos vivir para siempre en el Paraíso, entonces la Biblia muestra que tenemos que seguir el ejemplo de los que respetan al Creador, sus propósitos y sus leyes. Aconseja: "Vigila al exento de culpa y mantén a la vista al recto, porque el futuro de ese hombre será pacífico. Pero los transgresores mismos ciertamente serán aniquilados juntos; el futuro de los inicuos verdaderamente será cortado". (Salmo 37:37, 38.)

¿Cómo usaremos la libertad de escoger que poseemos?

12 Dios nos dio la libertad de escoger si queremos servirle o no. Y aunque él no obliga a los humanos a ser obedientes, tampoco permitirá que la iniquidad, el sufrimiento y la injusticia continúen indefinidamente. Tampoco permitirá que siga viviendo cualquier persona que hubiera de perturbar la paz y felicidad que habrá en su Paraíso venidero. Por eso ahora él invita a la gente a emplear su facultad de escoger libremente para servirle. Los que así hagan verán el fin de este mundo insatisfactorio, y entonces tendrán el gran gozo de ayudar a transformar la Tierra en un paraíso. (Salmo 37:34.)

13 Es verdad que muchas personas no quieren amoldarse a los requisitos de Jehová. Esa es su responsabilidad, y gran pérdida (Ezequiel 33:9). Pero ¿es el deseo

---

10. En vista del hecho de que Jehová ya ha determinado el futuro, ¿qué preguntas tenemos que contestar?
11. Si queremos vivir en el Paraíso, ¿el ejemplo de quién debemos seguir?
12. a) Aunque los humanos sí tienen libertad de selección, Dios no permitirá que continúe ¿qué? b) ¿Qué espera a los que emplean su facultad de escoger libremente para servir a Dios?
13. Si deseamos "la vida que lo es realmente", ¿qué debemos hacer?

suyo "asirse firmemente de la vida que lo es realmente", la vida que ha de venir? (1 Timoteo 6:19.) Si así es, Jesús mostró qué hacer cuando dijo en una oración a Dios: "Esto significa vida eterna, el que estén adquiriendo conocimiento de ti, el único Dios verdadero, y de aquel a quien tú enviaste, Jesucristo". (Juan 17:3.)

¹⁴ Por tanto, el proceder sabio y urgente que se ha de adoptar, mientras todavía hay tiempo, es aprender lo que es la voluntad del Creador y sinceramente esforzarse por hacerla. Su Palabra inspirada insta: "Antes que venga sobre ustedes el día de la cólera de Jehová, busquen a Jehová, todos ustedes los mansos de la tierra, los que han practicado Su propia decisión judicial. Busquen justicia, busquen mansedumbre. Probablemente sean ocultados en el día de la cólera de Jehová". (Sofonías 2:2, 3.)

¹⁵ Que usted resulte ser una de esas personas mansas que se someten humildemente a la voluntad de Dios. Si usted hace eso, entonces ¿qué? "El mundo va pasando —dice la Biblia—, pero el que hace la voluntad de Dios permanece para siempre" (1 Juan 2:17). ¡Qué gloriosa perspectiva —vivir para siempre en una Tierra paradisíaca— si usted escoge bien!

Una gloriosa perspectiva espera a los que escojan bien

14. ¿Qué proceder sabio y urgente debemos adoptar?
15. ¿Qué gloriosa perspectiva espera a los mansos?

Lista de referencias por capítulo

Capítulo 1
La vida... ¿cómo empezó?

1. *Cosmos*, por Carl Sagan, 1980, p. 328.
2. *Ibíd.*, p. 231.
3. *The Origin of Species*, por Charles Darwin, edición Mentor, 1958, p. 450.

Capítulo 2
Desacuerdos sobre la evolución... ¿por qué?

1. *Discover*, "The Tortoise or the Hare?", por James Gorman, octubre de 1980, p. 88.
2. *The Neck of the Giraffe*, por Francis Hitching, 1982, p. 12.
3. *The Enterprise*, Riverside, California, "Macroevolution Theory Stirs Hottest Debate Since Darwin", por Boyce Rensberger, 14 de noviembre de 1980, p. E9; *Science*, "Evolutionary Theory Under Fire", por Roger Lewin, 21 de noviembre de 1980, pp. 883-887.
4. *Natural History*, "Evolutionary Housecleaning", por Niles Eldredge, febrero de 1982, pp. 78, 81.
5. *The Star*, Johannesburgo, "The Evolution of a Theory", por Christopher Booker, 20 de abril de 1982, p. 19.
6. *The Neck of the Giraffe*, pp. 7, 8.
7. *New Scientist*, "Darwin's Theory: An Exercise in Science", por Michael Ruse, 25 de junio de 1981, p. 828.
8. *The Enchanted Loom: Mind in the Universe*, por Robert Jastrow, 1981, p. 19.
9. *The Origin of Species*, por Charles Darwin, edición de 1902, primera parte, p. 250.
10. *The Enchanted Loom*, p. 96.
11. *Ibíd.*, pp. 98, 100.
12. *Field Museum of Natural History Bulletin*, Chicago, "Conflicts Between Darwin and Paleontology", por David M. Raup, enero de 1979, pp. 22, 23, 25.
13. *The New Evolutionary Timetable*, por Steven M. Stanley, 1981, pp. 71, 77.
14. *The Enterprise*, 14 de noviembre de 1980, p. E9.
15. *Science Digest*, "Miracle Mutations", por John Gliedman, febrero de 1982, p. 92.
16. *The World Book Encyclopedia*, 1982, tomo 6, p. 335.
17. *The New York Times*, "Theory of Rapid Evolution Attacked", por Bayard Webster, 9 de julio de 1981, p. B11.
18. *Harper's*, "Darwin's Mistake", por Tom Bethell, febrero de 1976, pp. 72, 75.
19. *The Neck of the Giraffe*, pp. 103, 107, 108, 117.
20. *The Guardian*, Londres, "Beginning to Have Doubts", por John Durant, 4 de diciembre de 1980, p. 15.
a. *The Origin of Species*, introducción por W. R. Thompson, edición de 1956, p. xxii.
b. *The New York Times*, "Computer Scientists Stymied in Their Quest to Match Human Vision", por William J. Broad, 25 de septiembre de 1984, p. C1.
c. *Field Museum of Natural History Bulletin*, enero de 1979, p. 25.

Capítulo 3
¿Qué dice Génesis?

1. *Old Testament Word Studies*, por William Wilson, 1978, p. 109.
2. *Putnam's Geology*, por Edwin L. Larson y Peter W. Birkeland, 1982, p. 66.
3. *The Illustrated Bible Dictionary*, Tyndale House Publishers, 1980, primera parte, p. 335.

4. *Aid to Bible Understanding*, publicado por Watchtower Bible and Tract Society of New York, Inc., 1971, p. 393.
a. *Ibíd.*, pp. 392, 393.
b. *The Lamp*, "The Worlds of Wallace Pratt", por W. L. Copithorne, otoño de 1971, p. 14.

Capítulo 4
¿Pudiera originarse al azar la vida?

1. *The Origin of Species*, por Charles Darwin, edición Mentor, 1958, p. 450.
2. *The Selfish Gene*, por Richard Dawkins, 1976, p. ix.
3. *Ibíd.*, p. ix.
4. *The Neck of the Giraffe*, por Francis Hitching, 1982, p. 68.
5. *Evolution From Space*, por Fred Hoyle y Chandra Wickramasinghe, 1981, p. 8.
6. *The Origins of Life on the Earth*, por Stanley L. Miller y Leslie E. Orgel, 1974, p. 33.
7. *The Neck of the Giraffe*, p. 65.
8. *Ibíd.*
9. *Ibíd.*
10. *Scientific American*, "Chemical Evolution and the Origin of Life", por Richard E. Dickerson, septiembre de 1978, p. 75.
11. *Scientific American*, "The Origin of Life", por George Wald, agosto de 1954, pp. 49, 50.
12. *The Origin of Life*, por John D. Bernal, 1967, p. 144.
13. *Evolution From Space*, p. 24.
14. *New Scientist*, "Darwinism at the Very Beginning of Life", por Leslie Orgel, 15 de abril de 1982, p. 151.
15. *Evolution From Space*, p. 27.
16. *The Neck of the Giraffe*, p. 66.
17. *Investigación y Ciencia*, noviembre de 1978, p. 37.
18. *The Sciences*, "The Creationist Revival", por Joel Gurin, abril de 1981, p. 17.
19. *Investigación y Ciencia*, noviembre de 1978, p. 51.
20. *New Scientist*, 15 de abril de 1982, p. 151.
21. *Life Itself, Its Origin and Nature*, por Francis Crick, 1981, p. 71.
22. *The Plants*, por Frits W. Went, 1963, p. 60.
23. *Evolution From Space*, pp. 30, 31.
24. *Ibíd.*, p. 130.
25. *The Selfish Gene*, p. 14.
26. *Evolution From Space*, p. 31.
27. *Scientific American*, agosto de 1954, p. 46.
28. *The Immense Journey*, por Loren Eiseley, 1957, p. 200.
29. *Ibíd.*, p. 199.
30. *Physics Bulletin*, "A Physicist Looks at Evolution", por H. S. Lipson, 1980, tomo 31, p. 138.
31. *Daily Express*, Londres, "There Must Be a God", por Geoffrey Levy, 14 de agosto de 1981, p. 28.
32. *The Enchanted Loom: Mind in the Universe*, por Robert Jastrow, 1981, p. 19.
a. *Life Itself*, p. 71.
b. *National Geographic*, "The Awesome Worlds Within a Cell", por Rick Gore, septiembre de 1976, pp. 357, 358, 360.
c. *Newsweek*, "The Secrets of the Human Cell", por Peter Gwynne, Sharon Begley y Mary Hager, 20 de agosto de 1979, p. 48.
d. *The Limitations of Science*, por J. W. N. Sullivan, 1933, p. 95.
e. *Reader's Digest*, enero de 1963, p. 92.
f. *Scientific American*, agosto de 1954, p. 46.

g. *Life Itself*, p. 88.
h. *Evolution From Space*, p. 24.

Capítulo 5
Lo que sí dice el registro fósil

1. *Processes of Organic Evolution*, por G. Ledyard Stebbins, 1971, p. 1.
2. *Genetics and the Origin of Species*, por Theodosius Dobzhansky, 1951, p. 4.
3. *The Origin of Species*, por Charles Darwin, edición de 1902, segunda parte, p. 54.
4. *New Scientist*, reseña por Tom Kemp del libro *The New Evolutionary Timetable*, por Steven M. Stanley, 4 de febrero de 1982, p. 320.
5. *The Origin of Species*, segunda parte, p. 55.
6. *Ibíd.*, p. 83.
7. *Ibíd.*, p. 83.
8. *Ibíd.*, pp. 83, 88, 91, 92.
9. *Ibíd.*, pp. 94, 296.
10. *Processes of Organic Evolution*, p. 136.
11. *New Scientist*, 15 de enero de 1981, p. 129.
12. *A Guide to Earth History*, por Richard Carrington, 1956, p. 48.
13. *The New Evolutionary Timetable*, por Steven M. Stanley, 1981, p. 6.
14. *A View of Life*, por Salvador E. Luria, Stephen Jay Gould, Sam Singer, 1981, p. 642.
15. *Synthetische Artbildung* (El origen sintético de las especies), por Heribert Nilsson, 1953, p. 1212.
16. *Red Giants and White Dwarfs*, por Robert Jastrow, 1979, p. 97.
17. *Evolution From Space*, por Fred Hoyle y Chandra Wickramasinghe, 1981, p. 8.
18. *Red Giants and White Dwarfs*, p. 249.
19. *The Enchanted Loom: Mind in the Universe*, por Robert Jastrow, 1981, p. 23.
20. *A View of Life*, pp. 638, 649.
21. *The Origin of Species*, segunda parte, p. 90.
22. *Natural History*, "Darwin and the Fossil Record", por Alfred S. Romer, octubre de 1959, pp. 466, 467.
23. *A View of Life*, p. 651.
24. *Times de Kent*, Inglaterra, "Scientist Rejects Evolution", 11 de diciembre de 1975, p. 4.
25. *Liberty*, "Evolution or Creation?", por Harold G. Coffin, septiembre/octubre de 1975, p. 12.
26. *The New Evolutionary Timetable*, p. xv.
27. *The New York Times*, "Prehistoric Gnat", 3 de octubre de 1982, primera sección, p. 49.
28. *The Globe and Mail*, Toronto, "That's Life", 5 de octubre de 1982, p. 6.
29. *Discover*, "The Tortoise or the Hare?", por James Gorman, octubre de 1980, p. 89.
30. *Field Museum of Natural History Bulletin*, Chicago, "Conflicts Between Darwin and Paleontology", por David M. Raup, enero de 1979, p. 23.
31. *New Scientist*, 4 de febrero de 1982, p. 320.
32. *Processes of Organic Evolution*, p. 147.
33. *The New Evolutionary Timetable*, p. 95.
34. *Should Evolution Be Taught?*, por John N. Moore, 1970, pp. 9, 14, 24; *New Scientist*, "Letters", 15 de septiembre de 1983, p. 798.
35. *On Growth and Form*, por D'Arcy Thompson, 1959, tomo II, pp. 1093, 1094.
36. *The World Book Encyclopedia*, 1982, tomo 6, p. 333.

37. *Encyclopædia Britannica*, 1976, Macropædia, tomo 7, p. 13.
38. *The Neck of the Giraffe*, por Francis Hitching, 1982, p. 31.
39. *The New Evolutionary Timetable*, pp. 4, 96.
40. *Order: In Life*, por Edmund Samuel, 1972, p. 120.
41. *Liberty*, septiembre/octubre de 1975, p. 14.
42. *Cosmos*, por Carl Sagan, 1980, p. 29.
a. *The Enchanted Loom*, p. 29.
b. *The New Evolutionary Timetable*, pp. 4, 5.
c. *The World We Live In*, por Lincoln Barnett, 1955, p. 93.
d. *Red Giants and White Dwarfs*, p. 224.
e. *Science*, 23 de febrero de 1973, p. 789.
f. *Red Giants and White Dwarfs*, p. 249.
g. *The Natural History of Palms*, por E. J. H. Corner, 1966, p. 254.
h. *Encyclopædia Britannica*, 1976, Macropædia, tomo 7, p. 565.
i. *The Insects*, por Peter Farb, 1962, p. 14.
j. *Encyclopædia Britannica*, 1976, Macropædia, tomo 7, p. 567.
k. *Maravillas y Misterios del Reino Animal*, por Reader's Digest México, 1965, p. 26.
l. *The Fishes*, por F. D. Ommanney, 1964, p. 64.
m. *The Reptiles*, por Archie Carr, 1963, p. 37.
n. *Ibid.*, p. 41.
o. *The Mammals*, por Richard Carrington, 1963, p. 37.
p. *Processes of Organic Evolution*, p. 146.
q. *The World Book Encyclopedia*, 1982, tomo 2, p. 291.
r. *The Primates*, por Sarel Eimerl y Irven DeVore, 1965, p. 15.
s. *Science Digest*, "The Water People", por Lyall Watson, mayo de 1982, p. 44.
t. *Science Digest*, "Miracle Mutations", por John Gliedman, febrero de 1982, p. 90.
u. *The New Evolutionary Timetable*, p. 5.

Capítulo 6
Lagunas enormes... ¿las puede salvar la evolución?

1. *The Neck of the Giraffe*, por Francis Hitching, 1982, p. 19.
2. *Ibid.*, p. 20.
3. *The Origin of Vertebrates*, por N. J. Berrill, 1955, p. 10.
4. *The Fishes*, por F. D. Ommanney, 1964, p. 65.
5. *Life on Earth*, por David Attenborough, 1979, p. 137.
6. *The Reptiles*, por Archie Carr, 1963, p. 36.
7. *Ibid.*, p. 37.
8. *Red Giants and White Dwarfs*, por Robert Jastrow, 1979, p. 253.
9. *Human Destiny*, por Lecomte du Noüy, 1947, p. 72.
10. *The Birds*, por Roger Tory Peterson, 1963, p. 34.
11. Ibid.
12. *The Neck of the Giraffe*, pp. 34, 35; *Science*, "Feathers of *Archaeopteryx*: Asymmetric Vanes Indicate Aerodynamic Function", por Alan Feduccia y Harrison B. Tordoff, 9 de marzo de 1979, pp. 1021, 1022.
13. *Evolution, Genetics, and Man*, por Theodosius Dobzhansky, 1955, p. 293.
14. *Ibid.*, p. 295.
15. *Populations, Species, and Evolution*, por Ernst Mayr, 1970, p. 375.

16. *The Brain: The Last Frontier*, por Richard M. Restak, 1979, p. 162.
17. *Evolution From Space*, por Fred Hoyle y Chandra Wickramasinghe, 1981, p. 111.

Capítulo 7
Los "hombres-monos"... ¿qué eran?

1. *Science 81*, "How Ape Became Man", por Donald C. Johanson y Maitland A. Edey, abril de 1981, p. 45.
2. *Lucy: The Beginnings of Humankind*, por Donald C. Johanson y Maitland A. Edey, 1981, p. 31.
3. *Boston Magazine*, "Stephen Jay Gould: Defending Darwin", por Carl Oglesby, febrero de 1981, p. 52.
4. *Lucy*, p. 27.
5. *The Bulletin of the Atomic Scientists*, "Fifty Years of Studies on Human Evolution", por Sherwood Washburn, mayo de 1982, pp. 37, 41.
6. *Spectator*, The University of Iowa, abril de 1973, p. 4.
7. *New Scientist*, "Whatever Happened to Zinjanthropus", por John Reader, 26 de marzo de 1981, p. 802.
8. *Origins*, por Richard E. Leakey y Roger Lewin, 1977, p. 55.
9. *Science*, "The Politics of Paleoanthropology", por Constance Holden, 14 de agosto de 1981, p. 737.
10. *Newsweek*, "Bones and Prima Donnas", por Peter Gwynne, John Carey y Lea Donosky, 16 de febrero de 1981, p. 77.
11. *The New York Times*, "How Old Is Man?", por Nicholas Wade, 4 de octubre de 1982, p. A18.
12. *Science Digest*, "The Water People", por Lyall Watson, mayo de 1982, p. 44.
13. *The Mismeasure of Man*, por Stephen Jay Gould, 1981, p. 324.
14. *The Universe Within*, por Morton Hunt, 1982, p. 45.
15. *Science Digest*, "Miracle Mutations", por John Gliedman, febrero de 1982, p. 91.
16. *Newsweek*, "Is Man a Subtle Accident?", por Jerry Adler y John Carey, 3 de noviembre de 1980, p. 95.
17. *Science 81*, "Human Evolution: Smooth or Jumpy?", septiembre de 1981, p. 7.
18. *Journal of the Royal College of Surgeons of Edinburgh*, "Myths and Methods in Anatomy", por Solly Zuckerman, enero de 1966, p. 90.
19. *National Geographic*, "Skull 1470", por Richard E. Leakey, junio de 1973, p. 819.
20. *The Boston Globe*, "He's Shaking Mankind's Family Tree", por Joel N. Shurkin, 4 de diciembre de 1973, p. 1.
21. *The New York Times*, 4 de octubre de 1982, p. A18.
22. *Discover*, reseña del libro *The Myths of Human Evolution*, por Niles Eldredge y Ian Tattersall, enero de 1983, pp. 83, 84.
23. *The Biology of Race*, por James C. King, 1971, pp. 135, 151.
24. *Science Digest*, "Anthro Art", abril de 1981, p. 41.
25. *Lucy*, p. 286.
26. *New Scientist*, reseña del libro *Not From the Apes: Man's Origins and Evolution*, por Björn Kurtén, 3 de agosto de 1972, p. 259.
27. *The Neck of the Giraffe*, por Francis Hitching, 1982, p. 224.
28. *Man, God and Magic*, por Ivar Lissner, 1961, p. 304.
29. *Missing Links*, por John Reader, 1981, pp. 109, 110; *Hen's Teeth and Horse's Toes*, por Stephen Jay Gould, 1983, pp. 201-226.
30. *Lucy*, p. 315.

31. *Origins*, p. 40.
32. *Time*, "Just a Nasty Little Thing", 18 de febrero de 1980, p. 58.
33. *The New York Times*, "Monkeylike African Primate Called Common Ancestor of Man and Apes", por Bayard Webster, 7 de febrero de 1980, p. A14; "Fossils Bolster a Theory on Man's Earliest Ancestor", por Bayard Webster, 1 de enero de 1984, primera sección, p. 16.
34. *Origins*, p. 52.
35. *Ibid.*, p. 56.
36. *Ibid.*, p. 67.
37. *The New York Times*, "Time to Revise the Family Tree?", 14 de febrero de 1982, p. E7.
38. *New Scientist*, "Jive Talking", por John Gribbin, 24 de junio de 1982, p. 873.
39. *Natural History*, "False Start of the Human Parade", por Adrienne L. Zihlman y Jerold M. Lowenstein, agosto/septiembre de 1979, p. 86.
40. *The Social Contract*, por Robert Ardrey, 1970, p. 299.
41. *The New York Times*, "Bone Traces Man Back 5 Million Years", por Robert Reinhold, 19 de febrero de 1971, p. 1.
42. *Man, Time, and Fossils*, por Ruth Moore, 1961, pp. 5, 6, 316.
43. *The New Evolutionary Timetable*, por Steven M. Stanley, 1981, p. 142.
44. *Journal of the Royal College of Surgeons of Edinburgh*, enero de 1966, p. 93.
45. *Beyond the Ivory Tower*, por Solly Zuckerman, 1970, p. 90.
46. *Lucy*, p. 38.
47. *Origins*, p. 86.
48. *The Enchanted Loom: Mind in the Universe*, por Robert Jastrow, 1981, p. 114.
49. *New Scientist*, "Trees Have Made Man Upright", por Jeremy Cherfas, 20 de enero de 1983, p. 172.
50. *Encyclopædia Britannica*, 1976, Macropædia, tomo 8, p. 1032.
51. *Ice*, por Fred Hoyle, 1981, p. 35.
52. *Lucy*, p. 29.
53. *Popular Science*, "How Old Is It?", por Robert Gannon, noviembre de 1979, p. 81.
54. *Seattle Post-Intelligencer*, "Radiocarbon Dating Wrong", 18 de enero de 1976, p. C8.
55. *The Fate of the Earth*, por Jonathan Schell, 1982, p. 181.
56. *The Last Two Million Years*, por The Reader's Digest Association, 1974, pp. 9, 29.
57. *Science*, "Radiocarbon Dating", por W. F. Libby, 3 de marzo de 1961, p. 624.
58. *Esquire*, reseña por Malcolm Muggeridge del libro *The Ascent of Man*, por Jacob Bronowski, julio de 1974, p. 53.

Capítulo 8
Las mutaciones... ¿base para la evolución?

1. *The World Book Encyclopedia*, 1982, tomo 13, p. 809.
2. *The New Evolutionary Timetable*, por Steven M. Stanley, 1981, p. 65.
3. *Chromosomes and Genes*, por Peo C. Koller, 1971, p. 127.
4. *Red Giants and White Dwarfs*, por Robert Jastrow, 1979, p. 250.
5. *Cosmos*, por Carl Sagan, 1980, p. 27.
6. *Science Digest*, "Miracle Mutations", por John Gliedman, febrero de 1982, p. 92.
7. *Encyclopedia Americana*, 1977, tomo 10, p. 742.
8. *Cosmos*, p. 31.
9. *Chromosomes and Genes*, p. 127.
10. *Encyclopædia Britannica*, 1959, tomo 22, p. 989.

11. *The Toronto Star*, "Crusade to Unravel Life's Sweet Mystery", por Helen Bullock, 19 de diciembre de 1981, p. A13.
12. *Encyclopedia Americana*, 1977, tomo 10, p. 742.
13. *Processes of Organic Evolution*, por G. Ledyard Stebbins, 1971, pp. 24, 25.
14. *The Wellsprings of Life*, por Isaac Asimov, 1960, p. 139.
15. *Heredity and the Nature of Man*, por Theodosius Dobzhansky, 1964, p. 126.
16. *The World Book Encyclopedia*, 1982, tomo 6, p. 332.
17. *Heredity and the Nature of Man*, p. 126.
18. *Investigación y Ciencia*, "Reparación inducible del ADN", por Paul Howard-Flanders, enero de 1982, p. 28.
19. *Darwin Retried*, por Norman Macbeth, 1971, p. 33.
20. *The International Wildlife Encyclopedia*, 1970, tomo 20, p. 2764.
21. *Red Giants and White Dwarfs*, p. 235.
22. *On Call*, 3 de julio de 1972, p. 9.
23. *Evolution From Space*, por Fred Hoyle y Chandra Wickramasinghe, 1981, p. 5.
24. *On Call*, 3 de julio de 1972, pp. 8, 9.
25. *Science*, "Evolutionary Theory Under Fire", por Roger Lewin, 21 de noviembre de 1980, p. 884.
26. *Molecules to Living Cells*, "Simple Inorganic Molecules to Complex Free-Living Cells", *Scientific American*, introducción por Philip C. Hanawalt, 1980, p. 3.
27. *Symbiosis in Cell Evolution*, por Lynn Margulis, 1981, p. 87.
28. *Scientific American*, "The Genetic Control of the Shape of a Virus", por Edouard Kellenberger, diciembre de 1966, p. 32.
29. *Los Angeles Times*, "Fishing for Evolution's Answer", por Irving S. Bengelsdorf, 2 de noviembre de 1967.
30. *The Orion Book of Evolution*, por Jean Rostand, 1961, p. 79.
31. *Science Today*, "Evolution", por C. H. Waddington, 1961, p. 38.
32. *On Chromosomes, Mutations, and Phylogeny*, por John N. Moore, 27 de diciembre de 1971, p. 5.

Capítulo 9
Nuestro imponente universo
1. *National Geographic*, "The Incredible Universe", por Kenneth F. Weaver, mayo de 1974, p. 589.
2. *World Press Review*, cita de la revista *Maclean's*, "Astronomy's Coming Breakthroughs", por Terence Dickinson, marzo de 1982, p. 35.
3. *National Geographic*, mayo de 1974, p. 592.
4. *Discover*, "View From the Corner of the Eye", por Lewis Thomas, abril de 1981, p. 69.
5. Diccionario Enciclopédico Quillet, 1968, tomo III, p. 77.
6. *Reader's Digest*, julio de 1962, p. 38.
7. *The New York Times Magazine*, "The Universe and Dr. Hawking", por Michael Harwood, 23 de enero de 1983, p. 53.
8. *National Enquirer*, 10 de febrero de 1976.
9. *Science News*, "The Universe: Chaotic or Bioselective?", por Dietrick E. Thomsen, 24 y 31 de agosto de 1974, p. 124.
10. *Cosmos*, por Carl Sagan, 1980, p. 21.
11. *The Universe*, por Josip Kleczek, 1976, tomo 11, p. 17.
12. *Life Itself*, por Francis Crick, 1981, p. 30.
13. *The Enchanted Loom: Mind in the Universe*, por Robert Jastrow, 1981, p. 16.
14. *New Scientist*, "Taking the Lid Off Cosmology", por John Gribbin, 16 de agosto de 1979, p. 506.

Capítulo 10
Prueba procedente de un planeta singular
1. *Science*, "The Uniqueness of the Earth's Climate", por Allen L. Hammond, 24 de enero de 1975, p. 245.
2. *Discover*, "View From the Corner of the Eye", por Lewis Thomas, abril de 1981, p. 69.
3. *The Earth*, por Arthur Beiser, 1963, p. 10.
4. *Scientific American*, "Energy in the Universe", por Freeman J. Dyson, septiembre de 1971, p. 59.
5. *Science News*, "The Universe: Chaotic or Bioselective?", por Dietrick E. Thomsen, 24 y 31 de agosto de 1974, p. 124.
6. *The New England Journal of Medicine*, 13 de septiembre de 1973, tomo 289, p. 577.

Capítulo 11
El asombroso diseño de los organismos vivos
1. *The Origin of Species*, por Charles Darwin, edición Mentor, 1958, p. 90.
2. *Discover*, "Evolution as Fact and Theory", por Stephen Jay Gould, mayo de 1981, p. 35.
3. *The Great Evolution Mystery*, por Gordon Rattray Taylor, 1983, p. 233.
4. *Field Museum of Natural History Bulletin*, "Conflicts Between Darwin and Paleontology", por David M. Raup, enero de 1979, p. 26.
5. *Scientific American*, "Adaptation", por Richard Lewontin, septiembre de 1978, p. 213.
6. *The Center of Life*, por L. L. Larison Cudmore, 1977, pp. 13, 14.
7. *The River of Life*, por Rutherford Platt, 1956, p. 116.
8. *The Center of Life*, pp. 16, 17.
9. *Biology*, por Helena Curtis, 1983, cuarta edición, p. 484.
10. *Life on Earth*, por David Attenborough, 1979, pp. 26, 29.
11. *Science Digest*, "Earth's Odd Couples", por Mary Batten, noviembre/diciembre de 1980, p. 66.
12. *The Center of Life*, pp. 137, 138.
13. *The New York Times*, "Materialism Hit by Dr. Millikan", 30 de abril de 1948, p. 21.
a. *The Audubon Society Encyclopedia of North American Birds*, por John K. Terres, 1980, pp. 833, 834.

Capítulo 12
¿Quién lo hizo primero?
1. *The Center of Life*, por L. L. Larison Cudmore, 1977, pp. 23, 24.
2. *How Life Learned to Live*, por Helmut Tributsch, 1982, p. 204.
3. *The Atlantic Monthly*, "Debating the Unknowable", por Lewis Thomas, julio de 1981, p. 49.
4. *Science News Letter*, 23/30 de agosto de 1975, p. 126.
5. *How Life Learned to Live*, p. 172.
6. *Smithsonian*, "Bacteria's Motors Work in Forward, Reverse and Twiddle", por Leo Janos, septiembre de 1983, p. 134.
7. *How Life Learned to Live*, p. 68.

Capítulo 13
El instinto... sabiduría programada antes del nacimiento
1. *The Origin of Species*, por Charles Darwin, edición Mentor, 1958, p. 228.
2. *The Great Evolution Mystery*, por Gordon Rattray Taylor, 1983, pp. 221, 222.
3. *The Birds*, por Roger Tory Peterson, 1963, p. 106.

4. *A View of Life*, por Salvador E. Luria, Stephen Jay Gould y Sam Singer, 1981, p. 556.
5. *Life on Earth*, por David Attenborough, 1979, p. 184.
6. *The Story of Pollination*, por B. J. D. Meeuse, 1961, p. 171.
7. *How Life Learned to Live*, por Helmut Tributsch, 1982, p. 15.
a. *The Great Evolution Mystery*, p. 221.

Capítulo 14
El milagro humano
1. *The Brain: The Last Frontier*, por Richard M. Restak, 1979, p. 390.
2. *The Universe Within*, por Morton Hunt, 1982, p. 44.
3. *Scientific American*, "Thinking About the Brain", por Francis Crick, septiembre de 1979, pp. 229, 230.
4. *Ibid.*, "The Development of the Brain", por W. Maxwell Cowan, p. 131.
5. *Ibid.*, "The Brain", por David H. Hubel, p. 52.
6. *The Brain: The Last Frontier*, p. 158.
7. *The Brain: Mystery of Matter and Mind*, por Jack Fincher, 1981, p. 37.
8. *Cosmos*, por Carl Sagan, 1980, p. 278.
9. *The Universe Within*, p. 44.
10. *Scientific American*, "Specializations of the Human Brain", por Norman Geschwind, septiembre de 1979, p. 180.
11. *The Universe Within*, p. 166.
12. *Ibid.*, pp. 227-229.
13. *The Brain: Mystery of Matter and Mind*, p. 59.
14. *The Brain: The Last Frontier*, p. 331.
15. *Ibid.*
16. *Science News Letter*, "List 2,000 Languages", 3 de septiembre de 1955, p. 148.
17. *Man: His First Million Years*, por Ashley Montagu, 1962, p. 102.
18. *The Brain: The Last Frontier*, pp. 332, 333.
19. *Programs of the Brain*, por J. Z. Young, 1978, p. 186.
20. *The Brain: Mystery of Matter and Mind*, por p. 53.
21. *Encyclopaedia Britannica*, 1976, Macropædia, tomo 12, p. 998.
22. *The Brain: The Last Frontier*, pp. 59, 69.
23. *Cosmos*, p. 278.
24. *The Selfish Gene*, por Richard Dawkins, 1976, pp. 4, 215.
25. *Cosmos*, p. 330.
a. *Why We Believe in Creation Not Evolution*, por Fred J. Meldau, 1964, p. 238.
b. *Ibid.*
c. *Scientific American*, septiembre de 1979, p. 219.
d. *Los Angeles Times*, "Network in Human Brain Shames Man-Made Variety", por Irving S. Bengelsdorf, 8 de octubre de 1967.
e. *The Universe Within*, p. 85.
f. *The Brain: The Last Frontier*, p. 162.
g. *Ibid.*, pp. 58, 59.
h. *Reader's Digest*, "Thoughts of a Brain Surgeon", por Robert J. White, septiembre de 1978, pp. 99, 100.

Capítulo 15
¿Qué lleva a muchos a aceptar la evolución?
1. *American Laboratory*, "The Editor's Page", por Donald F. Calbreath, noviembre de 1980, p. 10.
2. *New Scientist*, "The Necessity of Darwinism", por Richard Dawkins, 15 de abril de 1982, p. 130.
3. *Impact*, septiembre de 1981, p. ii.

4. *New Scientist*, "Letters", 13 de mayo de 1982, p. 450.

5. *A View of Life*, por Salvador E. Luria, Stephen Jay Gould y Sam Singer, 1981, p. 574.

6. *Ibíd.*, p. 575.

7. *Missing Links*, por John Reader, 1981, pp. 10, 81, 209, 226.

8. *The Origin of Species*, por Charles Darwin, edición de 1956, introducción por W. R. Thompson, pp. viii, xii.

9. *Ibíd.*, pp. xxi, xxii.

10. *The Commercial Appeal*, Memphis, Tennessee, "Darwin Issue Draws Rebuff of Professor", por Arthur J. Snider, 9 de septiembre de 1973, primera sección, p. 21.

11. *Evolution From Space*, por Fred Hoyle y Chandra Wickramasinghe, 1981, p. 137.

12. *Hospital Practice*, septiembre de 1981, p. 17.

13. *New Catholic Encyclopedia*, 1967, tomo V, p. 694.

14. *Nature*, "Twelve Wise Men at the Vatican", por J. M. Lowenstein, 30 de septiembre de 1982, p. 395.

Capítulo 17
¿Puede usted confiar en la Biblia?

1. *Free Inquiry*, "The Bible as a Political Weapon", por Gerald Larue, verano de 1983, p. 39.

2. *Scientific Monthly*, "Geology and Health", por Harry V. Warren, junio de 1954, p. 396.

3. *Cook's Commentary*, redactado por F. C. Cook, 1878, tomo IV, p. 96.

4. *Encyclopedia Americana*, 1977, tomo 9, p. 553.

5. *The World Book Encyclopedia*, 1984, tomo 20, p. 136.

6. *God and the Astronomers*, por Robert Jastrow, 1978, pp. 11, 14.

7. *Ibíd.*, p. 16.

8. *The Saturday Evening Post*, "Riddle of the Frozen Giants", por Ivan T. Sanderson, 16 de enero de 1960, pp. 82, 83.

9. *The New Dictionary of Thoughts*, 1891, originalmente compilado por Tryon Edwards. Revisado por C. N. Catrevas y Jonathan Edwards, p. 534.

10. *The Physician Examines the Bible*, por C. Raimer Smith, 1950, p. 354.

11. *The Papyrus Ebers*, por C. P. Bryan, 1931, pp. 73, 91, 92.

12. *None of These Diseases*, por S. I. McMillen, 1963, p. 23.

13. *Encyclopedia Americana*, 1956, tomo 18, p. 582b.

14. *The Lancet*, "Mental Health and Spiritual Values", por Geoffrey Vickers, 12 de marzo de 1955, p. 524.

15. *Today's Health*, "How to Avoid Harmful Stress", por J. D. Ratcliff, julio de 1970, p. 43.

16. *A Few Buttons Missing*, por James T. Fisher y Lowell S. Hawley, 1951, p. 273.

17. *Abraham, Recent Discoveries and Hebrew Origins*, por Leonard Woolley, 1935, p. 22.

18. *The Pentateuch and Haftorahs*, "Exodus", preparado para publicación por J. H. Hertz, 1951, p. 106.

19. *From the Stone Age to Christianity*, por William Foxwell Albright, 1940, pp. 192, 193.

20. *The Pentateuch and Haftorahs*, p. 106.

21. *Digging Up the Bible*, por Moshe Pearlman, 1980, p. 85.

22. *Ancient Near Eastern Texts Relating to the Old Testament*, preparado para publicación por James B. Pritchard, 1969, pp. 284, 285.

23. *Digging Up the Bible*, p. 85.

24. *Ibíd.*

25. *Ancient Near Eastern Texts*, p. 288.

26. *Universal Jewish History*, por Philip Biberfeld, 1948, tomo I, p. 27.

27. *Nabonidus and Belshazzar*, por Raymond Philip Dougherty, 1929, p. 200.

28. *The Sun*, Baltimore, Maryland, 24 de marzo de 1980, "Unearthing Pontius Pilate", por Michael J. Howard, pp. B1, B2.

29. *The Bible as History*, por Werner Keller, edición de 1964, p. 161.

30. *Living With the Bible*, por Moshe Dayan, 1978, p. 39.

31. *The Sun*, San Bernardino, California, 19 de octubre de 1967, p. B-12.

32. *The Bible and Archæology*, por Frederic Kenyon, 1940, p. 279.

33. *Rivers of the Desert*, por Nelson Glueck, 1959, p. 31.

Capítulo 18
La Biblia... ¿ha sido realmente inspirada por Dios?

1. *The Encyclopedia Britannica*, 1971, tomo 22, p. 452.

2. *The World Book Encyclopedia*, 1984, tomo 19, p. 445.

3. *Encyclopedia Americana*, 1977, tomo 27, p. 331.

4. *Biblical Researches in Palestine*, por E. Robinson y E. Smith, 1856, tomo II, p. 463.

5. *Great Books of the Western World*, redactado por Robert Maynard Hutchins, 1952, tomo 6, p. 43.

6. *Ibíd.*

7. *Ibíd.*

8. *Ancient Near Eastern Texts Relating to the Old Testament*, preparado para publicación por James B. Pritchard, 1969, p. 316.

9. *Archaeology and Bible History*, por Joseph P. Free, revisión de 1962, p. 284.

10. *Flavio Josefo*, "Guerra de los judíos", traducción de J. M. Cordero, Editorial Iberia, volumen I, p. 208.

11. *The Ecclesiastical History of Eusebius Pamphilus*, traducido por Christian Frederick Cruse, agosto de 1977, novena impresión, p. 86.

12. *Flavio Josefo*, "Guerra de los judíos", traducción de J. M. Cordero, Editorial Iberia, volumen II, pp. 143, 144.

13. *Flavio Josefo*, "Guerra de los judíos", traducción de J. M. Cordero, Editorial Iberia, volumen II, pp. 205, 206.

14. *Flavio Josefo*, "Guerra de los judíos", traducción de J. M. Cordero, Editorial Iberia, volumen II, p. 203.

15. *The First World War*, por Richard Thoumin, cita del prefacio, 1964, p. 10.

16. *Der Spiegel*, núm. 27, 5 de julio de 1982, p. 119.

17. *Times* de Londres, "Malnutrition Now Afflicts a Thousand Million People", 3 de junio de 1980, p. 10.

18. *The Globe and Mail*, Toronto, "The Vital Task of Finding Food for a World Already Reeling With Hunger", por A. Roy Megarry, 8 de noviembre de 1983, p. 7.

19. *The Guardian*, Londres, "Millions Starve as Worldwide Disaster Hits", por Victoria Brittain, 30 de septiembre de 1983, p. 10.

20. *Time*, "China's Killer Quake", 25 de junio de 1979, p. 25.

21. *Il Piccolo*, 8 de octubre de 1978.

22. *Science Digest*, "1918: The Plague Year", por Joseph E. Persico, marzo de 1977, p. 79.

23. *U.S.News & World Report*, "Terrorism: Old Menace in New Guise", entrevista con Walter Laqueur, 22 de mayo de 1978, p. 35.

24. *Die Welt*, 18 de enero de 1979, p. 17.

25. *The West Parker*, Cleveland, Ohio, 20 de enero de 1966, p. 1.

26. *The New York Times*, "Macmillan, at Yale, Reflects on Change", 23 de noviembre de 1980, p. 1.

27. *1913: America Between Two Worlds*, por Alan Valentine, 1962, p. xiii.

28. *Usted puede vivir para siempre en el paraíso en la Tierra*, publicado por Watchtower Bible and Tract Society of New York, Inc., 1982, pp. 136-141.

29. *The World Magazine*, 30 de agosto de 1914.

30. *Of Guilt and Hope*, por Martin Niemöller, 1947, p. 48.

Reconocimiento por uso de láminas
Las láminas se presentan en el orden en que aparecen en la página

"Continúa en las cosas que aprendiste"

Eso fue lo que el apóstol Pablo escribió al joven Timoteo. (2 Timoteo 3:14.) Después de leer esta publicación, usted tiene conocimiento de las muchas cosas buenas que Dios tiene en reserva para los que lo aman. Pero es necesario que siga progresando en sentido espiritual. Los testigos de Jehová le ayudarán gustosamente si usted no está recibiendo esa ayuda todavía. Sencillamente escriba a Watch Tower, a la dirección que corresponda de entre las siguientes, para más información o para que un testigo de Jehová lo visite en su hogar y estudie regularmente la Biblia con usted como servicio gratuito.

ALEMANIA: Niederselters, Am Steinfels, D-65618 Selters. **ARGENTINA:** Casilla de Correo 83 (Suc. 27B), 1427 Buenos Aires. **BÉLGICA:** rue d'Argile-Potaardestraat 60, B-1950 Kraainem. **BOLIVIA:** Casilla 6397, Santa Cruz. **BRASIL:** Caixa Postal 92, 18270-970 Tatuí, SP. **CANADÁ:** Box 4100, Halton Hills (Georgetown), Ontario L7G 4Y4. **CHILE:** Casilla 267, Puente Alto. **COLOMBIA:** Apartado Aéreo 85058, Santa Fe de Bogotá 8, D.C. **COSTA RICA:** Apartado 187-3006, Barreal, Heredia. **DOMINICANA, REPÚBLICA:** Apartado 1742, Santo Domingo. **ECUADOR:** Casilla 09-01-1334, Guayaquil. **EL SALVADOR:** Apartado Postal 401, San Salvador. **ESPAÑA:** Apartado 132, 28850 Torrejón de Ardoz (Madrid). **ESTADOS UNIDOS DE AMÉRICA:** 25 Columbia Heights, Brooklyn, NY 11201-2483. **FRANCIA:** B.P. 625, F-27406 Louviers cedex. **GRAN BRETAÑA:** The Ridgeway, Londres NW7 1RN. **GUATEMALA:** Apartado postal 711, 01901 Guatemala. **HONDURAS:** Apartado 147, Tegucigalpa. **ITALIA:** Via della Bufalotta 1281, I-00138 Roma RM. **MÉXICO:** Apartado Postal 896, 06002 México, D.F. **NICARAGUA:** Apartado 3587, Managua. **PANAMÁ:** Apartado 6-2671, Zona 6A, El Dorado. **PARAGUAY:** Casilla de Correo 482, 1209 Asunción. **PERÚ:** Apartado 18-1055, Lima 18. **PUERTO RICO 00970:** P.O. Box 3980, Guaynabo. **SUIZA:** P.O. Box 225, CH-3602 Thun. **TRINIDAD Y TOBAGO, REP. DE:** Lower Rapsey Street & Laxmi Lane, Curepe. **URUGUAY:** Casilla 17030, 12500 Montevideo. **VENEZUELA:** Apartado 20.364, Caracas, DF 1020A.